D0334814

Het zomerhuis

Van dezelfde auteur

Een zee van tijd

Merete Morken Andersen

Het zomerhuis

Vertaald door Lucy Pijttersen en Kim Snoeijing

2007
uitgeverij Signature / Utrecht

© 2005 by Gyldendal Norsk Forlag (All rights reserved)
Oorspronkelijke titel: Mandel
Vertaling: © 2007 uitgeverij Signature, Utrecht en Lucy Pijttersen en Kim Snoeijing

Omslagontwerp: Wil Immink Design
Omslagfoto: Getty Images/Catherine Allyn
Typografie: Pre Press B.V., Zeist
Druk- en bindwerk: Bercker, Kevelaer

ISBN 978 90 5672 224 1
NUR 302

De vertaling van dit boek is tot stand gekomen met behulp van subsidie van NORLA.

Mixed Sources
Productgroep uit goed beheerde
bossen, gecontroleerde bronnen
en gerecycled materiaal.
www.fsc.org Cert no. CU-COC-802528
© 1996 Forest Stewardship Council
FSC

Dit boek is gedrukt op papier dat het keurmerk van de Forest Stewardship Council (FSC) mag dragen. Bij dit papier is het zeker dat de productie niet tot bosvernietiging heeft geleid. Een flink deel van de grondstof is afkomstig uit bossen en plantages die worden beheerd volgens de regels van FSC. Van het andere deel van de grondstof is vastgesteld dat hiervoor geen houtkap in de laatste resten waardevol bos heeft plaatsgevonden. Daarom mag dit papier het FSC Mixed Sources label dragen. Voor dit boek is het FSC-gecertificeerde Munkenprint gebruikt. Dit papier is 100% chloor- en zwavelvrij gebleekt en wordt geleverd door Arctic Paper Munkedals AB, Zweden.

Voor Janike

Met dank aan Eduardo

Inhoud

Ik moet gaan. Bij 't scheiden
van een vriend of een geliefde plek,
hoe klemmend is niet het gemis van alles wat dierbaar was,
het berouw van wat je hebt misdaan.

Nu ken ik de smarten van het aardse leven,
dit is het dus om mens te zijn.

Indra's dochter in August Strindberg, het *Droomspel*

I

Agnes

Ik viel door de lucht, van heel hoog
Mijn haar wapperde als een zeil achter me aan.
Ik had een diep knagend gevoel

Ik werd wakker doordat ik riep: "Papa!"

Toen ik die ochtend wakker werd, drong het tot me door dat er iets nieuws ging gebeuren. Mijn hoofd voelde schoon en helder, als na een regenbui. Ik lag tussen de witte lakens en voelde dat ik een lichaam had, dat het sterk was, dat het zich gelijktijdig in vele richtingen kon uitstrekken; zich als een levende plant naar het licht kon richten. Er ging een siddering door me heen. Dit was nieuw. Sinds ik een kind was, had ik zoiets niet meer gevoeld.

Aksel was er niet, hij had zomervakantie, dus kwam het niet door hem. Opeens stond het me helder voor de geest: mijn wil kwam eindelijk op gang. Het was tijd om gezond te worden.

Eigenlijk hoort Aksel hier 's ochtends te zijn. Aan hem ben ik gewend. Hij is de man met de voorzichtige handen, en zijn stem klinkt het mooist als hij vertelt wat hij op het ochtendnieuws heeft gehoord. Vergeleken met hem stelt zijn invalster niets voor. Zij heeft fletse ogen en kent me niet zoals ik echt ben, ze praat onduidelijk en sloft tijdens het lopen. Sloft en schuifelt.

Slof, schuifel. Slof, schuifel.

Aksel is duidelijk in zijn doen en laten, hij loopt met lichte, vastbesloten stappen, zijn voeten bewegen rustig, vastberaden. Hij zorgt ervoor dat ik mezelf kan vergeten. Liever gezegd: Aksel doet me aan mezelf denken en laat me mezelf tegelijkertijd vergeten.

Hij doet me op de goede manier aan mezelf denken, moet ik geloof ik zeggen. Op een zachte manier.

Ik heb een lichaam en daar is niets mis mee, denk ik altijd als ik Aksel binnen hoor komen.

Het was aan het begin van de zomervakantie. Ik lag in de grote slaapkamer naar de geluiden van buiten te luisteren. De ochtend was licht en doorzichtig, en mijn oren waren als de zijwaarts gerichte trechters van trompetten, waarmee ik alles kon horen. Het was een vrijwel geruisloos mooie nacht geweest, de drukke straten even verderop leken zich in een andere wereld te bevinden. Alsof deze straat met mijn huis zich had teruggetrokken om beter te kunnen luisteren.

De hele nacht geen auto te horen, behalve eentje die rond drie uur aan het eind van de straat stopte, waarna zachte schoenzolen zich uit de voeten maakten. De auto reed weg, ik hoorde snelle passen, een sleutel die in een slot in de portiek naast de mijne werd gestoken en met een klikje werd omgedraaid. Daarna geruis in een leiding, een piepje, een zucht vanuit een raam op een hogergelegen verdieping. Het is ongelooflijk wat ik allemaal hoor, dacht ik, mijn gehoor moet de laatste tijd nog beter zijn geworden. Voel deze oren maar eens, ze gloeien gewoon.

Het was alsof ik tijdens de verwarde uren vol dromen bij het krieken van de dag voortdurend had geweten dat ik elk moment wakker kon worden, en dat alles om me heen levendig en nieuw zou zijn wanneer ik mijn ogen zou openen. Ik meende vaag te weten dat ik iets had geroepen, maar wist niet meer wat.

Ik kreeg het gevoel dat er een puzzelstukje op zijn plaats was gevallen: zo is het nu met me. Als ik de situatie maar eenmaal heb geaccepteerd zoals die is, dan komt de genezing vanzelf wel. Deze situatie, deze stad, dit huis, deze kamer, dit bed, dit lichaam, deze gedachten. Het is niet zielig voor me, het gaat helemaal niet om mijn ziekte. Wat heb ik het al die jaren mis gehad. Alles is zoals het is. Waarom heeft niemand me dat verteld?

Toen besefte ik opeens dat oma me dat misschien die keer wilde vertellen toen ik naakt en in elkaar gedoken op het krukje in de badkamer van haar appartement zat te huilen. Ze wilde het me vertellen, maar het was niet in woorden uit te drukken. Het was een halfjaar nadat ik ziek was geworden, ik was nog maar negentien, het was tot me doorgedrongen hoe hulpeloos ik wellicht zou worden. Mijn lichaam kon gaan verwelken, het zóú gaan verwelken, misschien zou ik mijn geheugen kwijtraken, mijn spraak, alles. Ik voelde dat het al was begonnen; een onbeschrijfelijke vermoeidheid overviel me. Ik keek naar mijn dijen, die waren wit en slap. Uit mijn oksels kwam een penetrante geur, en mijn armen met de krachteloze handen hingen zwaar en willoos in mijn schoot, het was alsof ze niets met mij te maken hadden, ze vertrouwden me niet meer. Mijn buik vouwde zich over mijn handen heen als een uitgerekte accordeon, een leeg zakje.

Oma kwam naar me toe, tilde mijn kin met een gebogen wijsvinger omhoog en keek me een moment met haar vreemde doordringende blik aan voordat ze me losliet en me met een besluiteloos gebaar de rug toekeerde. Ik dacht dat ze wist wat er met mij stond te gebeuren, maar dat ze daarover niet kon praten. In elk geval niet met mij.

Maar nu denk ik dat het zó moeilijk toch niet kon zijn. Het lot was met mij aan de slag gegaan. Misschien snapte oma niets van het lot. Als dat wel zo was geweest, zou ze me dat toen wel hebben verteld.

Wat ze zou hebben gezegd was: meisje toch. Alles is zoals het is.

Ze had een plaid om me heen kunnen slaan.

Eerder deze zomer zat ik dus in bed in een heel andere kamer, met een lichaam dat hetzelfde, maar tegelijk heel anders was. Ik was geen negentien meer, ik was zesendertig. De artsen hadden destijds verteld wat er kon gebeuren, en een groot deel daarvan was ook gebeurd. Het was langzaam en onbarmhartig gegaan, zoals altijd met het lot het geval is.

Ik trok mijn nachthemd omhoog en bestudeerde opnieuw mijn buik en dijen. Het leed geen twijfel, ik was vele jaren ouder geworden. Mijn buik was nog steeds een leeggelopen zak, en mijn dijen blubberden nog meer dan toen. De kleur van mijn huid was zo wit als papier, en het zwarte schaamhaar was stug als een lelijk kwastje. Toch was alles nu anders. Een milde weemoed jegens mezelf overviel me; voor het eerst besefte ik pas goed dat dit mijn lichaam was, het enige dat ik had, en dat het vanaf het allereerste begin van mij was geweest. Het had het toch maar mooi volgehouden. Maar had ik het ooit bedankt? Ik wreef over mijn buik en gaf hem een klopje, ik fluisterde: "Nu gaat het beter, bedankt. Bedankt."

Mijn nachthemd rook lekker, het was pas gewassen en van flanel, het voelde zacht tegen mijn huid toen ik het weer naar beneden deed. Ik heb het van Molly gekregen, zij geeft mij altijd het beste. Toen we jonger waren, besteedde ze weleens haar hele weekloon aan een cadeau voor mij, als ze dacht me daarmee te kunnen opvrolijken.

Mijn lichaam reageerde, met instemmend gegniffel leek het wel, om me te laten zien dat het helemaal geen wrok koesterde. Het maakte me erop attent dat mijn benen, armen en rug nu sterker waren dan toen ik negentien was, en steeds als ik bedacht dat Aksel me ondanks alles al meer dan een jaar met het trainingsprogramma had geholpen, voelde ik die heerlijke siddering weer. Hij heeft een plan met me, dacht ik. Voordat ik het goed en wel in de gaten heb, komt hij met een verrassing op de proppen, als eerst de zomervakantie maar achter de rug is. Hij verheugt zich er blijkbaar op om weer aan het werk te gaan, zodat we het trainen kunnen voortzetten.

Beschaamd herinnerde ik me dat ik vaak weerzin voelde tegen de training, alsof die eigenlijk niets met mij te maken had. Alsof ik het recht had me te verbeelden dat Aksel de taak had weer kracht in mijn spieren te wurmen, en ik me met tegenzin aan een zwaar lot diende over te geven.

Ik hees me overeind, gebruikte mijn armen en slingerde mijn benen over de bedrand. Het kleed voelde zacht en concreet aan onder mijn voeten, ik bleef even zo zitten en dacht dat het nu zo was, definitief; vandaag kan ik het kleed echt voelen. Al die wollen draden die met een kleine naald naast elkaar zijn vastgemaakt, het moeten er duizenden zijn, misschien wel honderdduizend wollen draden.

"En die zullen nog duidelijker gaan aanvoelen!" zei ik hardop tegen mezelf.

Ik hees me in de rolstoel en reed langs de wand naar het raam. Ik passeerde de ladekast, in de bovenste la vond ik het doosje krijtjes.

Ik opende het ouderwetse, dubbele raam met behulp van het stokje met een haak aan het uiteinde, dat iemand die hier ervaring mee had, daar had neergelegd, kennelijk in opdracht van Aksel.

De straatlucht kwam me als een windvlaag tegemoet. Ik voelde hem tegen mijn neus en mond, tegen mijn gesloten ogen. Hij was zo zuiver, maar nog niet helemaal opgewarmd, ik voelde het tochten.

Ik bedacht dat ik wel een tuin zou kunnen wensen. Of een kind. Een tuin, misschien met een huisje erin, om in rond te kunnen rijden; ik zou in het tuinhuisje kunnen zitten om naar de groeiende gewassen te kijken, net als naar het kind dat in al dat groen heen en weer sprong. En dan kon de invalster wieden, als ze zich per se nuttig wilde maken, dacht ik. Ze kon wieden en het levendige kind in het gras een glas bessensap brengen.

Maar buiten was alleen de straat. Er staan helaas geen bomen in deze straat, alleen geparkeerde auto's. Aan het eind van de straat ligt het ziekenhuis.

Gewoontegetrouw trok ik mijn hoofd weer voorzichtig terug in de kamer. Ik reed naar het bed en kroop er met het krijt tussen mijn tanden op.

Boven mijn bed hangt een afbeelding van Jezus. Het is een ontroerend naïef portret: Jezus houdt zijn handen vredig boven de witte lammeren geheven, zijn armen wijzen schuin naar beneden en zijn handpalmen zijn naar boven gericht. De lammeren hebben een afwezige blik in hun ogen en zijn met hun eigen beslommeringen bezig, zoals ik dat in het bed eronder doe. Moeizaam wist ik me om te draaien en me met één arm omhoog te trekken, zodat ik het portret met mijn andere arm van de spijker kon tillen. Op de plek waar het had gehangen, was een gele vlek op het behang ontstaan.

Na die inspannende beweging moest ik even rusten. Ik zakte terug en liet mijn blik door de kamer gaan. Ik bedacht hoe het licht stilletjes zijn werk had gedaan en alles om me heen had verbleekt, de felheid van de kleuren had doen afnemen. Dit is een voorbeeld van het langzame, maar onvermoeibare werk van het lot, dacht ik. Het lot heeft een plan, het is ongelooflijk geduldig, het heeft het licht hierbinnen aan het werk gezet. En het licht heeft het bevel opgevolgd en niet alleen op het behang gewerkt, maar op alles wat hier aanwezig is; op Jezus en de lammeren en op mij. Inderdaad, ook op Jezus en mij, moest ik erkennen, wij zijn ook bleker geworden. Uiteindelijk wint het licht altijd. Uiteindelijk, en dat is weliswaar over heel lange tijd, zullen Jezus en ik en alle lammeren onzichtbaar zijn geworden, dan zijn we één met het bleke behang. Aksel zal me op de tast moeten zoeken als hij 's ochtends komt, en ik zal geluid moeten maken om te laten weten waar ik ben. Een knorrend geluid, of een klakje. Ook Aksel zal bleker zijn als we elkaar ten slotte in de gaten krijgen. Het wordt tijd dat er iets gebeurt! Er moet toch een manier zijn om het lot aan de praat te krijgen.

In het gele veld op het behang dat Jezus en de lammeren hadden achtergelaten, kraste ik met het krijt een dubbel raampje. Het raam was exact gelijk aan dat waar ik zojuist mijn hoofd door had gestoken;

twee hoge, smalle rechthoeken met een kruis in het midden, maar veel kleiner dan het echte raam. Ik kan goed tekenen. Niet zo goed als Molly, maar best goed.

Daarna hing ik de afbeelding op haar plaats en draaide ik me weer in de juiste positie in bed.

Het duurde langer om dit allemaal te doen dan ik had gedacht. Ik was moe, ik voelde wel wat pijn, maar het was een goede pijn. De eerste goede pijn in mijn nieuwe leven, dacht ik. Daar zat ik dan onder de vredige lammeren en de naar boven gerichte handpalmen van Jezus in mezelf te glimlachen, waarna ik weer onder het dekbed gleed. Een golf van genot en warm, zout water spoelde over me heen. Een fijn, nat vlies langs mijn wang en hals.

Ik mag niet vergeten dat Aksel nu met Molly samen is. Ze hebben elkaar iets meer dan een halfjaar geleden in mijn badkamer ontmoet en ik kon weinig doen om te voorkomen dat hij naar haar werd toe getrokken, als een mot naar een sterke lamp. Het ging zoals het moest gaan; hij fladderde nerveus met zijn vleugels en was lange tijd niet zichzelf, hij dwaalde maar wat rond, het leek wel alsof hij tegen een raam botste. Maar ik kon niets doen om hem te helpen, er was geen raam dat open kon.

Zeggen dat Molly mijn beste vriendin is, is niet overdreven. We lopen ongelooflijk goed synchroon. Ik ben Molly's hoofd, zij is mijn voeten. Ik denk, onthoud en maak plannen, zij gaat overal en nergens op de wereld naartoe, legt grote afstanden af. Overal waar ze komt, schept ze iets, om daarna weer verder te gaan. Maar ík vertel haar waar ze heen moet en wat ze moet doen.

Molly kan vliegen. Ze heeft zo'n grote vleugelwijdte dat ze overal heen kan gaan, waar ze maar wil. En elke avond belt ze om te vertellen wat ze daarginds allemaal heeft gezien. Op die manier leeft ze voor mij.

Ze kan goed vertellen. Soms jokt ze een beetje, maar dat geeft niet. Het verschil tussen waarheid en leugen is niet altijd doorslaggevend, in elk geval niet voor twee mensen die elkaar zo goed kennen als Molly en ik.

Zoef, klinkt het als ze opstijgt.

Aksel en ik waren in de badkamer toen ze die keer kwam, onze trainingen van die dag zaten er net op. Ze had niet aangebeld, maar door het stromende water heen had ik haar voetstappen op de trap gehoord. Mijn gehoor is beter dan dat van Aksel en ik herken die voetstappen uit alle andere. Molly sloft niet, integendeel. Ze is onoverwinnelijk, iemand aan wie je je overgeeft. Als ze haar mond opendoet en lacht, voel je jezelf week worden.

Aksel stond over me heen gebogen en waste mijn haar met een lauwwarme, voorzichtige straal van de handdouche toen ze met veel bombarie de betegelde ruimte binnenkwam, terwijl haar schoudertas aan de versleten riem bungelde. Door de damp op de spiegel kon ik zien hoe hun blikken elkaar ontmoetten: de enigszins onverwachte, verwarde tederheid tussen twee mensen die elkaar niet kennen, maar die beseffen dat er heel binnenkort iets tussen hen gaat gebeuren. Aan alles voelde ik dat dit een beslissend moment was. Ik sloot mijn ogen, stak zoekend een arm omhoog en vroeg om de handdoek.

Je kunt dus zeggen dat ik hen bij elkaar heb gebracht. En ik weet niet of ze van plan is hem los te laten, ondanks alles wat er de afgelopen tijd is gebeurd.

Wat Aksel betreft, is het moeilijk om iets met zekerheid te zeggen. Vroeger dacht ik altijd dat hij zo'n typische getrouwde man was, ook al is hij dan gescheiden, die bovendien te trouw was en te zeer een vader voor zijn kinderen om een leven met Molly aan te kunnen. Maar het is duidelijk: hij vindt ook iets bij haar, en hij komt in elk geval niet van haar los voordat zij hem laat gaan. Molly moet altijd als eerste iemand laten gaan, zo is het al sinds haar negentiende.

Toen Molly en hij eenmaal een stel waren, bleef Aksel hier komen om me te helpen; dat is immers zijn werk. We trainen, hij helpt me uit mijn stoel op de trainingsmat en laat me zien welke oefeningen ik moet doen. De fysiotherapeut heeft speciaal voor mij een programma opgesteld en hem ongetwijfeld tot in het kleinste detail uitgelegd welke instructies hij me moet geven, hoe hij me moet motiveren en aanmoedigen. De fysiotherapeut is een vrouw, ze is hier maar één keer geweest, ik kon niet beslissen of ik haar wel of niet mocht, ze had enorme borsten. Aksel en zij spelen onder één hoedje, weliswaar voor een goede zaak. Ik neem aan dat ze regelmatig op haar kantoor in het wijkcentrum met elkaar overleggen, daar drinken ze koffie uit haar bekers met de heftige, grote bloemen, terwijl zij hem alles over mij en mijn onwillige lichaam uitlegt; al die trieste details. Ze zet de beker met een vastbesloten gebaar op haar bureau en leunt ijverig naar voren, zodat haar borsten op het bureaublad ploffen. De invalster doet alsof ze achter in de kantoorruimte druk met iets bezig is, terwijl ze met rode oortjes luistert om maar niets van het gesprek te hoeven missen. Ze is niet uitgenodigd om bij die gesprekken over mij en mijn lichaam aanwezig te zijn, ze moet alles maar zo goed mogelijk volgen, haar eigen conclusies over mij op basis van weinig informatie trekken.

Ik kan me niet voorstellen dat Aksel aantekeningen over mij maakt.

Hij is het best in zijn element op de trainingsmat, voor iets anders blijft er voor ons tweeën niet veel tijd over. Hij toont me de juiste posities, moedigt me met allerlei woordjes aan. "Goed, Agnes", zegt hij, "heel goed. Kijk eens aan. Prachtig!" Ik ploeter, werk me in het zweet en word het beu, maar hij heeft een engelengeduld. Na een tijdje schopt hij zijn verplegersschoenen uit, gaat naast me op de mat liggen en doet me de oefeningen voor. Hij benadrukt hoe goed het is voor mijn spieren, mijn evenwicht en mijn houding. En hij schenkt veel aandacht aan ademhalingsoefeningen, we zitten samen op de mat en halen met hetzelfde ritme adem; lange, diepe teugen met de ogen dicht. Als ik de mijne weer opendoe, zijn de zijne al open, ze schitteren, en hij zegt: "Zo, ja. Volgens mij voel je je nu rustiger."

Hij gaat er helemaal in op. Hij ruikt lekker en zijn gezicht is zacht en glad, hij scheert zich vast elke dag.

Aksel heeft uitgelegd dat het hebben van een goede houding niet alleen belangrijk is voor mensen die staan en zitten, maar ook voor mensen die bedlegerig zijn. Dat heeft de fysiotherapeut hem ongetwijfeld verteld, maar hij doet alsof hij het zelf heeft bedacht, en ik gun hem dat pleziertje.

"Het is niet zo gebruikelijk om te horen dat iemand die aan bed gekluisterd is een fraaie houding heeft", zei hij op een keer met zijn jongensachtige glimlach. "Maar het is wel zo. Het is heel iets anders dan er maar vol spanning bij liggen als een blok hout."

Ik snapte natuurlijk op wie hij doelde. De fysiotherapeut heeft vast en zeker de flip-over gebruikt en een tekening vol strepen gemaakt van een magere vrouw op haar rug, stokstijf in bed. Met strepen en pijlen heeft ze vast uitleg gegeven, terwijl ze tegen hem glimlachte en met haar bovenarmen haar borsten aanraaktc, zodat ze heen en weer schudden.

Op een keer beloofde hij me een verrassing als ik het hele trainingsprogramma op de mat zonder gemor zou afwerken. De oefeningen zijn eindeloos traag en bijna onverdraaglijk vermoeiend; ik vind het leuker om me bezig te houden met de halters die ik bij een postorderbedrijf heb gekocht. Maar Aksel heeft geen belangstelling voor halters, hij heeft ze zelfs weggestopt.

De verrassing was dat hij een kajak heeft, die heeft hij al jaren, hij gebruikt hem elke zomer tot ver in de herfst. Als ik voldoende kracht in mijn spieren heb en mijn evenwicht kan bewaren, gaat hij me helpen om er een tocht op de fjord mee te maken.

Dat waren zijn woorden. Hij zei ze weliswaar iets te gemaakt enthousiast, en misschien was hij me op dat moment gewoon een beetje zat, ik had me tijdens de training niet bepaald bovenmatig ingespannen. Maar ik weet dat hij het meende, en dat hij niet het type is om het zomaar te vergeten of om loze beloften te doen. Aksel is iemand op wie je kunt vertrouwen.

"Dat is echt iets voor jou", zei hij. "Je zult het heerlijk vinden."

Soms vertelt hij onder het trainen over zijn kinderen, Eilif en Ine. Dat is slim van hem. Als hij over hen praat, spits ik mijn trompet-oren en doe mijn uiterste best tijdens mijn trainingsoefeningen. Misschien is hem dat opgevallen. Ik verdenk hem ervan dat hij me alleen maar over hen vertelt om me beter mijn best te laten doen, maar dat is niet van belang, ik zuig alles wat hij me vertelt in me op, en de kinderen blijven in mijn gedachten achter nadat hij is vertrokken. Ik heb een paar schetsen in mijn notitieboekje gemaakt van hoe ik denk dat ze eruitzien.

Maar hij praat niet over Molly. Niet tijdens het trainen en anders ook niet. Aksel is heel fijngevoelig en hij kent me. Het woord liefde bestaat niet tussen ons.

Die ochtend eerder deze zomer was de lucht nog steeds helder en scherp. Ik zat te wachten tot de invalster zou aanbellen.

"*Morning has broken*", fluisterde ik tegen mezelf. "*Like the first morning!*" Voordat ik het goed en wel doorheb, zal mijn ziekte veranderen! Ze zal als pas gepoetste messing gaan glimmen, een stralend instrument dat ik kan bespelen.

Ik herhaalde dat laatste nog een keer, met een iets luidere stem en met nadruk op alle lettergrepen: *dat ik kan bespelen.*

De invalster doet alles anders dan Aksel. Als Aksel komt, belt hij drie keer aan, hard, bijna boos, voordat hij naar binnen gaat. Ik denk dat dat zijn energie toont, en dat hij dat doet om de kracht in me naar boven te roepen. Hij geeft me het signaal dat ik hem en de dag die hij meebrengt, moet ontvangen met alles in me wat kan bewegen. Hij wil dat ik me duidelijk aan hem laat zien. Dan komt hij het appartement binnen op zijn efficiënt witte verplegersschoenen. Ik denk: hij penetreert het appartement met zijn witte schoenen, hij voelt zich viriel vandaag, dat is mooi. Ik moet in mezelf lachen.

Aksel legt de kranten op het aanrecht en zet het koffiezetapparaat aan voordat hij de slaapkamer in komt. Hij weet wat hij te bieden heeft en hij is ruimhartig. Hij heeft sterke onderarmen met blonde haartjes, en hij ziet dat ik dat zie. Ik zie dat hij ziet dat ik het zie. Dat brengt hem in een goed humeur.

Zijn blik wijkt niet, en ik zie aan de rimpeltjes op zijn voorhoofd dat hij vrolijk gestemd is. Achter hem hoor ik het gepruttel van het koffiezetapparaat, en de verwarmende geur van pas gezette koffie verspreidt zich door de gang; een bijna onzichtbare kronkeling in de lucht.

Deze ochtend kwam de invalster dus. Hoe moest zij weten dat ik bezig was gezond te worden? Ze kent me niet, bovendien voelt ze dat soort dingen niet aan. Als dat wel zo was geweest, zou ze geen woorden hebben gehad om erover te praten. Ze slofte op haar gebruikelijke manier naar binnen en begroette me vrolijk, hielp me uit bed en op het toilet. Daar liet ze me een paar minuten met rust terwijl ze het bed opmaakte, vervolgens kwam ze weer binnen en tilde me op de stoel in de douche.

Ik zei niets. Ik wilde niet dat zij er was, ik wilde Aksel. Ik wilde dat hij eerst naast me zou liggen op de mat en me zoals altijd de oefeningen liet zien, en dat hij me na afloop in bad hielp en mijn hele lichaam waste met een zachte doek, alsof ik een vrouw was en geen patiënt. En ik wilde dat hij er was als ik voor het eerst in mijn nieuwe leven iets wilde zeggen over als een vrouw gewassen worden. Hij zou zijn fraai afgeronde wijsvinger tegen mijn mond leggen en hetzelfde, langgerekte sst-geluid fluisteren als je bij kleine kinderen doet die bijna in tranen uitbarsten.

De invalster hielp me met aankleden. Ik trok even aan mijn trui zodat ze zou loslaten, ik wilde het zelf doen. Maar ze trok terug, alsof ze het met een koppige driejarige te stellen had. Toen ik alle kleren aanhad, reed ik demonstratief van haar vandaan de woonkamer in en ging aan het bureau zitten. Ze bleef wat besluiteloos staan kijken hoe ik de radio, die op de nieuwszender stond afgesteld, aanzette, net als de computer. Op verzoenende toon maakte ze een opmerking over de foto die ik als screensaver heb opgenomen. Ook die laat mijn slaapkamerraam zien, ik heb hem met de digitale camera gemaakt die Molly me als kerstcadeau heeft gegeven. De invalster noemde de foto een grappig gimmickje, wat ze daar ook maar mee bedoelde. Daarna legde ze de kranten van die dag op een stapel op het bureau. Ze wist dat ik het graag zo had. Het was vast goed bedoeld. Ze leek de lichtgekleurde maquette van een huis op de tafel naast me niet op te merken.

Toen ze op het punt stond te vertrekken, zei ik dat ik die dag geen hulp meer nodig zou hebben, aangezien mijn armen veel sterker waren geworden, ik mijn benen beter kon bewegen en meer had getraind om zelf de stoel uit te komen. Ik maakte duidelijk dat ik had besloten voortaan niet meer zo op de hulp van anderen te zijn aangewezen.

"Ik ben bezig gezond te worden", zei ik met een vaste stem. "Vanochtend voelde ik duidelijk het kleed onder mijn voetzolen, dat heb ik heel lang niet gekund."

Ik had geen vat op haar, ze kreeg de boodschap van mijn woorden niet mee. Ze knikte slechts bemoedigend op haar ongeconcentreerde manier en slofte de gang in om die onflatteuze jas van haar te pakken die ze altijd tot aan haar kin dichtknoopt. Volgens mij vond ze dat ze medelijden met mij moest hebben, dat ik me met de moed der wanhoop overeind hield.

De invalster ging de deur uit met een vrijblijvend hoofdknikje. Ze was kennelijk tot de slotsom gekomen dat ik ziek was en dat ook zou blijven. Niets wat ik zei of deed zou dat kunnen veranderen, ze zat volledig vastgeroest in haar eigen denkbeelden. Ik snoof verachtelijk bij wijze van afscheidsgroet en verduisterde de ramen met een lichte druk op de knop rechts naast de vensterbank, die stuurt een zoemend geluid door de kamer, als een groot insect dat de landing inzet. Toen logde ik in op de computer en zette de projector aan die op een klein statief naast het toetsenbord zit. Ik zocht een paar foto's op die ik de vorige avond op internet had gevonden. Daarop stond een mensenmassa tijdens een demonstratie in een of ander Zuid-Amerikaans land, welk weet ik niet meer. De projector roteerde langzaam op zijn statief en vertoonde de foto's op een groot, messcherp veld dat over de witte wanden van het appartement gleed, naar het plafond zwiepte en vervolgens weer langs wanden en vloer omlaag gleed voordat hij aan een nieuwe ronde begon.

Ik klikte verder op de elektronische editie van *The New York Times* en maakte me gereed voor het eerste deel van mijn dagelijkse werk aan mijn project: het doorgronden van het lot. Ik verdiep me altijd grondig in de situatie op de wereld voordat ik aan het project begin, en vooral in alles wat met het weer te maken heeft. Het weer en de oorlog. En de honger. En de terreur. Er is altijd iets nieuws, wat er gisteren nog niet was; een kleine beweging of een grote omwenteling.

Maar ik kon me niet concentreren. Het gevoel dat ik me met mijn kop aan de stugheid van de invalster stootte, lag als een vlies over mijn ogen, het maakte mijn blik duister en onduidelijk. Ik wist wat er zou kunnen gebeuren, ik had dit al talloze malen meegemaakt, en hoe ik me er ook tegen probeerde te verzetten, het ging net als altijd wanneer ik mijn kop op die manier stoot.

Ik zou mezelf goed genoeg moeten kennen om te weten dat er niet veel voor nodig is om de wanhoop naar boven te brengen die de ziekte met zich meebrengt. De invalster is een typische schakelknop. Het zou nooit zijn gebeurd als Aksel er was geweest.

Het kwaad geschiedt al wanneer ik iemand iets belangrijks moet vertellen en me niet voldoende heb voorbereid, omdat ik denk dat de boodschap wel zal overkomen. Die ontwijkende blik van degene die ik van alles uit wil leggen is al voldoende; dat gladde, onbestemde dat alles wat belangrijk is, laat verglijden zonder een spoor na te laten; alles komt dan in beweging in me; ik krijg ergens een stekende pijn, en ook al voelde ik me een paar minuten eerder nog sterk en blij, plotsklaps wordt een voet lam en zwaar, of stroomt de herinnering aan wie ik ben en wat ik kan uit mijn hersenen om plaats te maken voor beelden die me op een ondraaglijke, doordringende manier vullen.

Ik had dat diepe, knagende gevoel weer. Ik stroomde mezelf uit en werd in plaats daarvan vervuld van het beeld van de zwarte man met de baby op de trap. Ik moest me er wel aan overgeven.

De zwarte man zat afgelopen herfst op een avond in de portiek op de onderste traptree toen ik van de schouwburg thuiskwam. Ik had de première gezien van een van Molly's voorstellingen. Ik voelde me die avond zo opgekikkerd en vrolijk, ik was trots op haar en op alles wat ze had bereikt. Het stuk zelf zou niet zo'n goede kritiek krijgen, en het klopte ook wel dat de spelers ongeïnspireerd leken. Maar Molly's scenografie was prachtig geweest, en ze had een heleboel ideeën gebruikt die van mij waren, ook al droeg alles haar duidelijke stempel. Ik besefte hoeveel ze het afgelopen jaar had geleerd over belichting; al die elektronica die ikzelf nooit heb kunnen doorgronden. Ze had iets gedaan met lichtstrepen wat ik nog nooit had gezien; het was alsof het licht zich om de figuren op het toneel heen sloot en hun een schok gaf. Ik werd enorm geïnspireerd en kreeg zin om thuis ook zoiets voor elkaar te krijgen met een van mijn maquettes. Ik moest toch een eind kunnen komen, ik kon wat experimenteren met die sterke halogeenlamp en verschillende soorten geperforeerde folie, en misschien ook wel met zijdepapier.

Eigenlijk zou de voorstelling beter zijn geweest zonder replieken, had ik gedacht. Alleen Molly's omhullende licht en een paar figuren die zich spastisch op het toneel bewogen, dat zou voldoende zijn geweest. Ik moest niet vergeten dat tegen haar te zeggen.

De man op de trap droeg een nauwsluitende leren jas, en hij hield het kind dicht tegen zijn borst, alsof hij het ergens tegen wilde beschermen, tegen mij. Ik zag hen door de glazen deur terwijl ik wachtte tot die automatisch opening, zodat ik met de rolstoel naar binnen kon. Buiten regende het. Het was in de herfst, laat op de avond, de taxichauffeur was zo vriendelijk geweest een paraplu boven mijn hoofd te houden toen ik van de taxi naar mijn portiek reed, maar hij wenste me een fijne avond en liep terug naar zijn auto voordat ik de sleutel had gepakt en op de knop had gedrukt om de toe-gangsdeur te openen. Ik kon hem er alleen maar om waarderen dat hij wegliep, volgens mij zag hij mij als iemand die zich heel goed zelf kon redden, die wel een spat regen kon verdragen, ook al deden mijn benen het dan niet helemaal.

Toen de deur openging en ik de portiek binnenreed, boog de man zich over het kind heen en kroop hij dichter tegen de wand aan. Hij leek bang. Hij was waarschijnlijk een Afrikaan. Het kind draaide zijn hoofd naar me om en keek me aan met een blik die me steken in mijn hoofd bezorgde. Het was een blik zonder enige hoop. De ogen van het kind knipperden niet. Ik kreeg sterk het gevoel dat het me smeekte het te redden, tegen me aan te drukken.

Maar ik strekte mijn armen niet uit, ik vroeg de man alleen vrien-delijk in het Noors of hij op iemand wachtte, of ik ergens mee kon helpen, de conciërge bellen of zo. Hij begreep me echter niet, en ik raakte verward door de hele situatie, door mijn sterke gevoelens en de opengesperde ogen van het kind die niet knipperden. Ik kon verder niets verzinnen om te zeggen, ik bedacht ook niet dat ik in het Engels tegen hem had kunnen praten, ik drukte alleen op de knop van de lift, die was al beneden; de deur gleed open met een korte pling, ik hoef-de alleen naar binnen te rijden. Voor ik er erg in had, had de deur zich achter me gesloten, en zoog de lift me omhoog naar mijn woning op de vierde verdieping.

Toen Aksel de volgende ochtend kwam, vroeg ik of hij een Afrikaan met een kindje op de trap had gezien, maar dat was niet het geval. Nadat we klaar waren met de training en hij was vertrokken, bleef ik over mijn computer gebogen zitten en zocht koortsachtig op internet naar nieuws over de droogte in Afrika, de bewegingen van de vluch-telingen, de kindsoldaten op de vlucht onder de brandende zon.

Toen Molly ten slotte eindelijk belde, vlak voor de zomervakantie waarin ik voor het eerst voelde dat ik zou genezen, was het weer avond. Met de maquette van het zomerhuis had ik niets meer gedaan, alle tijd was in het project over het lot gaan zitten. De hele dag had ik achter het beeldscherm gezeten en geprobeerd tot een doorbraak te komen; ik had me koortsachtig door de verschillende kranten heen geklikt, op de opiniepagina's gezocht, in de rubrieken, naar iets wat erop wees dat er getuigenissen bestonden, dat er iemand begreep wat er met ons gebeurde. Maar het werd schrikbarend duidelijk dat er nergens getuigen waren. De rampen van nog maar enkele weken geleden waren alweer vergeten, en niemand had de capaciteiten om de aanstaande catastrofen te zien aankomen.

Het leek wel alsof iedereen in een soort verdwaasde verschrikking leefde; niemand had voldoende kracht om het geheel te zien. Het beeld van de vertwijfelde moeder met het dode kind voor het inge-storte huis, dat twee weken geleden door alle media was gepresen-teerd, was voor de wereld al oud nieuws geworden. Ik had die foto een hele ochtend op de wand geprojecteerd, maar daarna waren er ande-re foto's bij gekomen die de hare hadden bedekt: de gele gifwolk die ergens vanaf de zee binnen was komen drijven, het tentenkamp dat langzaamaan in de woestijn ontstond. Ik dacht: het duurt niet lang meer voordat ook ik die moeder vergeet. Het lukt me niet haar vast te houden, er zijn zoveel andere dingen, er komt steeds weer iets wat erger is.

De aanstaande rampen bestonden voorlopig niet. Zelfs niet als vage beelden. Niemand wist er nog van. En als je er niets van weet, kun je er ook niets aan doen, dat heeft oma me geleerd. Het is zo elementair dat ik het zelf had kunnen bedenken.

Het knagende gevoel was die avond enorm. Ik miste het horen van Molly's stem, en het gemis zorgde er op de een of andere manier voor dat ik de noodzaak van mijn project nog duidelijker inzag. Ik moest me oriënteren, begrijpen waar het lot in de buitenwereld mee bezig was; met al die landen in oorlog, met de opstandelingenlegers en de burgeroorlogen, met al die stormen, de vreemde bewegingen in het water, met de vernielde infrastructuren, met terreurdaden, met de zwarte man en het kind op de trap, met de inwoners van landen aan de andere kant van de wereld die de rijen lijken aflopen in de hoop hun verwanten te vinden; een bekend T-shirt, een uitgestrekte dode arm met een armband die ze ooit zelf cadeau hadden gedaan, toen het gezicht van dat lijk nog levend en wel was en vlechten in het haar had. Ik moest begrijpen hoe het zit met al die uitgeteerde spoken van mensen die doelloos ronddolen zonder te snappen waarin ze verzeild zijn geraakt, terwijl de woestijn hen bijna opslokt. Al die mensen die zoeken naar hun kinderen, hun mannen, hun bezittingen, hun ouders, al die mensen die hun rammelende emmers naar de put slepen waarvan ze weten dat die vrijwel leeg is, met een kind op de rug en een aan de hand, terwijl de broertjes en zusjes thuis onder een dekzeil liggen te wachten. De mensen die een paar dagen later een in doeken gewikkeld kinderlijk naar een gat in de grond dragen, het stijve lichaam wegleggen, de handen naar de hemel heffen en vragen roepen die ze zelf maar nauwelijks begrijpen.

Al die mensen die zomaar ronddolen zonder het grote patroon te zien. Iedereen die betaalt voor iets waaraan ze geen schuld hebben, zonder te weten wanneer of waarom dat is begonnen, en zonder te weten wanneer en hoe er een eind aan zal komen.

Het antwoord dat ik zocht, vond ik niet, maar het was me duidelijker dan ooit: het lot heeft een plan met ons, en iemand moet getuigen. Nee, niet iemand, ík! Het lot heeft een plan met ons, het wil ons laten spreken, en ik moet getuigen, mijn oor te luisteren leggen. Ik moet goed opletten.

Ik vond een aantal foto's van uitgezonden fotografen en hulpverleners in een land dat zich in een crisis bevond, ik klikte ze tevoorschijn, zoomde in en liet ze door de projector op de wand, het plafond en de vloer weergeven. Ik zag de gezichten, de uitpuilende kinderogen, de scherp afgetekende botten onder de strakke huid, de vliegen in de ooghoeken, alsof het oog al dood was. De beelden omsloten me, ik bevond me midden in de barsten van de harde grond waarop ze zaten, ik voelde de tot op de draad versleten kleren die de vrouwen om hun schouders en hoofden hadden gedrapeerd, de contouren van de slappe, lege borsten. Ik hoorde mijn oren suizen; dat was mijn eigen bloed, mijn ademhaling was kort en snel, en wanhopig klikte ik verder naar de website van een hulporganisatie. Ik projecteerde het giro-nummer voor noodhulp rood en duidelijk op de wand, ik had weer dat akelige, knagende gevoel in mijn borst.

Ten slotte was ik leeg en uitgeput. Ik draaide de rolstoel met een ruk van het bureau weg, reed naar het midden van de woonkamer, strekte mijn armen naar het plafond en riep met luide stem vragen die ikzelf amper begreep. Het fel oplichtende nummer vulde de hele wand, langzaam verplaatste het zich naar het plafond.

Ik bleef een tijdje over de leuning van de rolstoel heen hangen. Ik voelde de spanning uit me wegvloeien. Een diepe rust overviel me. Als in beroering gebracht water, dat na een tijdje rust weer helder wordt omdat alle rommel naar de bodem is gezakt.

Buiten maakte het licht duidelijk dat de avond definitief was aangebroken. Midden in de zomer verloopt de overgang van de vroege naar de late avond vrijwel ongemerkt, maar het gebeurt wel degelijk. Ik reed naar de keuken om te koken, ik vertelde mezelf met vaste stem dat de wereld er geen sikkepit beter van werd als ik hier thuis zat te verhongeren. Dat het juist noodzakelijk was om te eten, vooral de waardevolle proteïnen, dat ik versterkend voedsel moest hebben om mijn lichaam tot doorgaan aan te zetten. Wanneer je geen kracht hebt, snap je ook niets, dat is logisch. Dan blijf je maar in een slaperige duisternis ronddolen. Zonder voedsel geen bewustzijn, en dan heeft het lot niemand meer om mee te communiceren.

Het was alsof ik een zuivering had ondergaan, het beeld van de starende zwarte man met het kind op de trap was nu gelukkig bijna verdwenen, net als de foto's die onder het stille gezoem van de projector langs het plafond en de wanden van de woonkamer waren gezwiept.

Maar hoewel mijn hoofd eindelijk weer bijna schoon en helder aanvoelde, was ik niet meer in staat de siddering te voelen, het teken dat mijn nieuwe leven was begonnen. Dat gevoel dat er was geweest toen ik 's ochtends wakker was geworden.

Ik belde de invalster om haar eraan te herinneren dat ik die avond geen hulp nodig had. Zoals altijd was ze buitengewoon traag van begrip, en ik bracht het niet op te herhalen dat ik bezig was gezond te worden, dat had geen zin. Ik gaf haar gewoon een vrije avond, zoals je dat doet met de huishoudster, en het verbaasde me niet dat ze bedankte alsof ze een werkneemster was die ikzelf had aangenomen en betaald. De autoriteit waarmee je spreekt, bepaalt alles. Het gaat erom de juiste toon te vinden.

Met enige moeite slaagde ik erin me klaar te maken voor de nacht, ik poetste mijn tanden en haalde de gebruikelijke honderd slagen met de haarborstel door mijn haar. Aksel moedigt me daartoe aan, hij heeft me laten zien dat het een uitstekende training voor de armspieren is om op die manier te borstelen. Het is slim om de rechter- en linkerarm af te wisselen. Ik deed mijn uiterste best en stelde me voor dat ik oefende voor een peddel.

Eindelijk zat ik weer in bed, en voor de zekerheid besloot ik niet naar het journaal te kijken, hoewel de tv klaarstond op de kast en de afstandsbediening als gewoonlijk op het nachtkastje lag, naast mijn notitieboekje. Ik zei tegen mezelf dat ik nu niet nog meer nieuws kon verwerken, dat ik me liever op de zon wilde concentreren, die op het punt stond achter het ziekenhuis te verdwijnen; dat zou kracht moeten geven en tegelijkertijd ook rust. De zon en het lot hebben veel gemeen met elkaar, dacht ik, daarover bestaat niet veel twijfel, denk maar aan de manier waarop ze al het leven besturen. Wil je het lot begrijpen, dan moet je ook de zon begrijpen.

Ik vermande me en stelde me voor dat de zon groter en geler was geworden nu het avond was; dat hij alles hier in huis langzaam en vrijwel ongemerkt zou bleken, en ondertussen ook nog met waardigheid ging beseffen dat vandaag voorbij was en als een gloeiend stuk soldeersel in de rechteronderhoek van de ruit moest ondergaan.

Het ondergaan van de zon is niet zo'n schokkend fenomeen, dacht ik. Je twijfelt er nooit aan dat hij morgenochtend vroeg weer opgaat, aan de andere kant van het huis nog wel. Als er íéts is met een wil, dan is het wel de zon!

Maar mijn lichaam was weer doezelig en vlak geworden. Even twijfelde ik of ik de volgende dag het kleed net zo duidelijk onder mijn voetzolen zou voelen als die ochtend. De ziekte heeft zich de afgelopen jaren immers redelijk snel ontwikkeld, alle zintuiglijke waarnemingen, behalve mijn gehoor, worden zwakker. De twijfel schiep echter te veel duisternis en ik zette hem, met een bijna fysieke schop, aan de kant.

"Honderdduizenden wollen draden in het kleed!" riep ik luid. "Allemaal vastgemaakt met een kleine naald! En er komen er nog meer!"

Het was een vermoeiende dag geweest, en ik had geen puf om alles in mijn notitieboekje te schrijven, wat ik anders meestal wel doe. Ik verlangde ernaar me in de kussens te laten zakken en in slaap te vallen. Ik herinnerde me de droom van de vorige nacht, waarin ik uit de hemel viel en papa iets naar me riep. Ik wilde verder dromen. Maar het was lastig me over te geven, ik had het gevoel dat ik de slaap nog niet had verdiend. Zwaar, bijna verdoofd tuurde ik met halfgesloten ogen uit het raam en stelde me voor dat de zon trilde, terwijl hij zijn laatste, gloeiende schijnsel over de vierkante ziekenhuisgebouwen wierp. Met een beetje moeite kon ik zien dat de zon de gebouwen tegen de grond drukte, en dat de hoge, witte huizen met rechte hoeken geenszins van plan waren toe te geven.

"Ze drukken terug", dwong ik me halfluid tegen mezelf te mompelen. "De ziekenhuisblokken tonen nu een enorme weerstand, net zoals ik door een bijna onmenselijk sterke wil een siddering voel. Het ziekenhuis is door dit gevecht niet verzwakt, het is sterker geworden, net zoals mijn eigen lichaam met zijn onverwoestbare wil en zijn nieuwe inzicht alles terugduwt wat het wil afbreken. Kijk eens hoe de gebouwen daar staan, wit en kaarsrecht overeind. De ramen zijn onlangs gelapt en zijn glanzend en helder, net als mijn ogen. Ik heb het gezichtsvermogen van een havik, het gehoor van een wild dier, dat mijn zintuigen zwakker worden is niet meer dan verbeelding."

Ik voelde me al wat kwieker.

"En ik heb mijn lichaam krachtvoer gegeven, het kan er weer tegenaan", ging ik enthousiast verder. "Allerlei proteïnen; gebakken eieren, bacon en bruine bonen met room en chili, dit kan niet fout gaan."

Ik dwong me verder te denken aan iets wat nog positiever en krachtiger was. Je kunt het belang van een opgewekt gemoed nooit voldoende benadrukken. Als het leven me íéts heeft geleerd, dan wel juist dat.

Ik bladerde in mijn innerlijke cartotheek van vrolijke beelden, en pikte er de mooiste uit: het zomerhuis van oma. Het zomerhuis is in de zomer mijn vanzelfsprekende verblijfplaats, dacht ik. Verandering van omgeving doet me goed. Nu ben ik daar, ik woon er feitelijk al een aantal weken, lang genoeg om een fraaie bruine kleur te krijgen. Ik ben er in mijn autootje naartoe gereden, ik ben een uitstekende chauffeur, met snelle reacties en gezonde, sterke benen om het gas en de rem mee te bedienen, en niet te vergeten die o zo belangrijke koppeling.

Molly woont er ook, dacht ik verder. Zij heeft het zomerhuis natuurlijk van oma geërfd, want oma en ik zijn geen echte familieleden van elkaar. Maar Molly vindt het heerlijk als ik daar ben, ze heeft gezegd dat ik het zo vaak mag gebruiken als ik wil. Zij en ik vinden het fijn om in hetzelfde huis te zijn, we hebben de hele dag met elkaar gepraat, en Molly wil nu even gaan rusten, en ik zeg dat ik ga zwemmen. Ik pak mijn badpak en de handdoek die aan de drooglijn hangt en loop over het grindpad naar de steiger en het badhuisje. En laat Aksel nu ook samen met Molly en mij in het zomerhuis logeren! Hij loopt vanuit het tuinhuisje de tuin in. Aksel heeft natuurlijk ook vakantie, dat moet ik niet vergeten. Molly, hij en ik vormen een gelukkige driehoek van vrienden, en nu roept hij naar me en vraagt waar ik heen ga, en ik antwoord dat ik nog even ga zwemmen en naar de ondergaande zon wil kijken. De zonsondergangen zijn daar altijd zo mooi, het is alsof de zon tegenstribbelt om ten slotte als een matrone in het aangenaam warme water te verzinken.

"De zon is een matrone!" zeg ik tegen Aksel. "En ik ga met haar zwemmen!" Hij knikt en lacht even, en vraagt of hij mee mag, ik blijf staan, draai me naar hem om en lach terug. Ik zeg dat ik geen badmeester nodig heb, maar dat hij best mee mag gaan als hij dat wil. Ik loop verder, dat noem je vooruitlopen, en dat doe ik vaak. Even later komt hij aangerend, zijn blauwe zwembroek steekt uit zijn broekzak. We lopen snel naast elkaar en praten niet, maar soms glimlachen we allebei. Ja, we hebben een heel brede glimlach, denk ik.

En hoe zien we eruit? dacht ik verder. Dat kun je je gemakkelijk voorstellen. Aksel ziet er ook mooi bruin uit, hij draagt een pas gestreken overhemd met het bovenste knoopje open. Ik draag sandalen die aan beide kanten een kleine gesp hebben. Mijn benen zijn bruin en sterk, ik zet flink af onder het lopen. Aksel merkt hoe licht ik loop.

"Dat ziet een verpleegkundige graag", zegt hij, en ik lach nogmaals luid. Aksel zit altijd vol complimenten.

En mijn gedachten gingen verder: als we bij het badhuisje aankomen, zegt Aksel dat we evengoed naakt kunnen zwemmen, er is hier verder niemand. We gaan het witte hokje binnen en beginnen ons uit te kleden. We leggen onze kleren ieder aan onze eigen kant op een bankje. Opeens zijn we allebei verlegen. Ik buig me voorover en maak mijn sandalen los, het kost me geen enkele moeite me zo ver voorover te buigen, dat lukt me met bijna gestrekte knieën, en ik verlies mijn evenwicht niet. Dan knoop ik de knoopjes van mijn bloes langzaam open en trek een arm uit een mouw, daarna de andere. De bloes daalt luchtig en mooi op het bankje neer. Mijn armen zijn sterk en een beetje verbrand door de zon, snel leg ik ze gekruist voor mijn borst en houd mijn handpalmen als kopjes over mijn eigen schouders. Ik draag geen bh. Dan knoop ik mijn korte broek open, trek de rits naar beneden en laat de broek over mijn dijen en benen glijden. Hij blijft slap rond mijn enkels liggen, ik maak een hoek met mijn ene voet en til hem op, laat hem over het bankje vliegen. Ik kan nu mijn buik en dijen zien; bij mijn taille wordt de bruine kleur lichter op de plek waar mijn korte broek begint. Dat komt doordat ik zo veel in de tuin van het zomerhuis heb gewerkt in korte broek en het bovenstukje van mijn bikini, ik heb me echt nuttig gemaakt en de kruiwagen met dampende teelaarde met grote kracht vooruitgeduwd. Steeds opnieuw.

Pas dan schuif ik mijn slipje met mijn hand naar beneden en gooi het ook op het bankje. Ik kijk Aksel niet aan, maar merk aan zijn bewegingen dat hij met het uitkleden even ver is als ik. Ik loop voor hem uit op de kleine veranda naar de zee en begin het trapje naar het water af te dalen. Aksel loopt vlak achter me. En als ik mijn eerste voet in het koude water steek, neemt Aksel vanaf het badhuisje een aanloop en springt met een plons een paar meter voor me in het water. Het opspattende water raakt me, en ik joel en lach en roep dat hij een boef is. Aksel begint voor me te crawlen, de fjord op. Hij is snel en sterk als een vis, maar ik ben sneller, ik laat me in het water glijden en zwem hem achterna. Volgens mij vertraagt hij met opzet, zodat ik hem kan inhalen. Ik kom naast hem zwemmen en roep dat ik het hem betaald zal zetten, boef die je bent. Hij grijnst en draait zich in het water naar me om.

Met één slag ben ik bij hem, dacht ik. Ik sla een arm om zijn nek en in dezelfde beweging mijn benen om zijn middel. Even verdwijnen we beiden onder water, maar hij vecht zich weer naar boven, gorgelt en spuugt een grote mond vol water uit.

"Wil je me verdrinken!" roept hij, en hij doet alsof hij woedend is.

Ik ging rechtop in bed zitten en sperde mijn ogen open.

Uitgerekend op dat moment belde Molly. Het doordringende geluid van de telefoon deed me opschrikken, in een oogwenk was de droom compleet vervlogen.

Haar stem had een gespannen, gedempte klank toen ik die eindelijk door alle achtergrondlawaai heen hoorde. Zo klinkt Molly's stem meestal als ze iets niet begrijpt. Ze raakt ergens in verzeild, er wordt iets van haar geëist waarvan ze niet weet of ze het aankan, en dan belt ze mij; ze gaat lager spreken en beschrijft de situatie voor me, langzaam en met overdreven grote mondbewegingen, stel ik me voor. Pas wanneer ze weer in dezelfde kamer is als ik, herinnert ze zich dat mijn spieren slechter worden, niet mijn gehoor. Ze heeft geen idee hoe goed ik de afgelopen tijd ben gaan horen. Ik vertel Molly niet alles.

Meestal heeft het iets met mannen te maken als ze me op dat soort tijden van de dag belt. Molly heeft de theorie dat alle mannen met wie ze zich inlaat, haar iets kunnen leren, en dat het belangrijk is hen vast te houden tot ze begrijpt waar de les over gaat. Ik weet waar ze dat idee vandaan heeft; dat heeft ze van oma, ze gelooft er al in sinds ze een tiener is, en ik vind het prima.

Ik was erbij toen oma ons haar theorieën over mannen uitlegde, hoe je mannen moet begrijpen. Ik was degene die erop stond dat ze ons erover zou vertellen. Eigenlijk waren haar woorden vooral voor mij bedoeld, geloof ik, maar dat wist Molly natuurlijk niet. En het idee dat mannen ons ook iets hebben te leren, en dat je daarvoor geduld moet kunnen opbrengen, is sympathiek genoeg, ook al beschikt Molly voorlopig over te weinig ervaring om het bewijs daarvan op tafel te kunnen leggen. Molly is een engel, maar met bepaalde dingen is ze hardleers. Een hardleerse engel. Oma zou geïrriteerd hebben gezucht en met haar ene hand een afwerende beweging in haar richting hebben gemaakt als het om dit soort dingen gaat, en ik zou het daarmee eens zijn geweest.

De afgelopen tijd heb ik veel aan oma gedacht. Ik had haar zoveel willen vragen; al dat nieuwe dat bij me bovenkomt. Misschien schenkt het lot ons de mannen, heb ik weleens gedacht. Misschien heeft ze dat bedoeld. Mannen en kinderen. Ik vond het vreemd dat oma niet had gezegd hoeveel je van kinderen kunt leren. Haar theorie was vast nog niet helemaal ontwikkeld toen ze overleed. Alle theorieën moeten bijgeschaafd worden, dat weet ik uit eigen ervaring.

Zelf heb ik niet veel gelegenheid gehad om oma's theorie over mannen uit te testen, daar heeft de ziekte al in een vroeg stadium voor gezorgd. Eigenlijk heb ik maar één man uitgeprobeerd. Het was de

buurman van oma en wat wij samen hadden, duurde maar een halfuur, dus kun je dat met de beste wil van de wereld geen relatie noemen. Wanneer ik de kans had gehad een man enige tijd uit te
proberen, zou ik me heel geduldig hebben opgesteld.

Aksel praat nooit over Molly, maar Molly praat, uiteraard, veel over
Aksel. Fijngevoeligheid is niet haar sterke kant. Ze heeft het over Aksel
of, meer in het algemeen, ze heeft het over mannen. In lange mono-
logen aan de telefoon vanuit haar atelier hier in de stad, terwijl ze met
iets ambachtelijks voor een of ander project bezig is. Timmeren, vij-
len, slijpen. Het gezoem van de naaimachine of het geluid van een
poetsmachine, en Molly die in de hoorn schreeuwt om zichzelf te
overstemmen. Voor haar is het geen enkel probleem om te praten als
ze aan het naaien is, lijkt het wel. Molly doet altijd minstens twee dingen tegelijk.

"Ik hou zoveel van je!" roept ze. "Maar op Aksel ben ik verliefd, dat
begrijp je toch? Met een man is het iets anders."

Soms stoort het lawaai van haar machines te veel en moet ik de
hoorn even wegleggen, mijn ogen sluiten en mijn hand tegen mijn
voorhoofd drukken.

Ik had het niet kunnen verdragen om Molly te verliezen. Ik wil niet
dat dingen voorbijgaan, in elk geval niet die dingen die met mij te
maken hebben. Zij en ik zijn één.

Toen ze aan het begin van de zomer belde, was ik een beetje
bezorgd. Nadat oma was gestorven en Molly zowel het appartement
in de stad als het zomerhuis ten zuiden van de stad aan de kust had
geërfd, waren haar telefoontjes zeldzamer geworden. Het leek niet
helemaal tot haar te zijn doorgedrongen wat er was gebeurd, dat oma
echt weg was, en dat bepaalde zaken erop duidden dat het lot van plan
was om oma's plaats nu door Molly te laten innemen.

Ik had haar de afgelopen tijd gemist. Ik was bang dat haar nieuwe
stilzwijgen ermee te maken had dat ik Aksels patiënt was. Dat ze er
niet in slaagde haar liefde tussen ons te verdelen, of dat ze het ver-
warrend vond dat hij en ik ook een soort relatie hadden, in elk geval
een trainingsrelatie.

De maquette waar ik destijds voor de zomervakantie aan werkte, was
van oma's zomerhuis aan de fjord. Ik gebruikte architectenkarton,
nietjes, contactlijm en andere spullen die de invalster in de hobbyzaak
voor me had gekocht. Ik was weliswaar nog nooit in het zomerhuis
geweest, maar door de jaren heen was me er een heleboel over verteld,

zowel door Molly als door oma, en ik had natuurlijk foto's gezien. Ik nam aan dat ik me een tamelijk nauwkeurig beeld kon vormen van hoe alles eruitzag. Ik wist bijvoorbeeld dat het huis een grote tuin had die aan de fjord lag, maar dat het een eindje lopen naar het water was. Ik had de fjord aangegeven met blauw, golvend zijdepapier aan het uiteinde van het bureau, een eindje van de maquette. Naast de maquette had ik met tape een foto van het huis vastgemaakt die Molly mij lang geleden had toegestuurd. De foto was met tegenlicht genomen.

Ik wist dat er ook een badhuisje bij het zomerhuis hoort, maar daar had ik geen foto van. Het lag vlak bij een kleine steiger, was me verteld. Ik dacht: de fjord glinstert vast en zeker op de achtergrond.

Maar toen Molly die avond belde, had ik de steiger en het badhuisje nog niet gebouwd. De maquette had ongeveer het formaat van een middelgrote kartonnen doos die verhuisbedrijven gebruiken om boeken in te verhuizen. De lichtgrijze kleur kwam door het architectenkarton waarvan hij was gemaakt. Maar de zon was al met zijn langzame werk begonnen, waardoor hij donkerder was geworden. De zon is ongelooflijk geduldig. Het merkwaardige is dat hij sommige dingen donkerder maakt, terwijl andere lichter worden. Daar heb ik vooralsnog geen verklaring voor kunnen vinden.

Molly moet geweten hebben dat zij de enige erfgenaam van oma was en dat er nu een rechtstreekse lijn van oma naar haar liep. Zelf acht ik me gelukkig dat ik haar 'oma' mocht noemen. Molly's moeder was enig kind. Ze overleed toen Molly en ik negentien jaar waren en een opa is nooit in beeld geweest, voor zover ik weet. Iets weten is echter één ding; uitpluizen wat je met die kennis moet doen, is een heel andere zaak.

Oma was een instituut, een constante in het leven van zowel Molly als mij; het was vrijwel ondenkbaar dat ze gewoon uit het zicht zou raken op de manier waarop de dood iets laat verdwijnen. En als het ondenkbare gebeurt, heb je tijd nodig om na te denken, dat spreekt voor zich, zei ik tegen mezelf. Molly is niet gewend om zoveel te denken als ik. Ik zit hier immers de hele dag, en ook al zou ik het willen, dan nog zou ik het denken niet kunnen laten. Als oma sterft, erft haar naaste niet alleen haar appartement en zomerhuis, maar ook haar plaats. Haar plaats als oma. En je moet goed weten hoe je die plek opvult.

Dat is de reden dat Molly zo op afstand is geraakt, hield ik mezelf voor. Was ik niet degene die haar het beste begreep? Molly probeert er ook, weliswaar zonder zich daarvan bewust te zijn, achter te komen wat het lot met haar voorheeft. Niet vreemd dat ze een denkpauze nodig heeft! Juist daarom begrijp ik haar zo geweldig goed; haar situatie is precies dezelfde als de mijne, beiden piekeren we ons suf over de overeenkomsten tussen ons eigen leven en dat van de rest. Het verschil is alleen dat ik meer tijd en gelegenheid heb om een dieptestudie te maken, en dat ik me bewust ben van wat ik doe.

Voor mij is het extra belangrijk om te weten wat ik doe. Stel je voor dat ik op een dag zou weten wat het lot ons wil vertellen, en ik dan niet wist wat ik met het antwoord zou moeten aanvangen. Hoe ik het als een muziekinstrument moest laten schitteren. Moest ik misschien het journaal bellen om me te laten interviewen door een onbenullige journalist met een trillende microfoon, of moest ik soms mijn eigen website maken? Er bestaat een heel scala aan websites voor mensen die denken het antwoord op het lotsvraagstuk te hebben gevonden. Hoe had ik kunnen aantonen dat mijn ontdekking anders was?

Kennis die je niet kunt toepassen, is onnodige ballast.

Het had een hele tijd geduurd voordat Molly een vaste telefoonaansluiting en een internetverbinding in het zomerhuis had laten aanleggen. Maar toen ze die avond eindelijk belde, stond alle computerapparatuur waarin ze de afgelopen jaren had geïnvesteerd, op haar plaats. Ik was opgelucht. In de maquette had ik al een piepklein telefoontje en een computer aangebracht, ik vond het een goed idee om de ietwat slappe, fijne motoriek van mijn vingers uit te dagen, ik maakte ze van karton dat ik met het stanleymes op maat sneed. In gedachten sloot ik de machines op het internet aan op het moment dat ik Molly's stem in de hoorn hoorde: juist! Nu was alles zoals het hoorde. Alle kabels aangesloten, en al het goede tussen Molly en mij kon ongehinderd stromen.

Om de een of andere reden had oma geen telefoon in het zomerhuis. Misschien wilde ze niet dat ze daar zo gemakkelijk bereikbaar was. Je moest een brief schrijven. Achter op een postzegel likken, die in de rechterbovenhoek op de envelop drukken en de brief in een brievenbus laten glijden. Die door iemand naar het zomerhuis laten brengen. Iemand in uniform, in dienst van het postbedrijf.

Ik was heel blij om Molly's stem te horen. Mijn zorgen dat er iets tussen ons was gekomen, waren volkomen ongegrond, dacht ik. Ze had alleen een denkpauze nodig gehad, en natuurlijk was ze druk bezig geweest om alles daarginds op orde te krijgen. Ik glimlachte in mezelf en stelde vast dat het zomerhuis, net als haar atelier in de stad, weldra haar stempel zou dragen en zou eindigen als een opslagplaats voor verfbussen, kippengaas, geverfde wol, bussen met knopen en band, planken, fineerplaten, piepschuim, verfpoeder en grote manden met lappen stof in allerlei kleuren en kwaliteiten. Een vlekkerige bank, een radio en een potkachel. Zo leeft ze het liefst. Haar penselen, al die glazen die niet bij elkaar passen en waar ze allerlei puntige prullaria in bewaart. Molly drinkt niet uit een glas; ze drinkt rechtstreeks uit de fles, of uit de kraan.

Een aantal van deze details had ik al in de maquette verwerkt, ik had er diverse soorten materiaal voor gebruikt. Voorlopig was het echter nog niet honderd procent waarheidsgetrouw, van sommige dingen wist ik de plek niet, waardoor ik ze niet in de maquette kon plaatsen. Maar ik dacht: hij verandert voortdurend.

Je weet altijd meer dan je weet. Ik denk weleens dat het geen gek idee zou zijn om modellen van de toekomst te maken. Je moet toch ergens op kunnen oefenen, en dankzij die modellen kun je veel gemakkelijker overal een voorstelling van maken. Dan wordt het toekomstige eigenlijk meer werkelijkheid. De toekomst krijgt proporties, en je kunt poppetjes maken die daarin bewegen. Je kunt deze poppen bijvoorbeeld laten lijken op mensen die je kent, en je kunt ze een wil opleggen. Een richting. Je kunt hun ledematen aan plantenstokjes vastmaken en er draadpoppen van maken, je kunt ze in een soort dans laten bewegen. Naar elkaar toe buigen en weer van elkaar vandaan. Als je goed genoeg met de plantenstokjes hebt geoefend, kun je ze zelfs de armen om elkaar heen laten slaan. Je kunt ze met een sterk spotje in het licht zetten en ze zo, elkaar omhelzend, een hele tijd laten staan. Dat kun je aan het eind van een voorstelling doen, en het publiek zal denken: gelukkig, het loopt goed af.

Hierover heb ik veel nagedacht, en het heeft volgens mij met het lot te maken: wanneer je denkt dat je in de toekomst iets belangrijks staat te wachten, waarvan je beseft dat je het zult moeten ervaren, stel je je daar soms een beeld bij voor. Je stelt je dat beeld zo duidelijk mogelijk voor ogen, en dan werp je het voor je uit, de toekomst in. Daar ligt het dan op je te wachten, tot de tijd er rijp voor is.

Wanneer je je er vervolgens aan overgeeft, hangt alles af van je vermogen om met een heldere blik om je heen te kijken. Het plaatje compleet te krijgen. De situatie te accepteren.

Dát heb ik volgens mij geleerd op het moment dat ik begreep dat mama ons ging verlaten. Ik was toen nog maar tien jaar, maar ik wist dat het ging gebeuren. Papa wist het ook, dat weet ik zeker. Hij en ik stelden ons voor hoe alles zou worden, en we begrepen dat er met het lot niet te praten viel.

Mama had zoveel dingen die van háár waren en die niets met ons te maken hadden: het schrijven, al die uitnodigingen om naar het buitenland te gaan, de lezingen die ze moest houden, de interviews die ze met haar wilden hebben. Ze was niet alleen van ons, ze hoorde haar lezers toe, ze was van al die anderen. Papa en ik verdienden haar niet en hoewel ik er bijna voortdurend mee bezig was, kon ik niets verzinnen waaruit het tegendeel bleek.

We praatten er nooit over, maar ik denk dat papa en ik het allebei wisten: mama zou haar geduld met ons verliezen, er zouden zoveel andere zaken aan haar gaan trekken, ze zou mensen ontmoeten die haar dingen zouden laten zien waar papa en ik geen idee van hadden. Ze zou haar leven met al die anderen willen delen. Haar boeken werden in allerlei talen vertaald, en die anderen leken in geen enkel opzicht op ons; je kon je hen maar nauwelijks voorstellen. Zij bewonderden haar veel meer dan wij, wij wilden alleen maar een normaal leven met haar. Wij zouden haar niets te bieden hebben, en uiteindelijk zou ze uit ons gezichtsveld verdwijnen, dacht ik destijds. Als we haar probeerden vast te houden, was dat vergeefse moeite.

Ik moest een model maken van hoe ons nieuwe leven zonder mama eruit zou zien. Maar ik was nog maar tien, ik wist niet hoe je zoiets moest doen, hoe je je erop moest voorbereiden dat er iets ging verdwijnen. Ik was te klein om sterk te zijn, dat maakte me te kwetsbaar, ik had 's nachts nachtmerries, het onwerkelijke was zo levensecht, de droombeelden hadden geur, geluid, kleur en beweging, ze waren echter dan wat je met beweegbare kartonnen poppen aan plantenstokjes kunt realiseren.

Ik denk dat papa misschien ook dat soort dromen had, hoewel we er nooit over praatten. Ik hoorde hem 's nachts in bed hardop klagen. Het licht was aan op de gang, ik weet niet meer of dat op zijn of mijn verzoek was. Papa en ik praatten niet met elkaar zoals zou moeten als je erachter wilde komen wie er eigenlijk bang was in het donker. Ik wilde schreeuwen: luister toch naar mij! Maar destijds begreep ik niet dat ik het tegen het lot had, niet tegen papa. En ik wist niet dat het mij de hele tijd had gehoord.

Het project waaraan Molly aan het begin van de zomer was begonnen en waarvan vanavond de première is, is voorlopig haar grootste. Zij is verantwoordelijk voor de scenografie en belichting van het *Droomspel* van Strindberg in de grote zaal van een van de grootste schouwburgen van de stad. Natuurlijk is ze opgewonden. Molly is niet iemand die zichtbaar nerveus of onzeker wordt van belangrijke opdrachten, maar tijdens dergelijke periodes praat, rookt en drinkt ze meer dan anders. Op die manier snap ik dat ze zichzelf over de kling jaagt, en dat het wel even zal duren voor ze weer met beide benen op de grond staat. En op de avond van de première is het natuurlijk helemaal erg. Dan is geduld een schone zaak. Zeer waarschijnlijk is ze pas morgenochtend weer in haar gewone doen, als de première voorbij is en de recensies in de krant staan. Ik vind het best.

Ik heb een kaartje voor de première gekregen, dat is altijd zo. Ik heb me van tevoren goed in de tekst ingelezen, en ik heb mogelijke ensceneringsoplossingen verzonnen en ze aan haar voorgesteld. Toch laat ik me telkens weer verrassen en ontroeren. De theatrale ruimten die Molly schept, zijn werelden op zich; ze maakt zo'n heel speciale eigen indruk die niemand haar na kan doen, ze creëert verontrustende en subtiele beelden die nog nooit iemand heeft gezien. Beelden die je kunt betreden, waardoor je je kunt laten omhullen. Het is bijna angstaanjagend.

Ik denk: dit had onze leraar handenarbeid eens moeten zien toen we in de vierde klas zaten, toen hij haar haar gang liet gaan met een fles houtlijm, rollen aluminiumfolie en een stapel kartonnen dozen, terwijl de rest met een aardappelstempel moest blijven werken. Hij zag toen al de vonk in haar, die hoefde alleen maar even aangewakkerd te worden om een vuur te worden, en het kon hem niets schelen wat de rest van ons dacht toen hij de vonk aanwakkerde. Hij was niet democratisch, maar wel goed.

De leraar handenarbeid had het beste met Molly voor, en zij was toen nog een kind. Pas toen ze de fotograaf Strøm ontmoette en hij haar leven inblies, werd het gevaarlijk. Strøm wakkerde haar vonk enorm aan, zoals blaasbalgen doen. Ze vlamde op, terwijl ze hem begerig aanstaarde. Toen nam hij haar gezicht tussen zijn handen en draaide het van zich af; hij dwong haar de ogen te openen en naar iets te kijken waarvan ze niets wilde weten, iets akeligs. Strøm vindt dat je het akelige moet kennen om iets waarachtigs te kunnen scheppen. Je moet het recht in de ogen kijken. Dat heb ik hem zelf horen zeggen. Maar toen was ik nog zo jong, ik begreep niet wat hij bedoelde.

Maar vanavond, als ik in de schouwburg zit, zal ik misschien gaan denken: hij had gelijk. Molly is zich nu van het akelige bewust, en dat merk je. Het is niet aangenaam, maar het doet wel iets met je.

Toen ze Strøm destijds ontmoette, werd ze tot over haar oren verliefd op hem. In diezelfde tijd werd ik ziek. Hij was ouder dan haar vader, zij was negentien, net als ik. Nu is ze een volwassen vrouw van zesendertig, nu is haar vuur zo duidelijk dat niemand het meer hoeft aan te wakkeren. Ze heeft vast geleerd om het zelf te doen. Misschien heeft Strøm het haar geleerd.

"Ik ook!" zei ik hardop tegen mezelf. "Ik heb ook een vuur! Ik wakker het zelf aan. En ik ben me bewust van het akelige, dat heb ik zelf ontdekt, ik heb geen man nodig gehad om dat te leren zien."

Molly en ik weten allebei dat een paar van haar beste ideeën eigenlijk van mij afkomstig zijn. Ik sta tot haar beschikking als ze bijvoorbeeld bepaalde oplossingen wil bespreken voor theaterprojecten die ze onder handen heeft, of hoe ze praktische problemen aan moet pakken of als ze hulp nodig heeft bij research. Verschillende keren heeft ze me in het programmaboekje bedankt.

Onze verhouding is wederzijds. Ik geef haar bruikbare ideeën en feedback, terwijl zij de ideeën namens mij in realiteit omzet. Zij bevindt zich in de wereld en zet dingen op poten, ze beleeft spannende, levende dingen voor mij. Ik van mijn kant beloon haar door de herinnering hoog te houden aan wie ze eens was en haar te laten zien wat ze kan worden. Ik ben haar spiegel: welke kant ze ook op draait, ze ziet altijd zichzelf.

Ik ben trouw als een hond.

Zij krijgt misschien meer voor elkaar dan ik, maar ik heb veel meer tijd om alles te begrijpen. Ik ben degene die leest en me oriënteert, en ik stel de juiste vragen.

Dankzij internet heb ik toegang tot alle informatie van de wereld, je hoeft alleen maar te weten waar je moet zoeken. De juiste vragen stellen, de juiste zoekwoorden vinden. Het gebeurt maar heel zelden dat ik een telefoontje moet plegen of een brief moet sturen om ergens een antwoord op te krijgen. Een groot deel van wat ik in mijn eigen project heb gebruikt, heb ik uit het werk met Molly's theatervoorstellingen gehaald.

Zij op haar beurt voelt zich er misschien wel verantwoordelijk voor dat ik me met iets interessants kan bezighouden. Zolang ik van deze rolstoel afhankelijk ben ... Ik heb bijvoorbeeld nog nooit een gewone baan gehad.

Toch vind ik dat ik met hulp van Molly een opleiding heb genoten en een soort werkervaring heb opgedaan, in elk geval indirect. Toen ze op de kunstacademie zat en daarna de opleiding tot scenograaf volgde, deelde ze alles met me wat ze leerde. Ik kocht boeken die zij moest bestuderen, ze leende me haar aantekeningen van de colleges die ze had gevolgd, en ze vertelde me welke opdrachten ze hadden gekregen en wanneer die af moesten zijn. Regelmatig probeerde ik stiekem sommige opdrachten hier thuis uit te voeren. Destijds voelde ik me daar niet helemaal prettig bij, het was alsof ik geen recht had daarmee aan het werk te zijn, en ik vond dat ik ze aan niemand mocht laten zien, ook niet aan haar. Door die manier van doen leek ik een nog grotere stumper dan ik was, en ik weet nu eenmaal dat Molly liever niet aan mijn ellendige toestand wordt herinnerd. Ze houdt van me als een zus.

Ik heb geloof ik nog steeds een paar modellen die ik heb gemaakt toen zij als student met een project over *De meeuw* aan het werk was. Ik probeerde de ensceneringsoplossingen uit voordat ik ze aan haar voorstelde, en op die manier voorkwam ik veel uitproberen en fouten. Tijdens die opdracht heb ik mijn videoprojector aangeschaft.

Nadat ze een relatie kreeg met Aksel zijn de complicaties in onze verhouding en mijn droevige situatie en haar kracht duidelijker geworden. Dat is vast een van de redenen dat ik me de laatste tijd onafhankelijker van haar en haar projecten opstel. Ik heb nu mijn eigen project ontdekt. Ik heb haar er niets over verteld, het is fijn om iets helemaal voor jezelf te hebben.

Het lotsproject zou in elk geval lastig zijn om uit te leggen, zelfs aan Molly. Misschien begrijp ik zelf niet eens helemaal wat het inhoudt. Maar het geeft me wel uitzicht op een eigen leven. En daarnaast zijn mijn benen de afgelopen tijd dus veel sterker geworden. Ik hoop dat deze dingen verband met elkaar houden.

Het *Droomspel* van Strindberg had ik natuurlijk al gelezen, maar dit voorjaar, toen Molly vertelde dat ze daarmee aan de slag zou gaan, heb ik een nieuwe uitgave via internet besteld. Ik werd erg enthousiast toen ik het stuk opnieuw las, ik kon me in veel dingen herkennen. Ik dacht: dit is opzienbarend! Dat ik hier niet eerder aan heb gedacht. Het lijkt wel alsof het stuk voor mij is geschreven! Het hele stuk gaat over lijden, over opgaan in beelden en getuige zijn van de zorgen van de mensen.

Meteen kwamen er allerlei ideeën bij me op voor de scenografie die ik aan Molly zou vertellen. Een steiger! dacht ik. Ze moet de hele voorstelling natuurlijk op een steiger laten uitvoeren. Dicht bij het water, de golven als basis, alles stroomt, het ontmoetingspunt tussen land en zee, reddingsboeien, het risico om in het water te vallen en te verdrinken ... Dat wordt Strindberg in een notendop. Tijdens deze gedachten zat ik aan mijn werktafel, en mijn blik viel op de maquette van het zomerhuis. Uiteraard. Ik moest bijna lachen. De steiger! Het is ongelooflijk hoe toevalligheden je soms op het juiste moment van pas komen. Ik was immers al bezig met de steiger bij het zomerhuis. Ik moest er een foto van zien te krijgen.

Dat zeg ik: je weet meer dan je beseft.

Ik reikte op het tafelblad naar de papierschaar. Die was groot en solide, hij lag zwaar en koud in mijn hand, het duurde enige tijd voordat mijn hand hem had opgewarmd. Ik bedacht me dat ik die schaar veel te weinig gebruik, ik heb het stanleymes te veel aandacht geschonken. De schaar is weliswaar groter en minder nauwkeurig voor de kleine details dan het stanleymes, maar als je hem eenmaal hebt opgewarmd, lijkt het wel alsof hij vanzelf door het karton glijdt. Het is bijna jammer om hem weer weg te leggen.

Een halfjaar geleden dacht ik dat het lot de gebeurtenissen de volgende kant op zou sturen: het had er al voor gezorgd dat Aksel en Molly elkaar in mijn badkamer hadden ontmoet. Nu zouden de gebeurtenissen elkaar snel opvolgen, zoals altijd als het lot zich ermee bemoeit. Ik had er maar weinig invloed op. Ik voorzag dat Aksel steeds koortsachtiger naar Molly toe zou trekken dankzij haar raadselachtige projecten, genereuze warmte en grote vermogen om zichzelf weg te cijferen. Zij had iets wat hij nodig had. In het begin zou zij zich gevleid voelen, maar ze zou al snel genoeg krijgen van plakkerige, labradorachtige liefde, zoals ze dat per abuis zou zien. Ze zou hem dus gaan verlaten voordat ze had geleerd wat hij te bieden had, om zichzelf vervolgens onmiddellijk te verwijten dat het haar niet was gelukt lang genoeg vol te houden om de lessen in zich op te nemen. Molly is ongelooflijk standvastig als het op het vasthouden aan haar eigen theorieën aankomt, of liever gezegd de theorieën die ze zelf meent opgesteld te hebben, maar die eigenlijk van oma afkomstig zijn. Molly denkt eigenlijk niet zelf, dat laat ze aan anderen over.

Ik had medelijden met Aksel. Ik was bang dat hij erg verdrietig zou worden als ze een eind aan de relatie zou maken en hem verliet voor alles wat verder haar aandacht opeiste; hij zou zich slechter redden dan voor hun ontmoeting. Door die speling van het lot zal hij zich kleiner gaan voelen, niet groter, dacht ik. Hij zal zich zo klein gaan voelen dat hij te klein wordt voor zijn kinderen. Een vader moet groot zijn. Hij moet ervoor zorgen dat de goede krachten in de wereld ... kracht krijgen.

Maar Aksel was een liefdevolle, zorgzame vader, dat was niet moeilijk te zien. Hij leefde en ademde voor en door zijn kinderen. Er was niettemin niet veel fantasie voor nodig om te bedenken dat zijn leven niet erg gemakkelijk kon zijn, een spel patience dat niet altijd uitkwam. Ik begreep al vroeg dat hij iemand nodig had tegen wie hij zich kon uiten, iemand die hem advies kon geven en zijn leven van alledag van een afstandje kon bekijken, hem een voorstel kon doen hoe hij de kaarten kon leggen. Daarvoor ben ik geknipt, dacht ik, dat is precies een taak voor iemand als ik. Ik kan goed luisteren en ben een uitstekende strateeg.

Hij was open als hij over zichzelf vertelde, en hij praatte bijna altijd over zijn kinderen als we op de groene trainingsmat bezig waren. Ik kreeg vaak een merkwaardig, trillend gevoel in mijn lippen als het gesprek op Eilif en Ine kwam. Het was alsof de verhalen over hen me iets duidelijk wilden maken.

Soms zat ik na zijn vertrek op de mat eventjes een potje te janken. Een kleine, natte poel aan gemis stroomde uit me en daalde neer op de groene, geperforeerde kunststof. Het kan onmogelijk om toeval gaan, zei ik tegen mezelf. Die kinderen. Er zou hier best sprake van een verband kunnen zijn.

Ik kreeg de indruk dat Eilif een evenwichtige, ietwat kwetsbare tiener was, met altijd een petje op zijn hoofd. Hij was lang, mager en blond. Ine was een serieus, afhankelijk meisje van zes, bijna zeven jaar, ze zat op ballet en leek op haar moeder. Aksel was al bijna vijf jaar van hun moeder gescheiden, maar niets wees erop dat ze niet meer met elkaar overweg konden. Integendeel, ze leken elkaar nog steeds erg na te staan, ze hadden de sleutel van elkaars huis en vierden kerst en verjaardagen met elkaar. Op verjaardagen verscheen Aksel 's ochtends vroeg met chocolademelk in een thermosfles en een taart op een dienblad; hij opende de deur en maakte ze wakker, stak kaarsen aan en zong een liedje. Je kon het je gemakkelijk voorstellen.

Hij had me foto's van de kinderen laten zien van verleden jaar, vlak voor kerst; hij was bij de fotozaak langs geweest om foto's op te halen en vroeg me samen met hem er eentje uit te kiezen om als kerstkaart te gebruiken. Het ging allemaal zo snel, de tijd ontbrak om de foto's goed te bestuderen, maar ik kon me wel een bepaalde indruk van hen vormen. Mijn handen trilden een beetje, ik stelde hem voor een foto te nemen van de zomervakantie van vorig jaar, waarop de kinderen met een zonnebril op in een boot zaten en ernstig de camera in keken. Eilif droeg een oranje pet.

"Die foto heeft karakter", zei ik tegen hem.

Maar alles wat Aksel over Molly dacht en voor haar voelde, of andere zaken die met zijn liefdesleven te maken hadden, hield hij voor zich.

Dat kwam zeker door zijn hang naar discretie, een discretie die volgens mij vooral iets voor mannen is. Gelukkig ben ik een kei in het leggen van logische verbanden en niet zo gemakkelijk voor de gek te houden. Je kunt het je niet permitteren om je voor de gek te laten houden als je je in mijn situatie bevindt. Natuurlijk begreep ik dat hij hopeloos verliefd was op Molly. Dat had ik al door voordat hij het zelf besefte. Ik hoefde destijds in de badkamer maar in de spiegel te kijken.

Soms maakte hij zich zorgen over zijn kroost. Hij vroeg zich regelmatig af hoe alles zo geregeld kon worden dat ze zo weinig mogelijk last van de scheiding hadden. Zo wilde hij bijvoorbeeld dat ze zelf, als het even kon, mochten bepalen wanneer ze bij hem wilden komen en wanneer ze naar hun moeder gingen. Zijn ex-vrouw en hij woonden vlak bij elkaar en hadden gezamenlijk de voogdij, voor zover ik begreep. Na verloop van tijd noemde hij haar niet meer mijn 'ex-vrouw', en gebruikte hij in mijn aanwezigheid haar naam alsof het de gewoonste zaak van de wereld was: Monika. Ze heette Monika. Hij sprak het met een glimlach op zijn lippen uit, alsof de naam hem aan iets leuks deed denken.

Hij moet zorgen dat het voor de kinderen zo eenvoudig mogelijk is, dacht ik. Hij moet hun een mobiele telefoon geven. Dan kunnen ze Monika of hem gemakkelijk bereiken als ze besluiten dat ze na schooltijd toch naar de andere ouder willen; dat maakt het wel zo eenvoudig voor hen.

Aanvankelijk stond het idee hem tegen, volgens hem waren ze te jong om de verantwoordelijkheid voor een mobieltje te dragen, en hij had ergens gelezen dat de straling van zulke telefoons vooral schadelijk was voor kinderen. Maar ik had grondig onderzoek gedaan op internet, ik maakte hem duidelijk dat er geen enkele reden was om zich zorgen te maken, hij kon gewoon een oortje kopen. Ik herinnerde hem eraan dat Eilif een grote jongen aan het worden was, het was heel gewoon dat het zijn verantwoordelijkheid zou zijn. Een mobieltje kon de kinderen een groter gevoel van vrijheid geven, zei ik. Bovendien zouden Aksel en Monika dan altijd binnen handbereik zijn, slechts een druk op een toets verwijderd. De mobiele telefoon zou een manier zijn om het gezin bij elkaar te houden. Ik vond dat ik dit op een mooie manier presenteerde; ervaren en gepast voorzichtig. Ik leek wel de advocaat van de kinderen, zonder dat ze dat wisten.

Het eind van het liedje was dat hij inderdaad een mobiele telefoon voor hen kocht. Weliswaar niet zo'n goedkoop exemplaar, zoals ik hem had aangeraden, maar eentje met een ingebouwde camera, zodat ze hem ook foto's konden sturen. Dat was nóg beter, dacht ik tevreden.

Ze kregen hun mobieltje voor kerst. Toen hij na Nieuwjaar weer langskwam, wist hij te vertellen dat ze ontzettend blij waren geweest. Eilif had de hele kerstavond in de gebruiksaanwijzing zitten lezen, en al op eerste kerstdag had Aksel de eerste foto van Ine op zijn eigen mobieltje gekregen, gefotografeerd en verzonden door Eilif.

Alles was zo verlopen als ik me had voorgesteld, toen ik op kerstavond thuiszat en aan het gezinnetje dacht. Bijna nog beter. Ik had graag gehad dat Eilif die foto van Ine ook aan mij had gestuurd. Ik had hem op mijn computer kunnen zetten en hem kunnen vergroten, ik had hem op de wand kunnen projecteren en er iets mee kunnen doen; dat zou leuk werk zijn geweest op kerstavond.

Ik begon meteen plannen te maken voor de kinderen om de camera te gebruiken.

Vlak voordat het lot ervoor zorgde dat Molly mijn badkamer kwam binnenvallen en Aksel ontmoette, was ik van plan hem voor te stellen de kinderen een keer mee te nemen hiernaartoe. Dan hadden we iets gezelligs kunnen doen, misschien een spelletje kunnen spelen; ik had de Ster van Afrika kunnen kopen. Dat spel herinner ik me uit mijn jeugd, mama en ik hebben dat een keer gespeeld toen we een huttentocht maakten. We zaten op een regenachtige dag aan een opklaptafeltje, volgens mij waren we er urenlang zoet mee, mama kon er niet genoeg van krijgen.

En daarna kon ik hen misschien verrassen door hen alle drie op een etentje in een restaurant te trakteren. Er zijn nu veel goede restaurants die aan rolstoelgebruikers zijn aangepast, dat beseffen ze misschien niet, dacht ik.

Maar zo zou het niet gaan.

Molly weet niets van kinderen. Ze is zelf nog een kind, met de openhartige nieuwsgierigheid en het onverholen egoïsme van een kind. Een warm, vrolijk egoïsme, een egoïsme dat je als een hond doet kwispelen.

Wat ik van Molly had begrepen toen ze me aan het begin van de zomer vóór de grote stilte belde, was dat Aksel en zij twee weken lang in het zomerhuis het liefdesspel zouden spelen, terwijl Eilif en Ine met hun moeder op vakantie naar Italië zouden gaan. Daarna zou Aksel met de kinderen gaan kamperen, en Molly zou met haar werk aan *Droomspel* aan de slag gaan.

Ik vermoedde dat de relatieproblemen zich na die eerste liefdesvakantie al zouden aandienen. Ik stelde me voor dat Aksels grote, trouwe hart al snel met kleine pijnscheuten zou ineenkrimpen vanwege Molly's gedrag, dat hij als onverschilligheid zou interpreteren. Ik hoopte maar dat het hun zou lukken van de vakantieweken in het zomerhuis te genieten, anders zou het helemaal ellendig zijn.

Maar het lot had blijkbaar andere plannen: Monika werd vlak voor de zomervakantie plotseling ernstig ziek. Hoewel, van plotseling kon je nauwelijks spreken, want uit onderzoek bleek dat ze baarmoederhalskanker in een vergevorderd stadium had, maar Molly en ik hadden geen van beiden eerder gehoord dat ze ziek was. Monika moest ogenblikkelijk geopereerd worden, en pas na de operatie zouden ze weten hoe het er in de onderbuik van de perifere ex-vrouw uitzag, om met Molly's woorden te spreken, en wat de prognose was.

Monika werd met spoed opgenomen: dit hoorde ik allemaal van de invalster. De kinderen werden een week voor het einde van het schooljaar thuisgehouden, niemand van de familie kon op hen passen; de nog in leven zijnde grootouders hadden of een te zwakke gezondheid of zaten voor hun rust in Spanje, en andere in aanmerking komende familieleden woonden elders in het land en hadden zelf kinderen die nog naar school gingen.

Dat was de situatie toen Molly voor het eerst sinds weken belde. Ik zat in bed en probeerde mijn humeur te bewaren door naar buiten naar de zon te turen.

Zoals gebruikelijk nam ze geen blad voor de mond. Om zaken heen draaien is nooit iets voor Molly geweest. Er was ontzettend veel lawaai op de achtergrond, je kon haar maar nauwelijks verstaan.

"Agnes", zei ze, en toen kwam er iets wat ik niet kon verstaan: "... is te moeilijk voor ... ik weet niet wat ... ik ga misschien ... hij moet immers ... mannen zijn zo ..."

"Wat zeg je, lieverd?" vroeg ik. "Kun je dat lawaai op de achtergrond niet even uitzetten, ik kan zo moeilijk horen wat je zegt."

"Hè?"

"Kun je dat lawaai niet uitzetten?"

Ik hoorde dat ze de hoorn ergens op neer smeet en door de kamer liep. Het klonk alsof er een lintzaag stond te dreunen, maar dat klopte vast niet, ze had geen lintzaag in het huis, ik had tenminste niet zo'n ding in mijn maquette gemaakt. Eindelijk werd het stil en hoorde ik haar voeten weer naar de telefoon komen.

"Nu beter?"

"Beter", zei ik. "Heb je daar een lintzaag?"

"Ja, inderdaad", zei ze met die overdreven duidelijke stem. "Ik heb er een van de schouwburg kunnen lenen, ik heb hem nodig om een paar spaanplaten bij te snijden."

"Ben je al met het *Droomspel* aan de gang?"

"Natuurlijk. De vakantie met Aksel is immers in het water gevallen."

"Ja, ik heb over die toestand met zijn ex-vrouw gehoord, de invalster heeft het verteld. Fijn om je stem weer te horen. Wat probeerde je me zojuist te zeggen?"

Ze stak van wal.

"Mannen zijn zo onberekenbaar. Aksel heeft me gevraagd of de kinderen hier kunnen komen terwijl Monika in het ziekenhuis ligt."

"Oei!" zei ik. Het klonk als een hik.

"Hij wil voor en na de operatie bij haar zijn, zegt hij. Ik weet niet wat ik ervan moet vinden. Je moet me helpen denken, Agnes."

Ik zweeg even en wist niet wat ik ervan moest denken.

"Hallo? Ben je daar?" vroeg Molly.

"Ik ben hier", zei ik.

"Ik ben zo in de war."

"Aksel is toch verpleegkundige", zei ik. "Het is niet zo raar dat hij haar zelf wil verzorgen, ze is hoe dan ook de moeder van zijn kinderen. Het is beslist in zijn eigen belang dat ze zo snel mogelijk weer gezond wordt. Weet je om hoe lang het gaat?"

"Geen idee. Ze wachten tot een of andere chirurg van vakantie terugkeert."

"Dan is het vast heel ernstig."

"Daar twijfel ik niet aan. Maar toch weet ik niet of ik dit zo'n goed idee vind, dat hij bij haar wil zijn en mij vraagt op de kinderen te passen. Alsof ze zijn vrouw is en ik de naaste verwante. Het heeft er niets mee te maken dat ik niet van Aksel hou, want dat doe ik wel."

"Uiteraard."

"Dat klinkt niet erg overtuigd."

"Het maakt niet veel uit wat je ervan vindt of hoe je het ervaart, als Aksel je al heeft gevraagd om op zijn kinderen te passen en de situatie zo ernstig is", zei ik. Ik hoorde aan mijn stem dat die gepast nuchter was, dat verbaasde me een beetje.

"Ik wist dat je dat zou zeggen."

"Als je wist wat ik zou gaan zeggen, waarom belde je dan om me daarnaar te vragen?"

"Wees niet zo streng. Je kent me toch."

"Natuurlijk. Ik ken jou."

"En je weet dat ik geen verstand heb van kinderen."

"Dat kun je leren."

"Jij vindt het dus goed van me dat ik ja heb gezegd om ze hier te laten komen?"

Ik moest weer even pauzeren.

"Dus je hebt al ja gezegd."

"Ja, maar ik denk dat ik misschien wel iets heel doms heb gedaan."

"Volgens mij heb je een goed antwoord gegeven", zei ik, en ik probeerde oprecht te klinken. "Ik denk niet dat je iets te kiezen had."

Ik kon horen hoe ze mijn woorden stilletjes in zich opnam. Ik liet mijn hand met de telefoonhoorn even op het dekbed rusten. Mijn armen worden soms zo moe, dat heeft met de ziekte te maken. Maar ik bracht hem snel weer naar mijn oor toen ik haar verder hoorde praten. Haar stem klonk van heel ver; opeens was het alsof ze in het buitenland zat.

"Je hebt gelijk", zei ze. "Ik heb geen keus. Maar toch voelt het niet goed."

"Wat voelt niet goed?"

"Ik wil zijn kinderen niet. Ik wil Aksel."

"Dat begrijp ik", zei ik. "Maar het is alles of niets, dat wist je toen je met hem aanpapte. Hij is een man met twee kinderen, daar kun je niets aan veranderen. En hij heeft je al gevraagd deze zomer voor hen te zorgen en daar heb je in toegestemd."

Mijn woorden kwamen er misschien wat stamelend uit, ik had de hele dag alleen nog maar met de invalster gesproken. Ik schraapte mijn keel en probeerde me op Molly's overdreven langzame, duidelijke spreekritme in te stellen.

"Ja, maar dit had ik niet gepland!" protesteerde ze.

"Niets gaat ooit zoals je van plan bent", zei ik. "Dat gaat alleen op voor neuroten, en jij bent niet bepaald een neuroot."

"Niet plagen alsjeblieft, ik ben niet in de stemming om te lachen. Jij vindt dat ik alles wat er gebeurt, moet accepteren?"

"De vraag is of je iets te kiezen hebt."

"Bedoel je dat het mijn lot is om Aksels kinderen over te nemen?"

Ik schrok even. Het verbaasde me dat ze het over het lot had, dat soort uitdrukkingen had ik haar nog nooit horen gebruiken. Ik pas wel op dat ik het niet te veel over het lot heb als ik met Molly praat. Ze ergert zich er volgens mij alleen maar aan.

"Dat heb ik niet gezegd", zei ik. "Ik zeg alleen dat je niets te kiezen hebt, omdat je al iets met hém hebt. Soms leidt het een tot het ander, weet je. Liefde verplicht."

"Het is goed, ik heb immers al gezegd dat ze mogen komen", zei ze.

"Maar moet ik hen ook aardig vinden? Ik vind het vaak moeilijk om mensen aardig te vinden. Dat weet je."

"Ik snap best dat het lastig is om hen aardig te vinden", zei ik. "Je moet in elk geval je best doen om het te proberen."

"Je bedoelt dat ik van hen moet houden? Alsof ze van mijzelf zijn? En als ze nu eens onuitstaanbaar zijn!"

Ik reikte met mijn hand naar het nachtkastje, pakte het notitieboekje en bladerde naar de bladzijden waarop ik een poging had gedaan om Eilif en Ine te tekenen. De portretten waren zo slecht nog niet, ook al had ik ze uit mijn hoofd getekend van de foto's die Aksel me had laten zien.

"Ze zijn vast aardig", zei ik.

"Maar dat is het punt niet. Ik ken hen niet. Aksel heeft het bijna nooit over hen. Heeft hij jou iets verteld?"

Opeens voelde ik een steek van vreugde.

"Niet veel bijzonders", zei ik.

Een van de belangrijkste vragen waarop ik in mijn project antwoord probeer te krijgen is: kun je getuige zijn van het lot, terwijl dat bezig is zich tot jou te richten? Het op heterdaad betrappen, om het zomaar eens te zeggen?

Ik vind dat je op zijn minst een soort vermoeden kunt hebben. Het kan bijvoorbeeld voelen alsof je lippen trillen, of je wangen gloeiend heet aanvoelen. Je kijkt om je heen, naar de anderen in je buurt die ook deel uitmaken van wat het lot bezig is te bewerkstelligen, en je denkt: ik vraag me af of ze begrijpen wat er allemaal speelt. Trillen hun lippen ook?

Dan kan een notitieboekje handig zijn. Je moet je ogen goed de kost geven en het zo snel en zo nauwkeurig mogelijk opschrijven als er iets belangrijks en onafwendbaars is gebeurd. Het liefst op het moment dat het gebeurt, natuurlijk, hoewel dat in de praktijk moeilijk blijkt te zijn; dat gedoe met pen en papier in allerlei situaties waarin dat niet erg passend is. Je voelt je zo'n stuntel als je dat soort dingen doet.

Je moet een beetje geduld opbrengen, met jezelf en met anderen. Getuige zijn eist veel van je, ook een absoluut bewustzijn: om dit te kunnen doen, moeten je gedachten zuiver zijn, ongeveer zoals je boter klaart. Je moet het bezinksel wegscheppen. Dat soort dingen kost tijd, dat spreekt voor zich, en je moet heel goed opletten, je glijdt zo gemakkelijk terug in je oude, troebele gewoonten.

Je oude gewoonten hebben kleverige vangarmen die zich met hun drab naar je uitstrekken, heel akelig eigenlijk. Hier had Strindberg verstand van, die gedachte kwam bij me op toen ik het *Droomspel* voor het eerst las.

De eerste keer dat het tot me doordrong dat ik het bezinksel naar de bodem kon laten zakken en me helder en scherp kon maken, zodat ik kon zien wat er ging gebeuren, was vlak voordat mama bij papa en mij wegging. Er was iets met de sfeer in huis; de gedempte geluiden van deuren die voorzichtig gesloten werden, en die niet in verhouding stonden tot de heftige dromen die ik 's nachts had. Niemand zei iets, maar toch wist ik het.

Ik herinner me een ochtend waarop ik me had vermand en me had voorbereid om de gebeurtenissen goed in me op te kunnen nemen. Ik zat in mijn kamer op bed naar mijn eigen ademhaling te luisteren, naar dat vrijwel geluidloze gesuis door de neusgaten, het ene neusgat iets verder open dan het andere. Papa was zoals gewoonlijk op het instituut, en mama zat in haar werkkamer te werken. Aan de ritmische geluiden van haar vingers op de toetsen te horen begreep ik dat het nog een hele tijd zou duren voordat ze naar buiten zou komen; ze was ergens mee bezig, iets wat veel mensen zouden gaan lezen.

Ik sloop hun slaapkamer binnen. Daarbinnen was het koel, hun raam stond altijd open. Ik rilde. Haar ochtendjas hing aan het haakje aan de wand naast het bed. Ik bleef midden in de kamer staan. Ik wilde mijn gezicht tegen de lichte zijden stof leggen, maar ik deed het niet. Ik wist wat er zou gebeuren. De ochtendjas zou daar niet zo lang meer blijven hangen.

Ik was een hijgend dier, ik sloot mijn ogen en zag dat mama over een paar maanden heel ergens anders zou zijn dan bij ons, dat ze op reis was, dat ze terugkeerde naar haar nieuwe appartement in een vreemde stad na een lang verblijf in het buitenland. Ik zag duidelijk dat haar koffer nog in de hal van het nieuwe appartement stond, ze had alleen twee flessen wijn, een plak Zwitserse chocola, een flesje olijven en een grote, ronde kaas uit de taxfreeshop uitgepakt. Dat nam ze altijd mee voor papa en mij als ze in het buitenland was geweest, maar deze keer had ze het bij zich voor anderen, voor mensen die ik niet kende.

Ik stelde me voor dat ze haar appartement binnenkwam en besefte hoe lang ze was weggeweest, maar dat ze het heerlijk vond om eindelijk weer op haar eigen plek te zijn. Mama stelde haar eigen gezelschap op prijs. In haar handtas zat een stapel krantenknipsels, daarop stonden diverse foto's van haar, en interviews waarvoor ze nog niet de moeite had genomen ze te lezen. Ze liep langzaam naar een kast in de hoek, opende hem en pakte een wijnglas dat ze vulde met rode wijn uit een van de flessen. Daarna zakte ze weg op de bank met het koele glas in haar hand. Ze bedacht dat ze eigenlijk naar de keuken moest gaan om een schaaltje voor de olijven te pakken, maar ze liet het bij die gedachte.

Ik zag voor me dat ze pas overeind kwam nadat de telefoon een aantal keren was overgegaan, ze het glas wegzette op het tafeltje en de hoorn opnam.

"Hallo", zei ze tegen een andere man dan papa. "Ja, nu ben ik hier. Het vliegtuig had een beetje vertraging, maar alles is prima verlopen. Ik ben moe. Kom je?"

Ik haalde diep adem, ik was een meisje van tien met de ogen dicht en liep achterwaarts de slaapkamer van papa en mama uit. Op dezelfde manier liep ik de hele gang door, de badkamer in. Daar kwam ik met een schok weer tot mezelf. Ik sperde mijn ogen open, rukte mijn kleren uit en pakte de tandenborstel.

Ik poetste mijn tanden hard en grondig, de sterke smaak van pepermunt waste mijn mond schoon, die werd een leeg gat waarin de ademhaling kon rondzwerven.

Pas nadat ik jarenlang notitieboekjes met observaties van de verschillende aspecten van het lot had volgeschreven, begon het tot me door te dringen: ik ben een getuige, dat is mijn project. Ik ben een getuige van het lijden en daarmee automatisch ook van het lot. Lot en lijden zijn als een tweeling, heb ik geconcludeerd, een soort universele Hans en Fritz uit de strip *The Katzenjammer Kids*: waar de een is, is de ander. In de trage beweging van het universum is geen plaatje van Hans te vinden zonder Fritz! Geen lot zonder lijden. Geen lijden zonder lot. Dat is een van mijn voorlopige conclusies.

Als je de ene helft van de tweeling begrijpt, begrijp je natuurlijk ook de andere helft. Het lot en het lijden, het lijden en het lot. Het doet er niet toe aan welke kant je begint, met Hans of met Fritz. Om praktische redenen moet je echter een keus maken, en voor mij was het dus vanzelfsprekend dat het lijden het eerst kwam. Nu ik toch eenmaal door deze ziekte was getroffen, wilde ik op zijn minst het lijden een stem geven door er getuige van te zijn, het op te schrijven, ervoor zorgen dat het zich gehoord wist, dat het niet voor niets zo hard zijn best deed. Want het lijden zoekt ook een plaats, daar ben ik al heel lang van overtuigd; het lijden heeft ook een lot, het heeft ook iets waarmee het worstelt. Het lijden moet weten dat het wordt begrepen, zodat het zijn grip kan verliezen en verder kan gaan, de goede krachten kan toelaten. Als het lijden niet het gevoel heeft gehoord te worden, moet het zijn toevlucht zoeken tot rampen, en je weet wat er dan gebeurt.

De ziekte heeft ervoor gezorgd dat ik hier met al die tijd voorhanden zit, en ik heb mijn ervaringen waarvan ik lange tijd niet wist wat ik ermee aan moest: de uitputting, de pijn, de angst, de bleke zorgen van papa, al die onderzoeken, de sombere vooruitzichten, al die verschillende artsen, de rapporten, al die medicijnen. Dat was mijn werkelijkheid, maar de betekenis ervan begreep ik niet, die was zo privé, zo beklemmend.

Pas nu, geruime tijd later, zie ik dat mijn hele leven tot nu toe eigenlijk een voorbereiding op het lotsproject was. De nieuwe, elektronische realiteit, met toegang tot alles wat er op de wereld gebeurt door simpel een paar toetsen in te drukken, heeft me bovendien de mogelijkheid geboden om dit project van een individueel naar een universeel niveau te tillen, op een manier die waarschijnlijk nog nooit in de menselijke geschiedenis is voorgekomen. Alle informatie is te vinden, beschikbaar voor iedereen die sterk genoeg is om te getuigen. Op dit punt in de geschiedenis hebben we een unieke gelegenheid om de grote verbanden te ontmaskeren, en ik heb meer tijd om me hiermee bezig te houden dan de meeste mensen. Ik hoef immers niet te werken om in mijn levensonderhoud te voorzien, en na het overlijden van papa heb ik geen familie meer met wie ik rekening moet houden. Ik ben bijvoorbeeld in een veel gelukkiger positie dan Strindberg het grootste deel van zijn leven was. Strindberg had veel zorgen, waarschijnlijk heeft hij zo nu en dan ook wel een traan gelaten, in dat kale bed in zijn huis in de Drottningsgatan.

De grootste uitdaging is dus niet om toegang tot de informatie te krijgen, of zelfs maar de tijd te hebben om die te bestuderen. De uitdaging is vooral om volledig bewust getuige te zijn van het lijden. Er recht naar kijken, de ogen openhouden, het opbrengen alles in je op te nemen. Dat is de reden dat ik de projector heb gemonteerd. Daarmee kan ik me door de beelden uit de hele wereld laten omhullen, ze over mijn lichaam laten gaan, om op die manier te zien of ze bij me kunnen binnendringen.

Door de jaren heen heb ik mijn gevoel voor het lot tot een zodanig niveau getraind dat ik nu binnen slechts een paar minuten nadat bepaalde gebeurtenissen hebben plaatsgevonden, daarvan aantekeningen in mijn notitieboekje kan maken. Het doel is om aantekeningen onnodig te laten zijn, dat alles duidelijk is en wordt erkend op het moment waarop iets plaatsvindt. Dat ik het akelige recht aan kan kijken. Dat kan een utopie lijken, maar je hebt iets nodig om naar uit te kijken: het lot doorschouwen.

Nu ik me beter bewust van mijn eigenlijke taak ben geworden, is het alsof mijn leven een nieuwe, meer verplichtende wending heeft genomen. Alles lijkt zich in een sneller ritme te voltrekken. Volgens mij heeft het lijden begrepen dat ik ermee wil discussiëren, en het is zich op een directere manier tot me gaan richten. Misschien vindt het dat wij tweeën een laatste serieus gesprek moeten hebben voordat het zijn grip op mijn lichaam loslaat en verdergaat.

En als Hans er is, kan Fritz niet ver weg zijn, denk ik. Als ik het lijden doorgrond, komt het lot er meteen achteraan, als twee vissen aan hetzelfde haakje. De tweede heeft zich vastgebeten in de eerste en komt glimmend en spartelend van onder het wateroppervlak tevoorschijn als ik de lijn binnenhaal.

Het nieuwe leven is al begonnen.

Een schitterend instrument waarop je kunt spelen. *Like the first morning.*

"Ik wilde dat je hier was om me te helpen, Agnes." De stem van Molly klonk iel en ze vergat duidelijk te spreken, of misschien hield ze de hoorn een eindje van haar mond, ik weet het niet. "Het is lastig om te weten hoe je je met kinderen moet gedragen", ging ze verder. "Ze lijken zo ... onberekenbaar."

Wat ben je kinderachtig, beste meid, dacht ik, maar ik zei: "Wees gewoon jezelf. Dat is altijd het beste."

"Kun je hier niet naartoe komen?"

"Dat wordt wat lastig. Ik heb niet de indruk dat je zomerhuis zo goed is ingericht voor rolstoelgebruikers, en ik heb ook geen auto."

"Maar misschien kunnen we een oplossing bedenken? Ik zou je toch op kunnen halen? Wat heb je eigenlijk nodig? Een lift?"

"Geen lift", zei ik. "Maar ik moet een rijplank hebben om zonder hulp het huis binnen te komen. Als die er niet is, moet je me de trappen op hijsen als een kind in een kinderwagen."

"Daar zou ik niets op tegen hebben!"

"Doe niet zo stom. Behalve dat er een rolstoelrijplank nodig is, moeten de deuropeningen breed genoeg zijn om er met de stoel doorheen te kunnen komen."

Volgens Molly waren ze dat wel. Ze bood aan de duimstok te pakken en het meteen op te meten; ik stelde me voor dat ze die vast al in de zak van haar werkjas had gestoken, ze heeft hem altijd bij zich als ze aan het werk is.

Met een vastbesloten klik legde ze de hoorn neer, ik leunde achterover op bed en sloot mijn ogen. Ik zag voor me dat ze vastbesloten de duimstok uit de flodderige zak haalde, hem uitvouwde en met lange timmersmanspassen op de begane grond van deur naar deur liep om de boel op te meten. Je kon je gemakkelijk voorstellen hoe het er daar uitzag, ik had zojuist aan de maquette gewerkt en alle deuropeningen uitgesneden. En Molly is altijd eenvoudig voor de geest te halen: het korte, warrige haar, de smalle, efficiënte handen, de witte, versleten werkjas met al die vlekken van onbekende herkomst. De intense ogen die vaak tot spleetjes geknepen lijken, vooral als ze bezig is iets te bouwen, en dat is bijna altijd het geval.

Het huis: de ouderwetse keuken met het lage aanrecht en de donkere, diepe kasten, zoals ze in de jaren twintig van de vorige eeuw werden gemaakt, alsof de mensen toen langere armen hadden en een beter gezichtsvermogen, of misschien meer gewend waren alles op de tast te zoeken. De grote ramen met spijlen. De eetkamer. De twee grote woonkamers. De dubbele deur naar de grote, overdekte veranda. De trap naar de fraaie tuin, het witte hekwerk. De vlaggenmast aan het eind van het grindpad.

Ik haalde diep en rustig adem, zoals Aksel me had geleerd, en probeerde kalm te worden, ik voelde dat dit gesprek me had aangegrepen. Een rots, dacht ik. Ik ben een rots van rust.

Na een paar minuten belde Molly alweer.

"Nu heb ik alle deuren op de begane grond opgemeten, en zoals ik al zei, zijn ze allemaal breed genoeg voor de rolstoel", zei ze. "Een rolstoelrijplank op de verandatrap kan ik in een middag in elkaar timmeren. Dus ik snap niet wat het probleem is. Ik kan je op elk moment komen halen."

"Wacht nu eens even", zei ik. "Niet zo snel. Hoe zit het met de badkamer? Dat is een probleem."

"Hoezo?" vroeg ze ongeduldig; ik kon horen dat ik daar wat haar betrof al zo'n beetje was. De rijplank was al gebouwd, ze had bedacht hoe die moest worden. Voor Molly zijn denken en doen bijna hetzelfde.

"Ik vermoed dat er naast de wc niet voldoende plaats is voor een rolstoel", zei ik.

Ze viel even stil.

"Daar heb ik niet aan gedacht."

"Nee, precies."

"De badkamer is misschien inderdaad wat aan de kleine kant."

"Nou, je moet toch regelmatig even naar de wc, zelfs als je ziek bent."

"Hoe doe je dat dan als je bij andere mensen op bezoek bent?"

"Ik ga nooit ergens heen waar geen ruimte is voor een rolstoel in de badkamer", zei ik. "Ik dacht dat je dat wel wist."

"En een po? Ik zou een po kunnen kopen. Of nee! Ik weet het! Een postoel!"

Ik gruwde.

"Een po? Geen denken aan!" zei ik. "Ik mis het evenwicht en de spierkracht om op een po te zitten. En een postoel is niet sexy. Ik heb nog nooit van mijn leven een postoel gebruikt."

"Je moet openstaan voor nieuwe ervaringen!"

"Ja, gatsie. Ik wil er niet over praten."

"Ik zou de postoel ook kunnen gebruiken", zei Molly enthousiast. "Iedereen hier zou dat kunnen doen! Ik, jij, Eilif, Ine! Aksel, als hij op bezoek komt! We zouden de deksel van de echte wc kunnen dicht-plakken, zodat er geen keus is! De postoel gaat het helemaal maken."

"Nu moet je ophouden."

"Waarom? Ik denk dat het best spannend is om een tijdje een postoel te gebruiken, ik ga er in elk geval misschien eentje aanschaffen."

"Bedankt", zei ik droogjes. "Het is een mooie gedachte, maar volgens mij is dat niet nodig."

"Lieve hemel, jij bent ook nooit ergens enthousiast over! Denk er-over na. Het is een aanbod."

"Ik hoef er niet over na te denken."

"Ik vind niet dat je het recht hebt om een postoel tussen ons in te laten komen. Ik heb je hier nodig."

"Ik zeg dat ik niets van een postoel wil weten."

"Dan doen we het zo", zei ze, alsof het gesprek al ten einde was. "Ik schaf een postoel aan, dan ontbreekt alleen nog een rolstoelrijplank, en dat gaat snel."

Soms kun je haar domweg niet bereiken. Het heeft weinig zin om het dan te proberen. Ik kon horen dat ze weer iets begon te timmeren, het was moeilijk te zeggen wat, kleine spijkers in een houten, met vilt overtrokken plankje misschien.

"Ik weet wel dat je een goede timmervrouw bent", zei ik. "Maar nu moet je je in de eerste plaats op de kinderen concentreren. Misschien moet je een beetje opruimen, weet ik veel. Wanneer komen ze?"

"Geen idee, misschien morgen. Aksel is zo kortaf aan de telefoon, hij lijkt een beetje van slag. Ik heb niet helemaal het gevoel dat hij zo van Monika af is als hij beweert."

"Zeur niet tegen hem", zei ik. "Dat wordt hem nu allemaal te veel."

"Ik zeur nooit."

"Natuurlijk niet. En ik zal je helpen met de kinderen. Voorlopig houden we telefonisch contact. Bel me zodra er iets is wat je wilt weten, en zorg ervoor dat je me alles vertelt wat er met hen aan de hand is. Ik ben best wel goed met kinderen."

Voor dat laatste had ik helemaal geen bewijs, maar het leek me juist om dat toch te benadrukken.

Geen van beiden legde de hoorn neer. Het gesprek was niet afgelopen, we wisten alleen niet goed hoe we verder moesten gaan.

"Ik heb gisteren een hangmat gekocht", zei ze opeens. "Dat heb ik je vast nog niet verteld."

Ik verstijfde. Een hangmat? Voor de maquette van het zomerhuis had ik geen hangmat gemaakt.

"Een hangmat is een uitstekend idee!" zei ik, en ik probeerde enthousiast te klinken.

"Vind je? Ik wist niet wat ik moest doen om me voor te bereiden, om te laten zien dat ze welkom zijn. Een hangmat was het enige wat ik kon verzinnen."

"Ik heb de indruk dat ze eigenlijk helemaal niet zo welkom zijn!"

"Ik weet het niet, Agnes. Alles is zo snel gegaan. En ik bedenk net dat ze niet zullen weten dat ik de hangmat voor hun komst heb gekocht. Ik bedoel, hij hangt er, maar ik weet niet of ik ga vertellen dat ik hem voor hen heb gekocht."

"Nee, dat is duidelijk", zei ik. "Maar je hebt hem toch ook niet alleen voor hen gekocht."

"Misschien niet alleen voor hen, maar vooral omdat zij zouden komen. Iedereen die dat wil, kan hem gebruiken. Ik ben van plan hem zelf te gebruiken als ze weer vertrokken zijn. En jij kunt erin liggen als je hierheen komt."

"Heeft Aksel verteld hoe lang ze bij jou zullen blijven?"

"Geen idee. Dat hangt natuurlijk af van wat ze na de operatie van Monika zeggen. Hij heeft hun trouwens een mobiele telefoon gegeven."

Ik knikte in de hoorn, en het was alsof ze het knikje hoorde.

"Wist je dat?" vroeg ze verbaasd.

"Mm."

"Heeft Aksel je dat verteld?"

"Dat weet ik niet precies meer. Misschien heeft hij het tussen neus en lippen door gezegd."

"O? Je zei toch dat hij niet veel bijzonders over hen tegen jou vertelde."

"Klopt, niet veel bijzonders, zoals gezegd, alleen van die kleine dingetjes. Hij wil vast contact met hen kunnen houden, misschien voelt hij zich rustiger als hij weet dat ze hun eigen telefoon hebben."

"Maar ik begrijp niet waarom ze mijn vaste telefoon niet kunnen gebruiken", zei ze.

"Hij wist zeker niet dat je die hebt, je bent misschien vergeten hem te vertellen dat je een telefoonlijn hebt laten aanleggen."

"Misschien. Hier in de buurt is het bereik van mobiele telefoons slecht, soms werkt mijn eigen mobieltje hier niet."

"Dat weet ik", zei ik. "Dat is toch de reden dat ik een tijdje niets van je heb gehoord? Je mobieltje werkte niet, je moest wachten tot er een vaste telefoonlijn was aangelegd."

Ik liet haar niet antwoorden. "De kinderen leren er wel mee omgaan", ging ik snel verder. "Ze vinden zeker een plek waar wel bereik is. Kinderen hebben verstand van dat soort zaken."

Maar ik wist dat we het niet over dat gedoe met de kinderen en de mobiele telefoon hadden. Het eigenlijke onderwerp moest nu zo ter sprake komen. De tijd was er rijp voor. Ik kon het alleen niet opbrengen om te beseffen dat een beslissend moment in aantocht was. Je wilt niet altijd weten wat je weet.

"Ik ben zwanger", zei Molly.

Hoewel ik wist dat dit eraan zat te komen, voelde ik op dat moment een zekering in mijn hoofd springen. Alles werd donker, en ik moest me inspannen om het noodaggregaat aan de gang te krijgen. Ademhalen, dacht ik. Eerst diep en goed ademhalen, en dan aan iets leuks denken. Je hoeft nergens bang voor te zijn. Denk aan iets moois!

Langzaam keerde het licht in mijn hersenen terug. Die waren klaar om met beelden gevuld te worden. Ik stelde me voor dat ik me op een bühne bevond. Voor me stond een piano. Aha! dacht ik. Ik moest vast iets spelen. Prima. Ik kan uitstekend pianospelen.

Ik zag voor me hoe ik me naar de anderen in de kamer omdraaide, want ik ben niet alleen, dacht ik, er zijn hier nog een heleboel anderen, ze zitten te wachten tot ik voor hen ga spelen. Maar ik word verblind door het licht van de schijnwerper die op me gericht staat, waardoor ik alleen hun contouren kan zien.

Ze zijn er allemaal. Iedereen die van me houdt, ik kan hen alleen niet zo duidelijk zien door al dat licht. Ik kan het beste maar meteen met spelen beginnen. Ik sluit even mijn ogen, dan pak ik de muziek, zet die op het plankje op de piano, strijk met twee vingers langs het midden van het blad om er zeker van te zijn dat de bladzijden op hun plaats blijven zitten en niet door een onzichtbare windvlaag door de kamer op het verkeerde moment omslaan. Geen werveling, geen zuchtje wind, dacht ik. Niets mag het verstoren.

Dan ga ik goed op de pianokruk zitten, dacht ik koortsachtig verder. Ik ben helemaal niet zenuwachtig. Mijn ruggengraat is lenig als een slang die bezig is zich op te richten, en mijn schouders zijn ontspannen. Ik haal twee keer rustig en diep adem. Dan til ik beide handen gelijktijdig op, hou ze even omhoog, voordat ik ze zachtjes laat dalen om de toetsen tijdens de eerste, voorzichtige aanslag te raken, als vallende regendruppels.

Arabesk! Ik speel een arabesk van Debussy! Die oma ook speelde.

En dan laat ik alles op zijn beloop. Denk nergens anders aan voordat ik het lichte gezucht van de luisteraars hoor. Ik hoor hun handen achter mij op elkaar gaan, alsof ze allemaal samen één lichaam hebben.

Applaus.

Ik moet een hele tijd stil zijn geweest. Ik kwam met een schok terug in de wereld doordat Molly in de telefoonhoorn riep. Het geluid van haar stem was hard en scherp, het deed pijn aan mijn trommelvliezen.

"Agnes!" riep ze. "Ben je daar? Is alles in orde?"

"Natuurlijk is alles in orde. Ik viel alleen maar even weg."

"Viel je weg? Gebeurt dat de laatste tijd vaker? Heb je met je dokter gesproken?"

"Helemaal niet", zei ik. "Dit is het gezeur niet waard, het gebeurt bijna nooit. Ik ben alleen een beetje moe, het was een vermoeiende dag, ik had zoveel dingen om over na te denken."

"Zeker weten? Wil je dat ik kom? Of dat ik iemand bel die bij je kan komen? De invalster?"

"Er hoeft hier geen invalster te komen", zei ik. "Praat maar verder. Wat zei je daarnet?"

"Ik ben zwanger", zei Molly.

"Van Aksel?"

"Verkeerde vraag. Ik slaap maar met één man tegelijk. Dat weet je best."

"Neem me niet kwalijk."

"Je hoeft je niet te verontschuldigen."

"Nee, schat. Het kwam alleen zo onverwacht."

Er viel weer een stilte tussen ons.

"Heb je het aan Aksel verteld?" vroeg ik ten slotte.

"Nee. Ik had het jou toch nog niet eens verteld."

"Waarom niet?"

"Daarom niet. Lieve deugd, alles is zo anders gegaan dan ik had gepland. Ik was van plan om het hem nu te vertellen, zodra we allebei vakantie kregen. Ik wilde het in alle rust doen. Ik vond dat hij de tijd moest krijgen om na te denken. Maar toen werd Monika ziek. Niet bepaald het juiste moment om het te vertellen, toch? En ik weet immers ook nog niet of ik het kind wil houden."

"Maar waarom had je het dan niet aan mij verteld?"

Daar gaf ze geen antwoord op.

Dat was dus de reden dat de komst van Aksels kinderen haar zo bezig-hield. Ze probeerde zichzelf voor te stellen als moeder. Dat nam haar in beslag.

Het gaf een naar gevoel dat ze me dit niet eerder had verteld, maar op een bepaalde manier begreep ik haar wel. Ze wist dat ik nooit kin-deren zou kunnen krijgen, daar wilde ze me vast niet aan herinneren. De medicijnen die ik in moet nemen, maken een zwangerschap onmogelijk, en zonder de medicijnen ben ik niets. Bovendien: van wie zou ik kinderen moeten krijgen? Aksel is de enige man die me bezoekt.

Het probleem is natuurlijk dat je zo met jezelf en je eigen leventje bezig bent dat je geen oog hebt voor Hans of Fritz, voor het lijden, of voor het lot. Je ziet de dingen niet zoals ze werkelijk zijn, je weet, maar je wilt niet weten dat je weet. Je snakt naar bewusteloosheid.

De hardheid is er sluipend in gekomen met de moedermelk, met de schooltijd, met de smaak en meningen van vrienden, met wat je iemand hebt horen zeggen, met wat je in de krant hebt gelezen. De hardheid is drab, en dat maakt je sloom, diffuus, je leeft als in een diepe slaap. Je hebt de kracht niet om wakker te worden, de ogen te openen en voor je uit te kijken. De hardheid is als een sluier voor je ogen. Of zoiets.

Zo ziet het eruit als je jezelf somberheid toestaat. En toch is het belangrijk om de moed niet te verliezen en ook niet te streng voor jezelf te zijn. Desondanks kan ik verschillende situaties in mijn leven bedenken waarin ik recht voor me uitkeek, wakker was op het moment waarop het lot zich kenbaar maakte.

Voorbeelden: die keer op de slaapkamer van mama en papa, toen ik begreep dat papa en ik alleen zouden achterblijven. En een paar jaar later, toen ik negentien was, in de badkamer van oma, en het tot me doordrong dat ik hulpeloos zou worden, dat mijn lichaam zou ophouden met gehoorzamen. Dat het iets anders wilde dan ik. Ik voelde op die momenten een kleine beweging: een soort vissenstaart, waardoor ik besefte dat er iets aan de hand was, iets belangrijks. Niet leuk, maar belangrijk. Een vleugje Hans aan het eind van de vislijn, en daar vlak achter, spartelend en glinsterend als zilver: Fritz.

Alleen, hulpeloos. Overgelaten aan de anderen. Het lot maakt je duidelijk dat het er zo voor staat.

En zojuist schoot me nóg een gebeurtenis te binnen. Het gebeurde een paar weken voor dat voorval in oma's badkamer, tijdens een gesprek tussen Molly en mij op haar kamer bij haar ouders. Nu, naderhand, zie ik dat het lot de meeste kaarten van ons patiencespel in de loop van die weken heeft geschud, toen we jong en stralend waren en nog geen krassen hadden opgelopen. Toen was ze zo smoorverliefd op die demonische fotograaf Strøm, en ik was wanhopig op een voor mij onbegrijpelijke manier. Die keer heb ik Molly in de steek gelaten. Ik heb haar in de steek gelaten door haar iets te laten doen waarvan ze spijt zou krijgen, en ik deed het hoewel ik wist wat er zou gebeuren. Ik wíst het gewoon. En door haar niet tegen te houden, heb ik het lot een handje geholpen.

Ik had haar moeten tegenhouden. Je bent niet alleen verantwoordelijk voor je daden; die verantwoordelijkheid geldt ook voor wat je niet doet.

Ik wist destijds dat het lijden op het punt stond zich met Molly en mij te bemoeien, dat Strøm haar pijn zou gaan doen, dat ze zich misschien juist daarom zo sterk tot hem aangetrokken voelde. En ik wist dat dit afschuwelijke gevolgen zou hebben, en dat ik door die gevolgen nog eenzamer zou worden dan ik al was. Ik wist het, maar ik wilde niet weten dat ik het wist. Ik deed alsof ik blind was. Alsof ik sliep.

Maar het is vreemd. Nu ik hier zit en de vroege herfstzon mijn gezicht voel verwarmen door het open slaapkamerraam, komt alles uit het verleden me onduidelijk voor, haast onwerkelijk. Alsof het verleden niet bestaat, alsof dat waar ik aan denk, nooit heeft bestaan. Alsof alleen het heden bestaat. Alsof ik het verleden kan herscheppen, als ik dat wil.

Soms zou ik willen dat ik video-opnamen had van die voorvallen in mijn gedachten. Dan zou ik terug kunnen spoelen naar de exacte momenten en ze kunnen bestuderen terwijl ze langzaam aan mijn ogen voorbijtrekken: ze naar het heden verplaatsen. Ze hierheen brengen. Mijn ogen opensperren.

Die keer afgelopen zomer toen Molly en ik elkaar aan de telefoon hadden, toen ze me vertelde dat ze zwanger was: het gesprek kwam weer bovendrijven. We vonden het moeilijk om over Aksel te praten, maar we hadden geen keus, ik begreep dat de situatie ernstig was en eiste dat we beiden buiten onszelf traden om een blik op het grote geheel te werpen.

Maar ik vond dat Molly niet goed genoeg haar best deed. Ik had haar vast bang gemaakt toen de zekering in mijn hoofd sprong, nu zou ze ongetwijfeld doen alsof die zwangerschap niet ter sprake was gekomen. Ze wilde het gewoon weer goed tussen ons maken, terugspoelen en opnieuw beginnen.

Mijn ademhaling ging nog steeds moeilijk.

"Het is toch niet normaal dat een gescheiden man ervoor kiest om zijn vakantie aan zijn ex-vrouw te besteden", zei ze. "Dat is toch zo? Zo ziek kan ze onmogelijk zijn."

"Ze is ongetwijfeld wel zo ziek", zei ik. Ik hoorde hoe zwaar mijn ademhaling ging. "Ze moet zo snel mogelijk geopereerd worden, heb ik begrepen, en voordat ze haar opengemaakt hebben en naar binnen hebben gekeken, weet niemand wat ze zullen vinden, of hoe het zal gaan."

"Ja, ja. Jij hebt meer verstand van het lichaam dan ik."

"Dat kun je wel zeggen", zei ik.

Ik slikte iets geks in mijn keel weg, haalde nog een keer diep adem en nam mijn verantwoordelijkheid. Ik raadde haar aan om Aksel voor honderd procent te steunen, zijn kinderen aan haar borst te drukken als een verwarmende extra moeder en zonder vragen te accepteren dat hij bezorgd was om Monika, ja, eigenlijk oprecht van haar hield.

Molly kreeg het opeens druk; het gedempte hamergeluid werd sneller. Er kwam ongetwijfeld vilt aan te pas, en een heel klein hamertje.

"Niet boos op mij zijn", zei ze. "Ik ben alleen zo in de war. Ik moet

zorgen dat ik de boel hier een beetje opruim, het kan er niet zo uitzien als ik twee kinderen te logeren krijg. Slaap lekker."

Even viel er een stilte tussen ons. Het gehamer hield op. Ook nu legden we geen van tweeën de hoorn neer.

"Voel je je nu beter?" vroeg ze zacht, op die lieve manier, de manier
waarop ze tegen mij praat als ik weet dat ze het oprecht zo bedoelt.

"Veel beter", zei ik. "Maar nu kan ik geloof ik beter zo meteen naar
bed gaan. Ik ben moe."

"Dat begrijp ik best", zei Molly. "Welterusten."

Ik hing op en zonk terug in de kussens, veel te opgewonden om te slapen.

Het lot zou nu ongetwijfeld snel een paar keer toeslaan. Ik voelde
hoe mijn lippen trilden. Ik moest goed opletten en onmiddellijk aantekeningen gaan maken. Als mijn armen maar niet zo moe waren. Ik
moest in mijn stoel zien te komen en weer naar de woonkamer gaan,
ik moest een blik werpen op de maquette en hem bijwerken. Een paar
kleine kartonnen modellen maken van Molly, Eilif en Ine; kleine
mensjes die ik in het huis kon zetten, het liefst beweegbaar. Ik moest
een lintzaag maken! En een hangmat!

Daarna moest ik zo snel mogelijk naar hen toe zien te gaan. Het is
voor Aksel waarschijnlijk het beste dat ik in de buurt ben, dacht ik terwijl ik het dekbed opzij sloeg, me afzette en kreunend mijn benen
over de bedrand sloeg. Ik moest een beetje op hem passen. En op de
kinderen.

Ik verzamelde al mijn krachten en hees me in de rolstoel.

Ik kon mijn gedachten niet in bedwang houden toen ik aan de werktafel de lintzaag en de hangmat voor de maquette zat te maken. Het
stond me zo helder voor ogen: Molly was al bezig de kinderen van me
af te pakken voordat ik de kans had gekregen hen beter te leren kennen. De kinderen zouden zich aan haar binden zodra ze het zomerhuis binnenkwamen, Molly zou Ine leren zwemmen. Ze zou iedereen
versteld doen staan die dacht dat ze niet met kinderen overweg kon,
ze zou als een moeder voor hen worden. En ze was al bezig een nieuw
zusje of broertje voor hen te maken, ergens in de zomervakantie zou
ze hun dat vertellen, op een dag waarop ze het erg gezellig hadden
gehad en ze alle drie in de hangmat lagen uit te rusten, misschien op
de dag waarop Ine haar eerste zwemslagen had gemaakt; ze zou het
fluisteren alsof het een geheimpje van hen drieën was, en ze zouden
naar haar lachen, blij en verrast. Ine zou haar gezicht tegen haar buik

wrijven, met haar dat nog nat en stijf van het zeewater was, het zou in strepen over Molly's T-shirt komen te liggen.

Vervolgens zou Molly als vanzelfsprekend naast Monika een plaats in het leven van de kinderen innemen. Monika zou genezen en Molly en zij zouden vriendinnen worden, je hoefde hun namen maar na elkaar uit te spreken, dan begreep je hoe goed ze bij elkaar pasten. Ze zouden uiteraard op elkaars kinderen passen, ze zouden samen naar het café gaan, elkaar over de grappige kanten van Aksel vertellen, vertrouwelijk tegen elkaar lachen, de verantwoordelijkheid delen. Blij zijn dat ze hem af en toe even niet zagen. Hem en zijn drie kinderen elke zomer uit kamperen sturen, hem eraan herinneren dat ze allemaal een zwemvest aan moesten. Van de vrijheid genieten. De harem van Aksel vormen. Erop vertrouwen dat hij overal voor zorgde, dat hij de allerbeste vader was.

"Ik heb de blik van een havik!" zeg ik hardop en luid tegen mezelf. "Een buitengewoon goed gehoor! Honderdduizend draden in het kleed onder mijn voetzolen! Haarscherpe foto's tot in het ongelooflijke! En wat een kracht in mijn armen!"

Ik pakte de duwringen aan de wielen van de rolstoel vast en zette hem in beweging, maar op hetzelfde moment kreeg ik een beeld voor ogen waarvoor ik geen enkele inspanning had geleverd. Het was het beeld van een vrouw die met de lage zon in haar rug een steile helling af liep. Ze was rank en slank. Ze was op weg naar een kleine kiosk onder aan de heuvel. Ze was er al bijna. Bij aankomst deed ze de zware deur open en liep ze de overvolle kiosk binnen. Ik zag hoe ze overweldigd werd door het gouden licht daarbinnen, de lage zon die door het raam naar binnen viel en de man achter de toonbank verblindde.

Ik zag de man zijn ogen tot spleetjes knijpen en tegen de vrouw lachen, terwijl hij zijn ogen met zijn handen beschermde, hij verontschuldigde zich dat hij verblind werd en haar niet zag, hij mompelde dat hij een zonnebril op had moeten hebben.

De vrouw pakte een krant uit de krantenstander, ze kon niet zien wat er op de voorpagina stond. Ze moest op de tast de hand van de kioskman zoeken en de munten die ze in haar handpalm had verwarmd, erin leggen. Daarna bleef ze even staan, totdat de zon een paar centimeter verder naar links achter het raam was geschoven en de man en zij zagen dat hij over een paar minuten achter de geparkeerde auto's zou verdwijnen.

Pas nadat ik dit allemaal had gezien, besefte ik dat die vrouw in de kiosk mijn moeder was.

Ik voelde dat ik weer in de rolstoel neergeploft was. Het was zo moeilijk om me weer op te richten.

Ik geloof dat ik best een pop kan maken die mijzelf voorstelt, dacht ik, om het opdringende beeld te laten verdwijnen. Eentje die in een rolstoel zit, zodat het realistisch is. Met beschermingshandschoenen zonder vingers om een betere grip op de wielen te krijgen. En ik moet uitzoeken op de maquette hoe ik het best een rolstoelrijplank kan plaatsen. Op de verandatrap blijkbaar, zoals Molly zei. Een kartonnen rijplank maken kan toch niet zo moeilijk zijn. Dat hoeft maar een paar minuten te duren.

Maar een postoel is niet aan de orde. Ik moet proberen daar zonder te kunnen. Misschien lukt het me wel om op eigen kracht van de rolstoel op de wc te komen. Ik ben immers aan het genezen. Ik moet trainen! Ik moet in elk geval in die kajak van Aksel, ik zal met regelmatige, rustige peddelslagen over het water glijden.

Ik kon het niet laten. Ik toetste Molly's telefoonnummer in. Het was niets voor mij om te zeuren.

De telefoon ging lang over voordat ze opnam.

"Hallo, met Molly."

"Sorry", zei ik. "Nog een keer met mij. Lag je al in bed?"

"Natuurlijk niet. Ik ben aan het werk."

"Ik zat ergens aan te denken."

"O ja? Ik heb het nu even erg druk."

"Het is belangrijk dat je begrijpt dat ik graag zo snel mogelijk op bezoek kom", zei ik snel. "Vergeet dat gedoe met die postoel maar, de afgelopen tijd zijn mijn benen veel sterker geworden, volgens mij kan ik zelf wel de badkamer in komen."

"Jeetje."

"Maar ik begrijp best dat het tijd kost om die rolstoelrijplank in elkaar te timmeren. Dus vraag ik me iets af: misschien zit er wel een camera in de mobiele telefoon die Eilif en Ine van Aksel hebben gekregen."

"Ja, en? Heeft hij je dat verteld?"

"Niet echt verteld, dat heb ik meer uit mezelf begrepen", zei ik snel. "Maar ik bedacht me dat de kinderen toch iets te doen moeten hebben als jij aan het werk bent. Misschien kun je tegen hen zeggen dat je een vriendin hebt die graag foto's van de omgeving van het huis wil hebben. Dan kun je hen op fotosafari sturen om foto's te maken. Kinderen vinden dat leuk."

"Fotosafari?"

"Ja, maar je hoeft niet meteen dát woord te gebruiken."

"Jeetje, ja, ik kan best zeggen dat ze op fotosafari kunnen gaan."

"Ja, toch? Je zou zelfs kunnen zeggen dat het om een zomerbaantje gaat waarvoor ik hun best wil betalen. Eilif is goed in technische zaken, hij weet wel hoe het moet. Hij kan de foto's gewoon naar mijn telefoon sturen, jij kunt hem mijn nummer geven."

"Hoe weet jij dat Eilif goed is in technische zaken?" vroeg ze.

"Alle jongens van zijn leeftijd zijn dat", zei ik.

"O? Hoe weet je dat?"

"Dat weet iedereen."

"Ja, ja, uiteraard", zei ze. Het klonk alsof ze spijt had van haar ietwat bruuske toon. Ze wilde mij aan haar kant hebben.

"Mooi. Dan spreken we het zo af."

"Prima. Maar zeg eens ..." zei ze gemaakt vrolijk. "Het zou erg fijn zijn als je een beetje met mij mee kon denken over het *Droomspel*. Ik ben wat vastgelopen. Het is een gecompliceerd stuk, en de afgelopen tijd zijn er zoveel andere dingen geweest, ik was zo misselijk door ..."

Ik onderbrak haar, ik wilde haar dat woord niet horen zeggen.

"Dat geloof ik graag", zei ik. "Wie zaait, zal oogsten."

"Ik begin een beetje nerveus te worden", ging ze onaangedaan verder, alsof ze de bitterheid in mijn stem niet had gehoord. "Jan belde vanuit de schouwburg en wilde weten hoever ik al was. Volgens hem is er haast bij. Alsof het nodig is dat hij me dat vertelt."

"Vertrouw op mij", zei ik. "Ik heb het stuk heel grondig gelezen. Zoiets hebben jij en ik toch weleens eerder voor elkaar gekregen? Zorg er maar voor dat Eilif mij foto's stuurt van hoe alles bij jullie eruitziet, dan verzin ik wel iets. En vergeet niet te zeggen dat ik ervoor betaal."

"Ik wist wel dat ik op jou kon vertrouwen", zei ze opgelucht.

"En dan kom ik bij jullie logeren zodra alles voor de rolstoel klaar is en zo. Dat kost toch niet veel tijd? Ik zal je met de kinderen helpen en we kunnen de ideeën uitproberen. Je hebt een lintzaag, dat maakt het allemaal gemakkelijker, toch? Gemakkelijker om snel te werken."

"Ja, de lintzaag is ..."

"En dan nog iets", onderbrak ik haar. "Iets waaraan ik moest denken."

"Ja?"

"Doe Aksel de groeten van mij en zeg hem dat hij hier best mag overnachten, als dat nodig mocht zijn."

"Wat bedoel je?"

"Ik bedoel met Monika en zo. 's Nachts waken in het ziekenhuis, ze hebben misschien niet genoeg bedden voor familieleden beschikbaar. Ik woon vlak bij het ziekenhuis. Zij aan zij, zo te zeggen."

Er sloeg een golf van warmte door me heen toen ik die woorden uit-sprak: *Zij aan zij.*

Toen we voor de derde keer die avond hadden neergelegd, bleef ik aan de werktafel naar de foto zitten turen die de projector op de witte wand boven de bank had vastgelegd. De Niagarawaterval.

Het was alsof ik tot een besluit kwam. Ik pakte wit karton, een vilt-stift en het kleinste stanleymes. Daarna tekende ik twee grote, zwarte vogels met uitgestrekte vleugels. Ik tekende met zekere lijnen, het leek alsof mijn hand een eigen wil had, dat die in het geniep met tekenen had geoefend terwijl ik sliep. De vogels werden volkomen identiek, je kon er geen verschil tussen zien.

Ik liet mijn oren genieten van het scherpe, heerlijke geluid van staal door karton.

De volgende dag belde ze om te vragen wat ze Aksel en de kinderen moest voorzetten als ze kwamen. Haar zwangerschap bleef onbesproken tussen ons. Ze moest het eten klaar hebben, zei ze, ze zouden in de loop van de middag komen, nadat ze Monika naar het ziekenhuis hadden gebracht. Ik was de halve nacht op geweest, ik had de rolstoelrijplank en de hangmat in de maquette op hun plaats gezet en was bezig een kartonnen modelletje van Ine te maken, dat was gebaseerd op de tekening in mijn notitieboekje. De lintzaag had ik tot later uitgesteld, ik had de juiste materialen niet in huis.

Ik was Ines haar aan het inkleuren toen Molly belde, ik had voor een tint tussen zonnegeel en lichtbruin gekozen. Ik bracht laag op laag aan en wreef de verf met mijn vingers uit. Ine had beweegbare ledematen gekregen, ik had splitpennen gebruikt. De lange plantenstokjes waarop ik haar zou bevestigen om haar te laten bewegen, lagen naast me op de werktafel.

"Ze moeten toch eten!" zei Molly nerveus. "Ik heb geen idee wat ik op tafel moet zetten."

Daar had ik al over nagedacht en ik antwoordde dat ze spaghetti met worstjes en ketchup moest maken. Aksel had me een keer verteld dat de kinderen dat graag lustten, en het was belangrijk dat ze de eerste dag iets kregen wat ze kenden, dat het in elk geval niet van het eten zou afhangen. Dat begreep ze.

Ik werkte de hele dag verder aan de poppen, alleen onderbroken door een intensieve training op de mat. Nu had ik écht iets om voor te trainen. De invalster kwam en ging zonder dat ik aandacht aan haar schonk. Ze wilde me helpen, ging op haar hurken naast me zitten met haar hoofd schuin, zoals ze altijd deed als ze me wilde aanmoedigen.

"Je moet proberen de oefeningen rustig en met tussenpozen te doen", zei ze. "En vergeet je ademhaling niet. Je lijkt een beetje opgefokt."

"Ga weg!" zei ik. Ik deed mijn best om haar zich overbodig te laten voelen.

Toen ik haar weer vrijaf gaf 's avonds, keek ze me bezorgd aan en vroeg of ik het absoluut zeker wist. Ze leek de maquette op de werktafel nog steeds niet te hebben opgemerkt. Ze heeft werkelijk geen oog voor dat soort dingen, ze kijkt alleen met de ogen van een verpleegkundige, ze ziet alleen zwakke spierkracht en een bleke gelaatskleur, de kleur van de urine, een duidelijke of onduidelijke polsslag.

"Ik ben zelden zekerder geweest", zei ik met vaste stem, en ik beantwoordde haar blik met een stalen gezicht. Ik voelde mijn eigen pols tot in mijn vingertoppen; die was enorm duidelijk.

Tijdens het telefoongesprek die avond kreeg ik een verslag van de gebeurtenissen. Molly vertelde dat Aksel inderdaad aan het begin van de middag met de kinderen was gearriveerd. Ze had net het eten klaar gehad en de tafel gedekt op de veranda, toen de auto voor het huis stopte. Monika was in het ziekenhuis opgenomen om haar voor de operatie gereed te maken, de kinderen waren meegegaan en hadden haar veel sterkte gewenst, ze zou de volgende dag al geopereerd worden, alles was zo snel gegaan.

Molly, Aksel en de kinderen hadden samen op de veranda spaghetti met worstjes en ketchup gegeten. Er was vast niet veel gesproken.

Ze bedacht niet hoe ik kon weten wat ze graag aten, dat merkte ik met een glimlach die volgens mij niet aan mijn stem te horen was.

"Hoe gaat het met de kinderen?" vroeg ik in de telefoonhoorn, terwijl ik mijn vinger langs de rij kleurpotloden in de doos op de werktafel liet gaan. Ze lagen er sierlijk en mooi bij.

Molly aarzelde. Ze maakte de indruk dat ze pas bij mijn vraag nadacht over hoe de kinderen zich voelden, maar dat was ongetwijfeld niet zo.

"Ze zeggen niets", antwoordde ze. "Ze klampen zich aan elkaar vast. Ze lijken ... bang."

"Dat is niet zo vreemd", zei ik, en ik pakte een oranje potlood voor Eilifs pet. "Hoeveel begrijpen ze van wat er met hun moeder gebeurt?"

"Ik weet niet hoeveel Aksel hun heeft verteld. Voorlopig geldt de afspraak dat ze tot het eind van de week bij mij blijven. Daarna kijken we verder. Hij komt wel langs om ons te bezoeken."

"Hoe zien ze eruit?"

"Ine is blond en smal. Zij ziet er het bangst uit. Ze lijkt op haar moeder, maar ze is niet zo donker als zij."

"Ik wist niet dat je hun moeder had ontmoet."

"Ik heb haar een keer in het voorbijgaan gezien, in een café in de stad."

"O?"

"Ze danste."

"Ja-ha. Danste ze in een café?"

"Ze is misschien wat aan de magere kant."

"Monika?"

"Nee, Ine."

"Dat is meestal zo op die leeftijd", zei ik. "Dat is normaal. En Eilif?"

"Hij is ook mager, maar meer gespierd. Hij is vast erg sportief. Hij lijkt niet op Monika of Aksel, voor zover ik kan zien. Sinds ze hier zijn, heeft hij me nog geen enkele keer in de ogen gekeken."

"Maak je daarover geen zorgen. Heeft hij een pet op?"

"Hoezo?"

"Dat vroeg ik me gewoon af. Jongens van die leeftijd dragen vaak een pet."

"Hij heeft inderdaad een honkbalpet op. Het is een knappe jongen."

Ik knik; die pet was waarschijnlijk oranje, en natuurlijk dezelfde als op de foto van verleden zomer, die Aksel me had laten zien.

"Waar zijn ze nu?" vroeg ik.

"Ze liggen in de hangmat op de veranda. Ze hebben een wandeling in de omgeving gemaakt. Een paar foto's genomen, denk ik. Ik moet hun zo meteen gaan vertellen dat het bedtijd is."

Ik slikte hard.

"Ze liggen te ruziën en hangen aan elkaar, het lijkt wel alsof ze het liefst in elkaar willen kruipen", ging Molly verder.

"Ik zie het voor me", zei ik.

"Zouden broertjes en zusjes zoiets altijd doen?"

"Ik heb geen idee, die heb ik niet."

"Ik ook niet."

"Vertel nog eens iets."

"Ik weet niet wat ik moet zeggen. Volgens mij zijn ze bang voor me, of zoiets. Ze blijven op een afstand."

"Laat ze", zei ik. "Dat is normaal."

"Eilif is zichtbaar de grote broer."

"Hoe zie je dat?"

"Aan de manier waarop hij zijn armen naar haar uitstrekt. Alsof hij verantwoordelijk is voor wat zij voelt."

"Hij is toch tien?"

"Ja."

"Dat is oud genoeg."

Het bleef lang stil aan de telefoon. Ik liet de hoorn tussen kin en schouder rusten, terwijl ik mijn arm naar de doos met splitpennen uitstrekte.

"Zeg? Ligt er in de buurt van jouw huis geen steiger?" vroeg ik na een tijdje.

"Een steiger? Waarom vraag je dat?"

"Ik vroeg het me gewoon af. Ik probeer me voor te stellen hoe het er bij jou uitziet."

"Ja, er is een steiger bij het badhuisje. Voorlopig ben ik vooral hier in huis. En in de tuin. De tuin is ongelooflijk mooi, maar hij groeit snel dicht. Ik begrijp niet hoe ik het voor elkaar moet krijgen om hem zo te houden als oma. Ik heb geen verstand van wieden."

"Heeft oma je niets over tuinieren geleerd als je 's zomers bij haar was?"

"Zij deed dat werk niet zelf. Ze had altijd mensen om zich heen die dat voor haar deden. Toen ik klein was, dacht ik dat de zomergasten om die reden kwamen: om te wieden en gras te maaien."

"Je hebt de keus. Je kunt het zelf leren of zomergasten laten komen die het voor je kunnen doen", zei ik.

"Misschien kun jij een handje helpen als je hier komt?"

"Ik kan niet veel uitrichten met een grasmaaier", zei ik droogjes. "Denk je dat de kinderen vanaf die steiger gaan zwemmen?"

"Daar heb ik niet over nagedacht. Ik weet niet of ze kunnen zwemmen."

"Je moet goed op hen passen. Laat hen in vredesnaam niet alleen naar het water gaan. Dat begrijp je toch wel?"

"Natuurlijk."

"Ik ben altijd hier, dat weet je, je hoeft maar te bellen", zei ik. Toen bedacht ik me opeens iets. "Wees voorzichtig met de lintzaag!" zei ik. "Laat de kinderen niet in de buurt van dat ding komen!"

"Wat denk je wel niet van mij", zei ze.

"Trek de stekker eruit! Leg er een laken overheen!"

"Ik ben niet helemaal van lotje getikt. En bovendien heb jij toch ook niet zoveel verstand van kinderen?" zei ze.

Ze had gelijk. Ik heb geen idee hoe het is om met kinderen om te gaan. Uit mijn eigen jeugd herinner ik me niet zoveel, ik weet niet of dat iets met mijn ziekte te maken heeft. Dat heeft me heel lang de meeste angst aangejaagd: dat ik mijn geheugen zou kunnen verliezen. Dat mijn verleden uit mijn hoofd zou verdwijnen. Alles wat ik op internet over de mogelijke progressie van mijn ziekte kon vinden, heb ik gelezen; ik weet dat geheugenverlies een mogelijkheid is, en soms meende ik iets in die richting te voelen, dat mijn verleden steeds vager wordt, een mist waarin belangrijke gebeurtenissen al helemaal zijn uitgewist.

Maar de afgelopen tijd bedenk ik me dat het helemaal niet zeker is dat mijn herinneringen kloppen met wat er écht is gebeurd toen ik klein was. Ik bedoel, je kunt toch niet met zekerheid weten of het om de waarheid gaat, dat je je die herinnert. Misschien heb je het naderhand gewoon verzonnen, bijvoorbeeld op basis van foto's die je hebt gezien, of dingen die iemand heeft verteld. Je verzint toch doorlopend dingen?

In elk geval kun je de zaken ook omdraaien en denken dat wanneer ik straks helemaal niet meer weet wie ik als kind was, ik de kans krijg elke dag weer op te staan. Puur en schitterend, zonder welke verplichtingen dan ook. Mezelf opnieuw scheppen. Nieuwe beelden. *Like the first morning.*

De volgende ochtend keek ik even snel op internet om te zien wat het lot in de rest van de wereld aan het uitspoken was. Ik controleerde de ontwikkeling op de beurs, kreeg bevestigd dat er een kern van waarheid in mijn vermoedens had gezeten dat er een nieuwe krach op komst was. Daarna zag ik de nieuwste vluchtelingencatastrofe waarvan de omvang nog lang niet duidelijk was, ik vermoedde dat die omvang pas aan het licht zou komen als de beurskrach zich aandiende. En er waren nieuwe terreuraanslagen.

Tot slot kon ik het niet laten om te kijken hoe het ging met de mijnwerkers die in een mijnschacht zaten opgesloten. Zoals ik al vreesde, ging het niet zo goed, het was onwaarschijnlijk dat er nog overlevenden waren. Ik probeerde me voor te stellen hoe het daar beneden moest zijn: de duisternis. De koude vochtigheid. Konden ze geluiden van buiten horen? Slaagden ze erin de tijd bij te houden? Beseften ze welke kameraden dood waren en wie er nog leefden? Praatten ze in zichzelf om de moed erin te houden?

Die dag werkte ik voornamelijk aan de maquette van het zomerhuis en ik vroeg me af of Molly me zou komen halen. Ik rekende er niet op, hoewel ik wist dat de rijplank klaar was. Ik probeerde me alles voor ogen te halen. Ik maakte de kartonnen poppen van Molly en Eilif af, ik sneed elk lichaamsdeel apart met het stanleymes uit en bevestigde ze zo dat de ellebogen, knieën, heupen en nek konden bewegen. Ik trok ze moderne, kleurige kleren aan. En ik begon aan de pop van mezelf in de rolstoel. Ik tekende mezelf groot en sterk; volgestopt met proteïnen en met ronde, stevige borsten. Ik gaf mezelf evenveel beweegbare ledematen als de andere poppen. Ik dacht dat ik eigenlijk net zo goed meteen aan een versie van mezelf zonder rolstoel kon beginnen.

Toen Molly niet opdook en ook niet belde om me te vertellen wat er allemaal gebeurde, was ik gedwongen dat te verzinnen. Zo dacht ik dat het ging: die ochtend was ze vroeg opgestaan om het ontbijt voor Eilif en Ine te maken. Ze maakte twee boterhammen met kaas, sneed ze schuin doormidden en legde ze op twee groene bordjes met een design uit de jaren twintig die ze had gemaakt vlak nadat ze de kunstacademie vaarwel had gezegd. Mij had ze ook twee zulke bordjes gegeven, ze staan in mijn keukenkast. Ze schonk twee glazen melk in, zette alles op een dienblad en droeg het naar de veranda.

Daarna liep ze voorzichtig de trap op naar de eerste verdieping, maar bleef een ogenblik voor de deur van de logeerkamer staan voordat ze aanklopte. Niemand antwoordde. Ze klopte nog een keer. Toen opende ze de deur en keek naar binnen. Beide bedden waren leeg. Dat van Ine was keurig opgemaakt, haar nachthemd lag opgevouwen op de stoel. Het beddengoed van Eilif lag helemaal in de war; je kon zien hoe dat harde, hoekige jongenslijf zich erin had gewenteld en hoe hij het dekbed van zich af had gegooid toen hij wakker werd, het naar het voeteneinde had geschopt alsof het een dier was dat hem ergens in de nacht had geprobeerd te overvallen.

Molly ging op Ines bed zitten, ze voelde zich opeens duizelig en misselijk.

Zo bleef ze een tijdje zitten. Ze hoorde de kinderen de trap op komen, ze praatten zachtjes tegen elkaar. Ze bleven in de deuropening staan toen ze haar in de gaten kregen.

"Goedemorgen", zei ze, en ze deed haar best om vrolijk te klinken. "Waar zijn jullie geweest?"

Eilif keek haar zwijgend aan. Ine had een mobieltje in haar hand.

"We hebben papa gebeld", zei Eilif.

"O ja? Buiten?"

"Hier in huis is het bereik zo slecht, we werden voortdurend afgebroken, papa zei dat we buiten moesten gaan lopen tot we een plek vonden waar hij ons kon horen."

"En kregen jullie contact?"

"Nee. Maar er is vast wel een plek in de tuin waar het ding werkt."

"Vast en zeker", zei Molly. "En jullie mogen natuurlijk mijn telefoon hier in huis ook wel gebruiken, die is onlangs aangesloten."

Geen van beiden antwoordde. Het mobieltje dat ze van hun vader hadden gekregen, was een heilig voorwerp voor hen geworden, dat zag je zo. Molly dacht: dat hoort op een huisaltaar thuis.

Wat Molly niet begreep, zei ik tegen mezelf, was dat de kinderen zich zonder het te beseffen het beeld hadden gevormd dat hun ouders nu in een veld van telefoongolven in de tuin woonden. Dat hoefden ze alleen maar te ontdekken. Als ze dat hadden gedaan, zouden ze daar een kolonie stichten. Daar zou een rijk ontstaan waar alles was als voorheen: mama en papa waren daar samen, en niemand zou ziek zijn. De dood bestond niet. Het heilige voorwerp in Ines hand zou de sleutel tot dit rijk vormen.

Molly had me nodig om zich dit soort dingen voor te kunnen stellen, zonder mij was ze tamelijk hulpeloos. De kinderen merkten dat, daarom vertrouwden ze haar niet, dacht ik.

Beiden staarden haar aan, alsof zij de oorzaak van hun moeders verkankerde baarmoeder was. Daarna liepen ze naar Eilifs bed en gingen ze naast elkaar op de bedrand zitten.

"Hm. Ja ja", zei Molly. "Hebben jullie vannacht goed geslapen? De eerste nacht in een vreemd huis kan weleens een beetje raar zijn."

Ze gaven geen antwoord, dacht ik. Molly werd onrustig.

"Ik heb gehoord dat ze tegenwoordig in het ziekenhuis heel goed in opereren zijn", probeerde ze.

"Wat betekent het woord 'chururg'?" vroeg Ine. "Voordat we vertrokken, had papa het over de chururg."

"Chirurg", zei Eilif.

"De chirurg is de dokter die de patiënten opereert, zodat ze weer gezond worden", zei Molly.

"Betekent 'opereren' 'snijden'? Gaan ze in mama snijden? Eilif zegt dat ze met een mes in haar gaan snijden."

"Ja", zei Molly, "ze gebruiken een soort mes. Dat noemen ze 'scalpel' en het is heel scherp en schoon. Maar eerst geven ze haar een spuitje zodat ze in slaap valt en niets voelt."

"Zeker weten?"

"Absoluut zeker, het doet helemaal geen pijn, ze slaapt gewoon tijdens de hele operatie, en na afloop naaien ze haar weer mooi dicht. Een heleboel artsen en verpleegkundigen zorgen voor haar als ze weer wakker wordt. Papa, bijvoorbeeld."

"Droomt ze als ze slaapt?

"Nee, dat denk ik niet. Volgens mij slaapt ze alleen heel diep en goed. Een helemaal lege slaap."

"Helemaal leeg?"

"Ja, dat denk ik."

"Doet dat spuitje zeer?"

"Nee, helemaal niet, het is maar een prikje, ongeveer net zoals van een mug."

"Niet precies zoals van een mug", zei Eilif.

Ik zag voor me dat het daarna een hele tijd stil werd. En ik kon me niet voorstellen dat Molly wist hoe ze dit gesprek moest voortzetten. Ze is het niet gewend om met kinderen te praten, dacht ik, ze weet niets van wat kinderen begrijpen, wat je tegen hen moet zeggen. Ze is waarschijnlijk bang hun valse voorstellingen aan te praten, ze begrijpt niet dat ze zelf al bezig zijn met het produceren van angstaanjagende ideeën, dat ze de dood voelen als een koude schaduw. Net als die opgesloten mijnwerkers; de koude, donkere vochtigheid die ... Het was me duidelijk dat dit zaken waren die zij zich nooit zou kunnen voorstellen. Molly had mij nodig als tolk.

"Nee, niet precies zoals van een mug misschien", zei ze ten slotte vastberaden tegen de kinderen. "Maar die spuit heeft een heel dunne, kleine punt, de kleinste en dunste die er bestaat. Bijna onzichtbaar."

"Onzichtbaar?" moet Ine gevraagd hebben.

"Ja, bijna."

"Maar is het zeker dat ze na afloop wakker wordt?"

"Absoluut. Heel zeker."

"Is ze dan genezen?"

"Nee, het duurt wel even voor ze weer gezond is. De wond moet dichtgroeien. Na de operatie moet mama uitrusten en op krachten komen. Ze zullen haar wel een tijdje in het ziekenhuis houden. En misschien gaan ze haar, zoals dat heet, bestralen."

"Is dat gevaarlijk?"

"Helemaal niet. Het lijkt een beetje op een zonnebank."

"Maar daarna? Kunnen we dan met mama op vakantie? Ze heeft beloofd dat ze me deze zomer zal leren zwemmen."

Ines stem was iel en volhardend, dat kon ik me duidelijk voorstellen.

"Dat weet ik niet, Ine. Wat zei papa aan de telefoon?"

"Hij deed zo raar. Hij zei bijna niets, en toen was hij weg. Waarom moeten ze mama opereren?"

"Hm. Heeft papa hier echt niet met jullie over gepraat? Ik weet er niet zoveel van, maar volgens mij was mama de laatste tijd niet helemaal fit en wist niemand precies wat de reden was."

"Ze is erg chagrijnig. En ze wil altijd maar rusten. Ze wil nooit mee fietsen."

"Precies. Dus nu hebben de dokters besloten dat ze bij haar in haar lichaam willen kijken of er iets zit wat er niet hoort en wat haar moe maakt, op de plek in de buik waar baby's zitten. Zodat ze weer gezond wordt en weer kan gaan fietsen."

"Krijgt mama een nieuwe baby!"

"Nee, nee, ik bedoel, waar jullie zaten toen jullie baby's waren. Voordat jullie naar buiten kwamen, bedoel ik."

De twee gezichten staarden haar wantrouwig aan.

"Wat dan?" vroeg Ine. "Wat zit er dan wat er niet hoort?"

"Dat weet ik niet precies. Iets wat ze 'gezwellen' noemen, geloof ik."

"Hoe zien die eruit?"

"Ik weet het niet exact. Als een soort kleine bulten misschien, die groeien waar dat niet moet en waardoor mama zich moe voelt. Ze kunnen ze wegsnijden met een heel scherp scalpel."

"Zuigen de bulten de krachten uit mama? Groeien ze daardoor? Hebben ze een mond?"

"Kom mee", moet Molly hebben gezegd om een einde te maken aan het ingewikkelde gesprek. "Ik heb het ontbijt voor jullie op de veranda klaargezet."

Maar beide kinderen bleven haar waarschijnlijk zwijgend op het bed aanstaren. Niemand kan aanstalten hebben gemaakt om op te staan.

"Wat dan?" vroeg Eilif.

"Wat bedoel je?"

"Wat voor ontbijt?"

"Melk en boterhammen."

"Ik hou niet van gewone melk", kan Eilif gezegd hebben. "Ik lust alleen chocolademelk."

Ik zag voor me hoe Molly met hen de trap af liep de veranda op. Daar bleef ze waarschijnlijk besluiteloos in het nog aarzelende ochtendzonnetje toekijken hoe ze zwijgend ontbeten, dacht ik. Ik weet precies hoe besluiteloos ze eruit kan zien als ze onzeker is.

Beide kinderen moeten de door haar gesmeerde boterhammen in de mond hebben gestopt en zijn gaan kauwen, en Ine heeft vast de melk gedronken, dacht ik verder. Toen al had ik de indruk dat Ine een goed opgevoed kind was; dat had ik begrepen uit wat Aksel over haar had verteld. Maar ik kon niet geloven dat Eilif zijn glas had aangeroerd. Ik verbeeldde me dat Molly tegen zichzelf zei dat ze niet moest vergeten aan mij te vragen of ze echt instantcacao voor hun melk moest kopen.

"Ja, wat dacht je dan", zou ik antwoorden als ze zou bellen en ernaar zou vragen. "Doe het erin, goed roeren. Die kinderen worden met de dood geconfronteerd, een koude, vochtige schaduw."

En de rest van de maaltijd stelde ik me als volgt voor:

"Hoe lang moeten we hier blijven?" vroeg Ine. Ik nam aan dat zij het woord voor zichzelf en haar broer voerde, na dat gezeur over die melk.

"Ik weet het niet", antwoordde Molly. "Heeft papa daar niets over gezegd?"

"Papa is dom", zei Ine. Haar broer keek haar streng aan, maar Ine keek koppig terug en bleef omstandig op de boterham kauwen.

"Maar wij kunnen het hier toch wel een paar daagjes gezellig met zijn drieën hebben?" zei Molly. "Wat doen jullie graag in de zomervakantie?"

"Bij papa en mama zijn", zei Ine.

"Voetballen", zei Eilif.

"En zwemmen?"

"Is het strand hier ver vandaan?" vroeg Ine.

"Maar drie minuten lopen."

"Kunnen we daar nu naartoe?"

"Alleen als ik met jullie meega. Dat moeten we nu meteen afspreken: niet zwemmen zonder dat er een volwassene bij is."

"Maar jij bent hier toch de enige volwassene", zei Ine.

"Precies. Dus niet zwemmen zonder dat ik erbij ben. Ik heb bedacht dat we er elke dag na de lunch naartoe kunnen gaan. 's Ochtends moet ik toch echt aan het werk."

"Met dat grote ding in de woonkamer met een laken erover?"

"Dat is een lintzaag. Ja, daarmee, onder andere. Het kan wel zijn dat het een beetje lawaai geeft. Jullie mogen hem nooit zelf aanzetten. Hem helemaal niet aanraken. Begrijpen jullie dat?"

"Waarom mag dat niet?"

"Het is heel gevaarlijk, Ine. Het is een elektrische zaag en je kunt je hand ermee afzagen."

"Doet dat pijn?"

"Vreselijk."

"Moet ik dan naar het ziekenhuis om geopereerd te worden?"

"Ja."

"Kan ik doodgaan?"

"Je gaat vast niet dood, maar je bent je hand dan wel kwijt."

"Maar als jij je hand dan afzaagt?"

"Dat doe ik niet, ik heb geleerd hoe ik de zaag moet gebruiken."

"Van wie?"

"Daar bestaan opleidingen voor."

"Wat ga je ermee maken?"

"Ik ga een paar spaanplaten bijzagen voor het decor van een theatervoorstelling die na de vakantie in première gaat."

"Wat betekent 'decor'?"

Maar toen zei Eilif volgens mij met luide stem tegen zijn zus: "Hou op met zeuren. Ben je dom of zo? Papa heeft dat uitgelegd, dat weet je toch nog wel."

Ik denk dat Molly toen moest zuchten. Ik weet precies hoe ze zucht als ze het gevoel heeft dat ze zich te veel inspant.

"Dan spreken we het zo af", zei ze ongetwijfeld, met een gemaakt geduldige stem. "Toch? Ga nu maar een poosje zelf iets verzinnen, ga de omgeving bekijken of zo, en dan komen jullie rond één uur terug voor de lunch. Dan gaan we daarna zwemmen. Volgens mij kun je hier in de omgeving een heleboel leuke dingen tegenkomen."

"Wat dan, bijvoorbeeld?" vroeg Eilif sceptisch.

"Geen idee, dat moeten jullie zelf uitzoeken. Misschien kunnen jullie bloemen plukken? Ik ben hier zelf niet meer zo bekend, ik ben hier pas komen wonen. Ik ben hier jarenlang niet geweest, er wonen in de buurt nu vast andere mensen dan toen ik een kind was."

"Wie woonden hier dan toen jij een kind was?"

"Mijn oma. Ze woonde hier de hele lente en zomer, tot laat in de herfst. De rest van de tijd woonde ze in de stad. Ik kwam hier vaak toen ik zo oud was als jullie."

"Is ze dood?" vroeg Ine.

"Ze is vorig jaar overleden."

"Waar?"

"In het ziekenhuis", zei Molly. Het zou echt iets voor haar zijn om zoiets plompverloren te zeggen zonder eerst na te denken. Onverstandig.

"Ga nu maar naar buiten", heeft ze er zeker snel aan toegevoegd. "Heb je een horloge, Eilif? Om één uur, zullen we dat afspreken?"

Eilif knikte onmerkbaar, en de twee kinderen stonden op van tafel en verdwenen langs de verandatrap de tuin uit. Ine hield haar mobieltje plechtig vast. Haar andere hand stak ze in die van haar broer.

Ik zag voor me hoe Molly hen nakeek. Ze draaiden zich niet om. Ze verdwenen tussen de seringenstruiken en liepen het grindpad op. Ze zagen er bang, boos en kwetsbaar uit. Molly realiseerde zich ongetwijfeld ook steeds beter, toen ze hen op die manier van achteren zag, dat het niet haar kinderen waren. Ze begrijpt ook dat ze dat nooit zullen worden, dacht ik.

Misschien pakte ze het volle melkglas van Eilif om de melk over het hekwerk van de veranda op de rozen te gieten, maar bedacht ze zich en zette ze het glas aan haar mond. De melk smaakte zoet en lauw. Het moet jaren geleden zijn dat ze voor het laatst melk had gedronken, dacht ik. Molly haat melk, maar nu is ze zwanger, haar smaak is wellicht veranderd.

Molly en ik gingen in de tijd vlak voordat ik ziek werd, naar feesten. Daar waren we allebei even gek op, maar zij was degene die mij meetrok, haar grenzen waren anders dan die van mij. Destijds was er niets wat haar tegenhield, ze had geen strik op haar rug, zoals ik.

Natuurlijk probeerden we alcohol uit, met wisselend succes, moet ik zeggen, en soms liet iemand een sigaret rondgaan die zoet in een asbak lag te geuren. Iedereen nam een trekje, behalve ik; ik dacht eraan wat papa zou zeggen als hij de zoete geur van mijn kleren zou ruiken als ik thuiskwam. Het is natuurlijk niet zeker dat hij associaties met die geur zou hebben, maar toch hoestte ik en zwaaide ik met mijn armen om een allergische indruk te maken als de sigaret mijn kant op kwam. Ik stuurde die door met een gemaakte glimlach die me gegarandeerd niet goed afging. Je kunt veel over mij zeggen, maar een grappenmaker ben ik niet, en allergisch ben ik al helemaal niet.

Molly had altijd een vriendje. Zij was de meest volhardende van ons tweeën. Soms verdween ze met een zwalkende jongeman naar een kamer, en als ze weer buiten kwamen, zat hun haar in de war en keken ze beiden triomfantelijk. Ik staarde hen aan en vond ze eruitzien alsof ze zojuist een wedstrijd hadden gewonnen. Ik voelde me nog stijver en klunziger dan ik al was. Het lukte me gewoon niet om me op een soepele manier op de bank neer te vlijen, het had met mijn rug te maken, of met mijn armen. De strik op mijn rug hield me tegen, ik deed mijn ogen dicht en dacht dat het niet lang meer zou duren voor ze me ontmaskerden.

Ik herinner me een feest in de vijfde klas van het gymnasium. Een van de keren dat ik te veel had gedronken en Molly aan de andere kant van de slecht verlichte kamer op schoot zat bij zo'n slungel met lange benen en een openstaand overhemd, en aan één stuk door lachte en gebaren maakte. Ik kon mijn ogen niet van haar afhouden. Ik wilde ook bij iemand op schoot zitten en lachen en met mijn handen wuiven, ik wilde net als zij zijn, ik wilde dat iemand zich naar me omdraaide en mijn mond met een kus sloot. Molly wist op een bepaalde manier op schoot bij de jongens in het niets te verdwijnen, leek het wel, als een klein meisje op schoot bij een grote oom. Ze lachte hees. Ik wilde dat ik ook hees kon lachen.

Toen stuurde iemand de sigaret in het rond. Ik zag dat Molly het sigaretje tussen duim en wijsvinger optilde en tijdens het inhaleren de ogen dichtdeed. Ik draaide me om naar de jongen die naast me op de bank zat, hij frunnikte aan een platenhoes en leek ergens geen beslissing over te kunnen nemen.

"Kijk eens aan!" zei ik. "Die is mooi. Zullen we dansen? Het is hier zo rustig."

Toen kreeg ik een kriebel in mijn keel en begon te hoesten, ik moest me vooroverbuigen en mijn hand tegen mijn keel drukken, de jongen naast me begon me op mijn rug te kloppen.

In de periode nadat de eerste symptomen van de ziekte zich openbaarden, zag ik Molly niet zo vaak. Maar soms ging ik bij haar op bezoek. Eén keer herinner ik me nog vrij goed. We zaten op de oranje bank vol vlekken op haar kamer in haar oude fotoalbum te bladeren. Beiden hadden we eindexamen gymnasium gedaan; voor mij was het een moeilijke tijd geweest met in het laatste halfjaar ziekenhuisopnames en onderzoeken, maar voorlopig stond de diagnose nog niet vast, dus was het voordat ik wist hoe alles zich verder zou ontwikkelen. Luttele weken later zat ik in oma's badkamer op het krukje naar mijn witte dijen te kijken en te huilen. Je weet altijd meer dan je weet.

Molly ontmoette Strøm dat najaar. Ze was aan haar universitaire studie begonnen, maar dat deed ze alleen om studiefinanciering te krijgen, ze kon nauwelijks uitleggen welk vak ze studeerde. Mijn eigen studie was voor onbepaalde tijd uitgesteld, ik was thuis en in het ziekenhuis met mijn eigen veeleisende studie bezig, voor zover ik me kon concentreren. Dat was uiteraard lang voordat ik besefte dat mijn studie over het lot ging.

De hele zomer had Molly verschillende festivals en markten afgereisd en de kleurrijke vilten hoeden verkocht die ze destijds maakte. Dat deed ze 's nachts thuis bij haar ouders. Ze was er soms dagenlang mee bezig, dan sloot ze zich op en kwam pas weer tevoorschijn als ze een aantal jutezakken met die aparte creaties vol had. Ik weet niet waar ze de techniek had geleerd, misschien uit een boek, of ze kan het ook zelf hebben bedacht. Ze had altijd al talent voor praktische zaken.

Van al dat buitenleven was ze mager en bruin geworden, en ook wat slungelachtig in haar manier van bewegen. Haar kleren kwamen allemaal van rommelmarkten of ze had ze zelf in elkaar geflanst, en in die tijd liep ze altijd met blote voeten in muilen, ongeacht het jaargetijde of het weer. Natuurlijk had ze vaak koude voeten. Maar sokken waren laf, dat begrepen alleen zij en ik.

In die tijd was Strøm iemand over wie in de stad werd geroddeld. Een enigszins spannende, niet helemaal brandschone figuur die zijn eigen leven leidde, vrouwen veroverde, een speciale groep studenten onderwees, autowrakken en afval fotografeerde, biografisch georiënteerde films maakte met een draagbare camera, politieke acties organiseerde en het met mensen aan de stok kreeg als hij dronken was. Precies zo iemand die Molly en ik de moeite waard vonden om bij in de buurt te zijn, maar die we nooit helemaal zouden durven te benaderen. Dacht ik.

Hij was toen net teruggekeerd van een jarenlang verblijf in het buitenland en had een grote fototentoonstelling in een van de grootste galerieën van de stad gehad. Hij leidde een hectisch uitgaansleven.

Molly was erg van zijn foto's onder de indruk, ze vond dat die haar hele kijk op de wereld hadden veranderd. Ze had plannen om van het door haar met de hoeden verdiende geld een Nikoncamera te kopen en ze nam serieus in overweging om haar hele meisjeskamer van hoedenwerkplaats in een donkere kamer te veranderen, maar die gedachte liet ze om praktische problemen varen. Er was bijvoorbeeld geen stromend water, en ze moest toch ook een plek hebben om te slapen. Typisch iets voor haar, dat ze al een donkere kamer in gedachten had voordat de camera er was.

Ze werd lid van de fotoclub aan de universiteit, mocht een camera lenen en kreeg voorlopig toegang tot de donkere kamer daar. In de collegezaal verscheen ze nog maar amper.

Samen gingen we naar de opening van zijn tentoonstelling. Ik zag hoe ze tevergeefs probeerde zijn aandacht te trekken toen hij midden in een groepje Europees geklede *beaux-esprits* stond. Toen we het de volgende dag bij mij thuis allemaal nog eens doornamen, concludeerde ze dat zijn ontbrekende aandacht iets met haar jurk te maken moest hebben, die was te flodderig en te wijd. Zo kon er beter eentje naaien die iets nauwer aansloot en korter was, om het daarna nog eens te proberen.

Wat ze precies deed om in haar opzet te slagen, weet ik niet. Het kan de korte, nauwsluitende, kopergroene jurk zijn geweest die ze had genaaid, maar het is waarschijnlijker dat het negentienjarige lijf in de jurk de doorslag gaf. In elk geval wist ze op een avond opgewonden aan de telefoon te vertellen dat ze Strøm de vorige avond in een café had ontmoet, dat hij zich haar kennelijk had herinnerd en dat hij haar had uitgenodigd om de volgende dag bij hem thuis te komen. Ze had hem gevraagd of ze hem een paar van haar foto's mocht laten zien. Nu had Strøm op dat moment waarschijnlijk niet bijster veel belangstelling voor haar foto's, en dat wist ze zelf natuurlijk ook wel. Maar volgens mij meende ze het wel echt toen ze zei dat het voor haar van het allergrootste belang was om die man als leraar te krijgen. Hij had iets wat zij wilde hebben. En ze was gewend te krijgen wat ze wilde.

Het laatste halfjaar was ze bijna helemaal niet bij haar ouders thuis geweest, behalve wanneer ze hoeden moest maken; het was destijds niet duidelijk wat haar vaste adres was. Maar toen ze haar groene jurk klaar had, nauwsluitend en op de juiste plekken opgevuld, en Strøm aan de haak had geslagen, kreeg haar oude meisjeskamer opeens nieuwe waarde. Ik vermoed dat Strøm haar niet zomaar bij zich in wilde laten trekken, en dat hij had voorgesteld dat ze weer bij haar ouders ging wonen, zodat hij wist waar ze was en haar bij zich kon roepen zonder zich al te veel te hoeven inspannen. Hij begreep vast wel dat het al te gek was om met een negentienjarige te gaan samenwonen, zelfs voor iemand met zijn reputatie.

Ik was blij dat ze weer bij haar ouders woonde. Ik had haar gemist, het gaf een fijn gevoel om weer op haar rommelige kamer te zijn. Ik kon me bijna voorstellen dat alles was zoals in de tijd voordat ik ziek werd. In elk geval was alles op haar kamer zoals het altijd was geweest; haar boeken en tijdschriften lagen zoals altijd op stapels die op het punt van omvallen stonden, en de kleerkast stond wijd open. Molly gebruikte alleen de kleren die vooraan op de kastplanken lagen. Wat achteraan lag, was ontoegankelijk; voor haar hoorden die kleren bij haar oude leven. Molly is iemand die zichzelf telkens opnieuw schept, ze laat niets uit het verleden nog een rol spelen. Daar heb ik haar altijd om bewonderd. En haar moeder vond het niet nodig om haar te dwingen eens op te ruimen, om het zo maar eens te zeggen.

Aan de wanden hingen al haar knipsels, tekeningen en onbegrijpelijke schetsen met pijlen en cijfers die met haar verschillende projecten te maken hadden.

Ik had deze plek gemist. Hij was zo heel anders dan mijn eigen lichte, eenvoudige kamer thuis bij papa, hij leek in de verste verte niet op de steriele ziekenhuiskamers waar ik de afgelopen tijd bang voor me uit had liggen staren, terwijl papa zwijgend op een stoel naast mijn bed zat, zijn grote handen moedeloos op de leuningen rustend.

Ik had gehoopt dat Molly en ik over van alles en nog wat konden praten, zoals vroeger. Er was niemand met wie ik zo goed kon praten als met haar. Met Molly had ik nooit het gevoel dat ik niet werd begrepen, of dat mijn woorden in het luchtledige bleven hangen. Molly was iemand die alles wat ik zei, in zich opnam en het serieus en vol belangstelling onderzocht, als een eekhoorn die iets eetbaars en interessants van de grond oppikt en dat tussen zijn pootjes houdt en zijn kop van de ene kant naar de andere laat wippen om het te bestuderen. We waren het vaak oneens, maar dat is een andere zaak.

We vonden dat we onze gesprekken tot een kunstvorm hadden ontwikkeld. Als we discussieerden, leek het soms alsof we op een afstandje van onszelf stonden te luisteren naar wat er werd gezegd. We lieten ons toen door onszelf charmeren. We waren op veel gebieden nogal naïef; we vonden onszelf voornaam in onze manier van reageren. We ontmaskerden leugens en valse denkbeelden en de leegte van de wereld. Dat was onze agenda, we haatten alles wat laf en ontwijkend was.

Maar vooralsnog wisten we weinig van het lijden. Nu, naderhand, besef ik dat ik toen al op weg was naar mijn studie van het lot, een pad dat me dingen zou laten zien die ik alleen kon leren dankzij deze ziekte. Molly zou een andere weg afleggen dan ik. Molly is geen getuige, zij is iemand die ogenblikken schept, iemand die midden tussen de gebeurtenissen staat en dingen laat gebeuren. Zij bepaalt de scène. Ik onderzoek de scène die zij heeft gecreëerd.

En ik bedenk me dat het goed is dat ik toen nog niets van dat verschil tussen ons wist. Dat zou te eenzaam zijn geweest.

Die avond op haar kamer wilde Molly alleen maar over Strøm praten. Ze kon zich niet in bedwang houden. Hij was een fantastische fotograaf, en blijkbaar de meest ongelooflijke minnaar, vond ze. Dat laatste wist ze voorlopig nog niet uit eerste hand, maar dat zou niet lang meer duren. Molly was geen maagd meer, en op dat gebied had ze geen remmingen, voor zover ik had kunnen vaststellen. Al mijn pogingen om het gesprek een andere kant op te sturen, liepen spaak. Ik voelde me moe en een beetje een buitenstaander wat Strøm betrof. Voor mij had de laatste tijd alles om mezelf en mijn zwakker wordende lichaam gedraaid, er viel geen spoortje lust in te bekennen.

Ik had Strøm destijds alleen maar op zijn tentoonstelling gezien en nog eens bij een paar gelegenheden toen Molly en ik in de vijfde klas van het gymnasium zaten in het jaar dat we naar die feesten gingen. Dat was voordat ik ziek werd, het enige jaar dat ik als normale, volwassen vrouw had beleefd. Het was het jaar waarin we ons ervan bewust werden dat we geen meisjes meer waren; we voelden ons rijpe vrouwen die naar de schouwburg gingen, tentoonstellingen bezoch-

ten en vaak in kroegen en jazzclubs te vinden waren. We rookten weleens een jointje. Molly dan. Molly nam een trekje.

In dat jaar kocht ik een typemachine op afbetaling en Molly kreeg
een naaimachine van oma. Een tijdlang wisselden we één keer per
maand van apparaat; ik nam de naaimachine over en zij de typemachine. Het viel moeilijk te zeggen welke machine het belangrijkst was,
maar zowel met de hand naaien als schrijven was opeens ondenkbaar,
dat had met jezelf serieus nemen te maken. In die tijd hadden we het
ook niet meer over jongens, maar over mannen. We leefden in een
soort halfdoorzichtige, goedlachse nevel die ons beschermde, maar
dat wisten we niet, we meenden alles zo duidelijk te zien. Nu tasten we
meer, allebei. Toch herinner ik me onze toenmalige manier van leven
als een soort slaap, en onze tijd samen in de zomer als een ontwaken.

Toen we jong waren, probeerden we op verschillende manieren
onze eigen werkelijkheid te bevestigen, de werkelijkheid die we als
genadeloos en waar ervoeren, en dat deden we door over onze ervaringen te discussiëren op die kunstmatige manier die we hadden ontwikkeld. Zo maakten we ons onkwetsbaar. De discussies vormden ons
door onszelf ontwikkelde vaccin tegen alles waarvan we vonden dat
we er niet mee konden leven.

Maar ik werd ziek, de schooltijd liep ten einde, Molly voer haar eigen
koers. We groeiden uit elkaar. Daarover spraken we niet, maar het
hing in de lucht, en Molly heeft daar een zesde zintuig voor. Ze was
een en al bezorgdheid om mij; ze verdiepte zich in alles wat met de
ziekte te maken had, schreef lange, lieve brieven vanaf de plaatsen
waar ze zich bevond, en toen ze thuis op bezoek was, schonk ze veel
aandacht aan alles wat op veranderingen ten goede of ten kwade bij
mij kon wijzen. Mijn ziekte met haar bespreken had echter niet mijn
grootste belangstelling. Daar bezat ik de energie niet voor, mijn symptomen lieten zich niet aan onze manier van praten aanpassen. Misschien voelde ze dat ik haar wegschoof. Ik weet het niet. Maar er was
wel iets tussen ons gebeurd.

Ik werd aan de kant geschoven toen Molly en Strøm een relatie aan-
gingen. Het maakte me onzeker en boos als ik dacht aan wat die twee
uitspookten. Wellicht stelde ik me voor dat hij haar misbruikte, of
misschien misbruikte zij juist hem wel. In elk geval maakte die
gedachte me boos; ik vond dat hun verhouding iets akeligs had.

Molly's leven was uitstekend gedocumenteerd, en vrijwel alle foto's in
het album waarin we die avond op haar meisjeskamer zaten te blade-

ren, waren bij de traditionele gelegenheden gemaakt: verjaardagen, kerstavonden, paasvakanties in de bergen met sinaasappels en een anorak, onze nationale feestdag op 17 mei met een vlaggetje, de afsluitingen van schooljaren. Op een aantal foto's stond ik ook, ik glimlachte netjes in de camera. Molly zag er op de meeste foto's echter afgemat of geïrriteerd uit, alsof ze op het punt stond ze te verlaten, en haar kleren hingen altijd vreemd en scheef aan haar lijf. Je kreeg de indruk dat wanneer ze zelf had mogen kiezen, ze iets heel anders had aangetrokken, of misschien wel het liefst naakt had gelopen.

"Op al deze foto's lijk je te haten dat je wordt gefotografeerd", zei ik, en ik liet het album op mijn schoot zakken. Er stonden een pot thee en twee plastic bekers op het tafeltje voor de bank. De deksel van de theepot was stuk, de stoom steeg in dwarrelende spiralen vanuit het open gat omhoog. Op de tafel lag een groot stuk aluminiumfolie als kleedje; Molly had het kunstig gekruld en het was vast onderdeel van een van haar nieuwe projecten.

Die aluminiumfolie was niet erg praktisch. Ik had niet gevraagd wat de zin daarvan was, ik voelde me een beetje dom, en weinig op de hoogte van waar ze mee bezig was. Ik herinner me het onaangename, metalige schrapende geluid als ik de plastic beker op tafel zette.

"Als kind vond ik het vreselijk om gefotografeerd te worden, maar nu niet meer", antwoordde ze.

"Waardoor is dat veranderd?"

"Door Strøm."

"Ik wist wel dat je dat zou zeggen. Is hij de enige over wie je tegenwoordig kunt praten?"

"Volgens mij begrijp je het niet. Hij heeft me geleerd om dingen niet meer te haten."

"Aha."

"Hij heeft me laten zien dat het zinloos is om energie aan haten te besteden."

"Mm."

"Het is beter om politiek te bedrijven", zegt hij. Als je denkt dat er iets moet veranderen, moet je dat veranderen, en geen tijd verdoen met haten."

"Ja. En hij maakt zeker voortdurend foto's van je?"

Molly keek me met die aandachtige blik aan die ze soms heeft als iemand haar tegenspreekt, of het gesprek op onverwacht terrein brengt. Dan wakkert haar vuur aan. Het lijkt alsof ze zich op degene die praat wil werpen en de betrokkene met een opgewekte lach op de grond wil werken, in het gras wil ronddollen en erop los wil hameren.

Die blik van haar is op een bepaalde manier een deel van onze gespreksvorm, een regiekneepje.

"Het is juist tegenovergesteld", zei ze, en ze rechtte haar rug, vrolijk. "Ik maak foto's van hem."

"O ja?"

"Ja, inderdaad."

"Ik wist niet dat je een camera had."

"Die heb ik ook niet, ik mag er een van hem lenen. Hij leert me de donkere kamer gebruiken. Hij heeft allerlei apparatuur."

Ik was niet verbaasd. Ik had geen enkele reden te betwijfelen dat Molly al goed kon fotograferen; dat soort dingen kon ze zonder dat ze er echt op had moeten oefenen.

"Wat víndt hij daarvan?" vroeg ik.

"Dat ik een van zijn camera's gebruik?"

"Dat je foto's van hem maakt."

"Volgens mij haat hij het."

Dit was mijn kans, en die wist ik te grijpen.

"Dan spreekt hij zichzelf tegen!" zei ik. "Je zei net dat haten volgens hem zinloos is."

"Nee, hij spreekt zichzelf niet tegen, want hij zegt niet dat hij het haat. Zo komt het alleen op mij over, en dat is iets anders. Hij noemt het niet tegen anderen."

"Hou je niet van de domme!" zei ik, iets te luid. "Hij spreekt zichzelf tegen! Hij is alleen te laf om dat toe te geven! Hoe kun je een relatie hebben met een man die dertig jaar ouder is dan jij en die zichzelf voortdurend tegenspreekt!"

Het was uiteraard een zinloze discussie, maar die betrof onze relatie op een fundamentele manier, en dat zagen we beiden wel in. Het was een manier om elkaar op te jutten.

Ik leunde voorover over het metalig knisperende tafelkleed, en om tijd te winnen schonk ik meer thee in beide plastic bekers, terwijl ik mijn volgende stap bedacht. Automatisch liet ik twee suikerklontjes in haar beker vallen, ik kende haar te goed om ernaar te vragen. Molly pakte de beker aan. Ze staarde me aan, terwijl ze energiek met een balpen in de thee roerde.

Ik hoorde natuurlijk wel dat mijn jaloezie al te duidelijk in mijn woorden doorklonk, en met die jaloezie kleineerde ik mezelf. Ik besefte dat ik mijn argument meer kracht moest bijzetten.

"Toen je klein was, was je niet laf", zei ik ten slotte, langzaam. "Toen je klein was, deed je niet net alsof. Je was duidelijk en helder. Dat kun je op deze foto's zien."

Ik schoof het album naar haar kant van de bank.

"Wat bedoel je?"

"Kijk maar. Op geen enkele foto doe je alsof je iets anders voelt dan in werkelijkheid het geval is. Ik doe het wel, maar jij niet. Ik glimlach zoals kinderen bij mijn weten op foto's moeten glimlachen, maar jij haat het om gefotografeerd te worden, en dat verberg je niet."

"Nee, toch?"

"Nee, kijk maar, het is net alsof je je tanden laat zien. Ik wees op een foto van een sportevenement, waar Molly stug op stond met de gymtas over haar schouder en verstoord in de camera keek.

"Vind je?" zei ze, mak. Ze leek niet helemaal te begrijpen waar ik heen wilde, ze wilde ongetwijfeld liever verder vertellen over die fantastische Strøm.

"Denk eens na", ging ik verder. "Toen je klein was, deed je niet net alsof, dat laten deze foto's zien. Maar die vent daar, van wie je zo onder de indruk bent, hij veinst."

"En wat dan nog?"

"En dat zal op jou overslaan."

"Agnes! Wat is er vandaag toch met je aan de hand!"

"Niets bijzonders, voor zover ik weet. Hoezo?"

"Strøm bezit integriteit."

"Ik snap dat je dat denkt. Maar de foto's in dit album tonen aan dat jij, toen je nog klein was, zelf al had waarvan jij denkt dat hij het heeft. Kijk maar. Toen jij nog een kind was, was je veel moediger dan Strøm nu is."

Molly schoof het album van zich af terwijl ze luid lachend op de bank achteroverleunde. De thee gutste over de rand van de beker; ik zag hoe de donkere theevlek zich over de oranje stof van het kussen onder haar verspreidde.

"Waar heb je last van?" vroeg ze, en ze deed alsof ze zich zorgen maakte. "Je bent veranderd. Komt dat door je ziekte?"

"Ik ben helemaal niet veranderd. Dit is gewoon simpele logica. Het heeft niets met mijn ziekte te maken." Ik hield mijn ogen op de vlek gericht.

"En nu beweer je dat Strøm bezig is mij kapot te maken? Volgens mij ben je jaloers!"

Molly boog zich weer naar mij toe en streek me over mijn enkel, alsof ze met me meeleefde, maar ik schopte met veel kracht naar haar, met meer kracht dan ik dacht in mijn been te hebben. Ik vond het vreselijk dat ze ons gesprek op die manier saboteerde.

De rest van de thee in haar beker vloog als een bruine douche over de rand.

Hier werden we onderbroken door haar moeder, die discreet op de deur klopte en vroeg of we zin hadden in een wortel. Haar stem klonk beleefd vanuit de gang, bijna onderdanig. Ze was vast opgelucht dat Molly terug was op haar meisjeskamer, en elke avond dat haar dochter thuis was en niet ergens in de stad verbleef, haalde ze waarschijnlijk rustiger adem. Ze had natuurlijk van Molly's affaire met Strøm gehoord, en dacht er zo het hare van.

Volgens mij had Molly's moeder altijd het gevoel dat ze, als ik op bezoek was, iets aan moest bieden, alsof ze een bediende was. En ze kwam altijd met iets gezonds en versterkends aanzetten, iets met suiker of additieven zou ondenkbaar zijn.

Er viel werkelijk geen enkele trek aan Molly's moeder te ontdekken die erop wees dat ze de dochter van oma kon zijn. Molly en ik hadden theorieën ontwikkeld dat haar moeder geadopteerd moest zijn, maar daar hadden we oma nooit rechtstreeks naar durven vragen.

Molly liep naar de deur terwijl ze met een oud T-shirt thee van haar gezicht veegde, draaide de sleutel om en opende de deur op een kiertje, waarna de ze twee geschrapte wortels door de deuropening aanpakte met een kort knikje, zoals men in Engelse films tegen de butler knikt.

"Jouw logica zal me worst wezen!" zei ze met de rug naar me toe, terwijl ze de deur weer op slot deed en de deurklink naar beneden drukte om zich ervan te vergewissen dat de deur goed op slot zat. Ze reikte me een wortel aan. "Strøm doet iets met me, en dat vind ik prima", ging ze verder. "Hij heeft het beste met me voor."

"Ja, jeetje."

"En ik zal je vertellen wat hij precies doet."

"Ja, dat moet je zeker doen."

Maar daar stokte het gesprek. Ik kan me in elk geval verder niets herinneren. We waren toen nog zo jong, we wisten niet waarover we praatten, we hadden geen idee van het lot. Nu denk ik daar anders over, na al die jaren. Nu weet ik wat het lot met Strøm en met Molly voorhad.

En hoewel ik het niet meer precies weet, is het niet moeilijk om te verzinnen wat ik vergeten ben: "Agnes", zei ze. "Hij leert me zien."

Ze had natuurlijk gelijk. Ik was jaloers. Ik besteedde veel tijd aan fantaseren over hen, over wat ze deden en bespraken. Sommige dingen verzon ik en een deel vertelde Molly mij. Die twee zaken liepen vaak in elkaar over, en zodoende was het voor mij hetzelfde. Dat met dat notitieboekje had ik destijds niet zelf bedacht, maar nu, achteraf, weet ik dat Molly aantekeningen over Strøm bijhield. Ik heb ze gelezen.

Mijn jaloezie was anders dan toen met de jongens met wie we in de vijfde klas van het gymnasium hadden gefeest; deze jaloezie was vermoeiend op een diffuse manier die ik nog niet eerder had ervaren. Misschien was het me niet helemaal duidelijk of ik jaloers was op haar of op Strøm.

Ik kreeg de catalogi van een aantal grote tentoonstellingen van hem te pakken, en las alle interviews met hem die ik maar in handen kreeg. In de tentoonstellingscatalogi stonden bovendien een paar uitgebreide essays waarin de kunstcritici zijn foto's en films bespraken. Die essays waren nogal filosofisch van aard, en ongeveer de eerste die ik in dat genre las. Het was alsof ze me iets bijzonders te vertellen hadden, maar ik bezat niet de kracht of de kennis om de boodschap tot me door te laten dringen.

Toen bedacht ik natuurlijk al theorieën over hoe Molly en Strøm een stel waren geworden. Ik had vast bedacht dat Molly eigenlijk Strøm gebruikte om bij haar ouders weg te komen. Zo simpel is het! zei ik tegen mezelf. Strøm is Molly's vlucht, haar ouders stellen in haar ogen niets voor, zij staan voor alles wat zij niet wil zijn, ze wil alleen zichzelf zijn. Ze moet zichzelf zien te redden, en zij denkt dat Strøm haar daarbij kan helpen.

Maar ik begreep niet waarom ze haar toevlucht moest zoeken bij iemand die zoveel ouder was dan zijzelf. Ze had immers andere minnaars van haar eigen leeftijd gehad, lang voordat ze hem ontmoette. Waarom had ze daar niet voldoende aan? Ik zou meer dan blij zijn met wie dan ook van hen. Iemand met lange benen en een openstaand overhemd, iemand in wiens schoot ik kon verdwijnen, als een klein meisje; gebaren maken en met een hese lach een joint nemen.

Dus ging ik naar hem toe, zo simpel was het. Ik bracht een bezoek aan Strøm. Dat was niet moeilijk, ik bestelde een taxi op een avond dat ik wist dat Molly een vergadering van de fotoclub had. De taxi bracht me naar het adres dat ik in de catalogus had gevonden.

Na een paar seconden beantwoordde hij de intercom. Hij vroeg niet wie ik was toen ik mijn naam zei, het was nooit nodig om te zeggen dat ik de vriendin van Molly was. Op de een of andere manier moet hij geweten hebben wie ik was, en dat ik niet zo mobiel was als andere negentienjarigen, want hij kwam naar beneden en hielp me de trappen omhoog.

Hij leek niet verbaasd dat ik er was. Toen we naar boven liepen, leunde ik zwaar op hem, en ik was bezweet toen we eindelijk bij zijn appartement waren.

Hij serveerde me sherry in een heel groot glas, maar ik geloof niet dat ik dronken werd. Met mijn laatste krachten wist ik me op een hoge stoel te hijsen, en ik probeerde te doen alsof ik alles onder controle had, alsof ik vaak bij mensen zoals hij op bezoek was. Maar ik kon het niet laten om te kijken en mijn ogen door het atelier te laten gaan. Daar was het rommelig en netjes tegelijk.

Ik begreep meteen waarom Molly zich hier thuis voelde. Dit was een plek waar van alles kon gebeuren.

Het was alsof hij wist waarom ik was gekomen, zonder dat ik uitleg hoefde te geven. Hij snapte dat ik het over Molly en hem had, hoewel mijn vragen alleen maar over hem en zijn foto's gingen.

Hij was heel open. Hij liet me alles vragen wat ik maar wilde.

Ik had een catalogus bij me, die van zijn laatste tentoonstelling. Daarin stond een interview met hem. Ik liet hem zien waar ik een deel van zijn woorden had onderstreept die ik niet begreep. Hij pakte me de catalogus af en wees op een leunstoel.

"Ga daar maar zitten", zei hij. "Die is beter. Je moet uitrusten."

Daarna las hij langzaam en aandachtig de tekst, alsof hij die nog nooit eerder had gezien, alsof het een interview met een vreemde was. Ik liet me in de zachte leren stoel zakken en voelde een merkwaardige rust over me komen.

Het was stil in de kamer terwijl hij las. Toen vroeg hij me wat het volgens mij betekende wat er in het interview stond. Ik zei dat ik het niet wist; dat het was alsof ik het bijna begreep, maar niet helemaal, er ontbrak iets, iets in mijn begripsapparaat wat er niet was, zodat ik de woorden niet goed in me op kon nemen. Hij lachte en zei dat het hem ook zo verging, hij begreep niet wat er stond, en hij wist niet zeker of hij het wel begrepen had toen hij het tegen de interviewer zei.

Vervolgens schonk hij ons beiden nog eens bij, niet veel, maar een beetje, en hij liet me een aantal foto's zien die hij de afgelopen tijd had genomen, na de laatste tentoonstelling. Hij vroeg me naar mijn oordeel, en ik gaf zonder nadenken antwoord. Op de een of andere manier slaagde hij erin me iets te laten zeggen wat ik nog nooit eerder had prijsgegeven, iets wat ik niet begreep voordat ik de woorden uit mijn eigen mond hoorde komen.

Nu, naderhand, weet ik niet of ik me mijn woorden nog herinner. Ze liggen op het puntje van mijn tong, maar ik kan er niet op komen.

Het werd laat. Vlak voordat ik zou vertrekken, vroeg hij me, tot mijn verbazing, waarom ik was gekomen. Daar gaf ik geen antwoord op, maar ik zei dat hij niet aan Molly mocht vertellen dat ik daar was geweest. Dat beloofde hij. Toen vroeg hij naar mijn moeder. Hij wist wie zij was, hij wilde weten hoe ik over haar dacht. Of ik haar boeken had gelezen. Hij vroeg het op een manier die ik nog nooit eerder had gehoord.

Ik kreeg haast en zei dat ik naar huis moest, papa vroeg zich vast af waar ik bleef. Strøm keek me onderzoekend aan voordat hij bevestigend knikte en de kurk op de fles deed. Hij bestelde een taxi en hielp me weer de trap af naar beneden.

Vlak voordat de taxi zou vertrekken, vroeg hij me waarom ik geen vriend had. Daar zei ik niets op, ik gaf mijn adres aan de taxichauffeur en vroeg hem snel te rijden.

Papa mocht niet weten waar ik was geweest. Dat had hij niet kunnen verdragen.

Molly is ook enig kind, maar in tegenstelling tot haar moeder heeft ze wel een vader. Ze heeft nooit veel gesproken over wat ze van haar ouders vindt. Niet tegen mij en ook niet tegen anderen, voor zover ik weet. Maar ik heb hen gekend, en ze hebben ongetwijfeld nooit beseft wat voor kind ze op de wereld hadden gezet.

Destijds al, toen we negentien waren, besefte ik dat Molly al vanaf dat ze een kind was met verbeten boosheid volhield dat haar werkelijkheid net zoveel waarde had als die van haar ouders. Eigenlijk nog meer. En ze hadden niet zoveel tegen die boosheid weten in te brengen.

Ik zei tegen mezelf dat Strøm voor haar de bevestiging was dat ze wat haar ouders betrof altijd gelijk had gehad: ze hoorde niet bij hen thuis, had dat ook nooit gedaan. Ze wilde hun laten zien dat ze geen flauw idee hadden wat ze in hun handen hielden toen ze haar kregen, en ze vond dat ze het recht had hen te straffen voor hun domheid. Het was haar zonneklare recht hun op hun fouten te wijzen.

Zij begreep hen niet, haar ouders begrepen haar niet. Ze hielden van haar zo goed ze konden, en deden alles wat in hun vermogen lag om van haar een in hun ogen gezond en normaal aangepast kind te maken. En Molly van haar kant deed alles wat in haar macht lag om zich tegen dit plan te verzetten.

Naarmate ze opgroeide lag er heel wat in haar macht. Haar macht was groter dan die van hen en haar werkelijkheid woog zwaarder, dat was overduidelijk voor iedereen die het gezinnetje ontmoette.

Ze werd Mona Louise gedoopt, maar ze verbood haar omgeving die naam te gebruiken vanaf het moment dat ze zelf hele zinnen kon uitspreken. Ze koos zelf de naam Molly, en zodra ze meerderjarig was, vroeg ze naamswijziging aan, zodat er Molly Madsen op de stippellijn van al haar papieren stond. Dat klonk stoer; ik was onder de indruk en jaloers. Ik zou mijn naam nooit op die manier hebben durven veranderen. Ik was veel te bang dat papa gekwetst zou zijn, bovendien zou ik niet hebben geweten welke naam ik zou moeten kiezen als ik niet die van hem zou gebruiken.

Ik had de theorie dat Molly's relatie met Strøm een soort echo was van haar relatie met de leraar handenarbeid op de basisschool. Molly had uitmuntende talenten, zoals de rector zei, maar ze saboteerde de school met een soort zelfbewuste trots die de leraren angst aanjoeg. Behalve de leraar handenarbeid, aan wie ze als dank haar genegenheid schonk en die ze rijkelijk beloonde.

De leraar heette Pedersen; hij was een oudere, introverte man die tegen de pensioengerechtigde leeftijd liep, echt heel verschillend van Strøm. Onder de leerlingen op school deed het gerucht de ronde dat hij ooit in een psychiatrische inrichting opgenomen was geweest. In dat geval moet hij daar natuurlijk op een of ander moment weer uit gekomen zijn, en het was duidelijk dat hij zich net zo weinig op zijn plaats voelde binnen het zogenaamd liberale schoolsysteem als Molly.

Molly en Pedersen vormden vanaf het begin een alliantie. Hij zei meteen dat ze over een talent beschikte om dingen te scheppen en te veranderen, en dat ze iets nodig had om mee bezig te zijn naast de gebruikelijke creatieve taken. Ze kreeg de verantwoordelijkheid voor de decors van onze theatervoorstellingen op alle jaarlijkse zomerafsluitingen voor de ouders. We voerden de gewone stukken op die uit het lesboek werden gehaald, en de acteerprestaties waren niet beter dan je kon verwachten; kinderen die met strakke gezichten stamelend de replieken opzeiden en opgelucht ademhaalden als ze ze afgeraffeld hadden.

De scenografie was echter geweldig. Molly en Pedersen startten met de planning vlak na aanvang van het voorjaarssemester. Samen slaagden ze erin het hele klaslokaal om te vormen tot een vreemde, onbekende wereld; met gekleurd papier, vilt, lampjes bedekt met cellofaan, plantenstokjes, karton, kippengaas en grote, kleurige lakens wisten ze te scheppen en te veranderen.

Ze bewaarden de decorstukken in een afgesloten ruimte in de kelder, alleen Pedersen en de conciërge hadden een sleutel, zodat niemand iets te zien kreeg voor de generale repetitie. Dan waren Molly en Pedersen de hele avond ervoor bezig geweest hun creaties naar boven te brengen en die met tape, spijkers en canvas doeken in het klaslokaal te plaatsen. Als wij mochten binnenkomen, stapten we voorzichtig in het rond, bang iets kapot te maken.

De opstelling kreeg pas bij de generale repetitie haar juiste vorm, op het moment dat het decor op zijn plaats stond. En op de een of andere manier wisten die twee de rector van de school zover te krijgen dat die een schijnwerper kocht die Molly tijdens de voorstelling achter in het lokaal hanteerde, terwijl Pedersen erachter stond, de kabel vasthield en kleine aanwijzingen fluisterde die ze waarschijnlijk niet opvolgde.

Ik weet niet of Molly en Pedersen begrepen welk geheel ze schiepen, maar dat gaf niet. Zo gaat het vaak in het theater, heb ik begrepen. Je hoeft niet noodzakelijkerwijs te begrijpen wat je doet, het moet alleen maar werken.

Dit schooltheatergedoe maakte Molly noch Pedersen populairder, niet bij de leraren en ook niet bij ons, de leerlingen. Maar ze leken zich niet erg met hun populariteit bezig te houden, ze hielden zich alleen met hun projecten bezig. En juist het feit dat het hun niets kon schelen hoe we over hen dachten, maakte dat ze, gek genoeg, toch interessant voor ons werden. We begrepen instinctief dat er wel iets voor nodig was om zo'n soevereine houding te kunnen handhaven.

Een paar jaar nadat ze de school had verlaten, ging Molly terug naar het kantoor van de rector om te vragen of ze de schijnwerper mocht kopen die hij voor haar had aangeschaft. Die was sinds haar vertrek niet meer gebruikt. Pedersen was met vervroegd pensioen gegaan, hij was als het ware verbleekt nadat Molly ermee gestopt was.

Ik geloof niet dat ze ooit voor die schijnwerper heeft betaald. Ik neem aan dat zelfs de rector hem als haar rechtmatige eigendom beschouwde, en dat hij helemaal nooit meer gebruikt zou worden als zij dat niet zou doen. Zolang ik haar ken, is het ding altijd meegegaan als ze ging verhuizen. Nu staat hij in de woonkamer van het zomerhuis, neem ik aan. Toen ik de maquette maakte, plaatste ik de schijnwerper erin. Een piepklein voorwerp van staaldraad en folie in een zomerhuis met rolstoelrijplank en veranda.

De eerste vier jaar op de basisschool was ik nog geen hartsvriendin van Molly, en voor zover ik weet, was niemand dat. Ik herinner me haar als een verstrooid, ietwat onrustig meisje dat altijd naar iets anders op zoek was. Ze speelde niet hetzelfde soort meisjesspelletjes als wij, en ze probeerde niet net als wij mee te doen aan het spel wie op een bepaald moment vriendin van wie was.

Maar in de zomer dat we in de vierde klas zaten, gebeurde er iets. Ik herinner me de laatste dag voor de vakantie, toen onze klas het toneelstuk voor de ouders zou opvoeren. Ik had al lang geprobeerd meer contact met haar te krijgen, het was een soort verliefdheid; zij had iets wat misschien op mij kon overslaan, dacht ik, als ik maar lang genoeg in haar buurt kon zijn. Een soort vrijheid, iets vrijpostigs waarnaar ik verlangde. Maar ze wilde niets van mij weten. Molly wilde van niemand iets weten, alleen zijzelf was van belang.

De andere kinderen droegen hun kostuums en drongen opgewonden om elkaar heen in het klaslokaal naast het onze, terwijl we wachtten tot de ouders en broers en zusjes in ons eigen lokaal plaatsnamen voor de grote opvoering. We fokten elkaar op door onze replieken naar elkaar te schreeuwen, we deden alsof we oefenden. De juffrouw haastte zich nerveus van de een naar de ander, maakte knopen dicht en trok kostuums recht om onze rusteloze lichamen, terwijl ze ons tevergeefs probeerde te kalmeren.

Molly en Pedersen stonden in een hoek iets te bespreken waarvan de rest niets af wist. Ik staarde naar hen. Ze praatten vast over iets wat met de opvoering te maken had, misschien hadden ze het over de grote schijnwerper, dacht ik. Achter hen, door het raam naar het schoolplein, zag ik mijn moeder en die van Molly door de schoolpoort aan komen lopen. Ik was op slag opgewonden, werd blij en rood. Kenden die twee moeders elkaar? Waren ze soms opeens vriendinnen geworden? Misschien hadden ze allebei in een lunchroom zit-

ten praten over ons en of we bij elkaar thuis konden worden uitgenodigd? Misschien ging mama toch niet bij ons weg, maar had ze voor
haar gezin gekozen.

Ik keek weer naar Molly. Zij had niets gezien, ze concentreerde zich
op Pedersen.

Toen zat het publiek in ons eigen klaslokaal klaar. De mensen stonden
samengepakt langs de wanden en zaten op de smalle banken die tegen
de korte wand waren gezet. Er was nauwelijks ruimte; degenen die
voor de scenografie verantwoordelijk waren, hadden niet veel oog
voor de plaats van het publiek gehad.

We gingen plechtig in een rij staan, de juffrouw maande ons voor de
laatste keer tot stilte, en die keer lukte dat. Daarna marcheerden we de
gang op, hand in hand, twee aan twee.

In ons klaslokaal waren de ramen verduisterd, het licht ging uit als
in een echte schouwburgzaal en de deur werd geopend. We marcheerden vanuit het zomerlicht in de hal de duisternis in, we konden
alleen maar vermoeden dat het publiek er zat, we stommelden plechtig naar binnen en gingen in een rij voor het bord staan. Het was bijna
griezelig. Molly kwam als laatste en nam plaats bij de schijnwerper.
Toen gaf de juffrouw een slag tegen een gong, zoals haar door Molly
was opgedragen. Dat met die gong heeft Molly vast en zeker bij het
Radiotheater gehoord. Het geluid van de gong vibreerde door de
ruimte, en op het moment dat het wegstierf, zette Molly de schijnwerper aan. Dat had een overweldigend effect: onze ogen hadden
zich, zoals we daar voor het bord stonden, net aan de duisternis
gewend, maar toen werden we opeens verblind. Het publiek zagen we
niet meer; we werden in onze eigen wereld opgesloten.

Maar we wisten nog wel wat we moesten doen. Een voor een bogen
of knikten we voor de schijnwerper en vertelden we wie we waren in
het toneelstuk dat het publiek zo meteen zou zien.

Ik was de verteller. Ik was gekleed in een dieppaarse fluwelen mantel, en op mijn hoofd zat een fluwelen hoed met brede rand in dezelfde kleur. Hij was iets te groot, ik moest hem met één hand op zijn
plaats houden, zodat hij niet in mijn ogen gleed. In mijn andere hand
hield ik een groot boek van geverfd piepschuim, dat had Molly
gemaakt, het woog niets.

Het voelde vreemd opwindend om de verteller te zijn. Ik had de
belangrijkste rol, ik moest de voorstelling aan elkaar praten en alles
aan het publiek uitleggen. Zonder de verteller zou alles als los zand
aan elkaar hangen.

De deur naar de gang achter in het klaslokaal bleef open, en nadat alle toneelspelers hun rol hadden verteld en weer waren afgegaan met mij voorop, speelde de juffrouw enkele maten van een fanfareachtige melodie op de piano. Daarna kwam ik weer op, deze keer alleen. Molly volgde me met de schijnwerper toen ik door het lokaal liep. Ik nam mijn positie in. Het was alsof iemand anders bezit van me had genomen, een echte verteller. Ik begreep niet waar ze vandaan kwam, maar het gaf een kik haar te voelen.

"Er was eens een dorp", zei die verteller met luide stem. "En in dat dorp woonden een jongen en zijn kleine zusje. Ze waren erg arm en elke dag moesten hun ouders naar de fabriek toe om te werken en de twee kinderen werden aan zichzelf overgelaten. Maar op een dag gebeurde er iets bijzonders ..."

Ik merkte het licht van de schijnwerper om me heen. Die liet me schitteren. Ik hoorde mijn eigen gebiedende stem, het leek alsof die vanuit een grote opening in mijn borst sprak. Hij was zo diep en had zo'n groot volume, zo had ik mijn stem nog nooit horen spreken. Ik dacht: nu ziet mama mij. Ik ben nu iemand anders. Dit zal ze nooit vergeten. Ze herkent zichzelf in mij. Ik ben de verteller.

Een voor een kwamen de andere kinderen op en zeiden hun replieken na trefwoorden van mij. Ze maakten eenvoudige bewegingen naar elkaar. Volgens mij voelden zij het ook: het verhaal liep. Het was groter dan wij. Omgeven door de decors die Molly had gemaakt, voelden we dat er iets ontstond waarin we op een andere manier konden ademhalen dan we normaal gesproken deden.

Ik was de enige die tijdens de hele voorstelling op het podium bleef. Van achter in het klaslokaal meende ik te zien dat Molly me met de schijnwerper volgde. Ze maakte me duidelijk op een manier zoals ik nog nooit eerder was geweest. Die duidelijkheid bleef nog wekenlang hangen nadat de zomervakantie was begonnen. Toen was mama vertrokken.

Molly nam afstand van haar ouders, maar met oma was het iets anders. Molly beschouwde zichzelf als het kind van oma, en hoewel ze eigenlijk helemaal niet zo vaak bij haar op bezoek kwam, stak ze niet onder stoelen of banken dat oma's wereld ook de hare was.

Molly's moeder was ook enig kind. Ik weet niet zoveel over haar relatie met oma, we praatten nooit over dat soort zaken. Molly's moeder en ik praatten eigenlijk nauwelijks met elkaar; omdat Molly zo'n afstandelijke relatie met haar had, was het vanzelfsprekend dat ik me ook op afstand hield. Ik herinner me haar als een wat onduidelijke, goedbedoelende vrouw die mooie, nette truien in op elkaar afgestemde kleuren breide voor haar dochter en echtgenoot, op zondag de tafel met linnen servetten dekte en na het eten mooi en uit haar hoofd kleine stukjes salonmuziek speelde op de piano.

Ze had zo'n trieste blik. Triest op die ietwat onschuldige manier die je zo moeilijk tegemoet kunt komen met iets vasts en beslissends.

Als ik op bezoek kwam, opende zij altijd de voordeur, maar ze liet me de hal binnenkomen en naar Molly's bizarre meisjeskamer gaan, die nadrukkelijk weinig aan de rest van het huis deed denken, zonder verder een gesprek te verwachten. Ze had ongetwijfeld al lang geleden geaccepteerd dat haar dochter niets van zichzelf met haar wenste te delen.

Haar vader zat ergens op de achtergrond in een diepe leunstoel, het ene been over het andere geslagen en de bril op het voorhoofd geschoven, terwijl hij in een boek zonder stofomslag zat te lezen. Hij groette vriendelijk en ietwat afwezig als ik langsliep. Ik voelde me vertrouwder met hem; hij deed me aan mijn eigen vader denken, maar hij was krachtiger. Ik wist dat Molly en hij soms samen op zondag een wandeltocht maakten, dan hadden ze een rugzak en een plaid bij zich en bleven de hele dag weg. Molly was altijd anders als ze van die tochten terugkwam; ze leek rustiger en sprak met een duidelijker stem.

Eenmaal op Molly's kamer explodeerden de kleuren en de rommel voor mijn oog. De oranje bank lag vol rode en gele kussens die ze zelf met door haarzelf ontwikkelde, heftige handwerktechnieken had geborduurd. De gordijnen hadden een bijna verlammend effect als je er te lang naar keek. Vanaf haar confirmatie had ze een eigen waterkoker en theepot op haar kamer, zodat ze niet vaker dan strikt noodzakelijk naar de keuken van haar ouders hoefde. Vanaf haar zestiende maakte ze haar eigen wijn onder haar bureau, een pruttelend kunststof vaatje waarvan de inhoud nooit verder kwam dan het vergistingsstadium omdat we tegen die tijd alles al hadden opgedronken.

Als we moesten plassen, slopen we de wc in en hoopten we haar ouders niet tegen te komen. En dat gebeurde ook bijna nooit. Die twee moeten het toilet zelden of nooit gebruikt hebben. Die indruk kreeg ik destijds althans, ik dacht er niet veel over na hoe dat puur fysiologisch in elkaar stak.

Molly's moeder stierf aan kanker. In de tijd dat Molly met Strøm ging, werd haar moeder ernstig ziek. Ik lag toen zelf ook in het ziekenhuis, op de verdieping boven die van haar moeder, en ik heb nooit begrepen waarom Molly in die laatste periode van haar moeders leven niet bij haar was. Ze kwam wel bij mij op bezoek, maar niet bij haar moeder.

Toen Molly's moeder overleed, voelde haar vader een verdriet dat hij niet begreep en waarmee hij niet kon omgaan. Hij werd nóg futlozer en begon nog meer te kwakkelen, het was alsof hij zijn dochter niet meer zag. Ze maakten geen tochten meer op zondag, en ze zaten niet meer samen aan de eettafel in grote boeken met afbeeldingen van archeologische opgravingen te bladeren.

Nu woont haar vader in een woongemeenschap voor ouderen. Daar verzorgt hij zijn bibliotheek; een collectie min of meer waardevolle boeken uit het interbellum. Molly bezoekt hem zelden, en hij klaagt niet. Misschien zijn ze eigenlijk wel blij dat ze elkaar uit het oog zijn verloren.

Maar met oma was het iets anders. Ze was een volhardende, wilskrachtige vrouw die je strak aankeek, en meestal ging het zoals zij het wilde. Iedereen noemde haar oma, ook mensen die geen familie van haar waren. Er werd gezegd dat ze een opleiding tot actrice had genoten in een of ander Oost-Europees land waar ze in haar jeugd een aantal jaren had gewoond. Daar heeft ze dan zeker de vader van haar kind ontmoet. Maar ze nam de vader van het kind niet mee naar huis, alleen het pasgeboren kind, en ze praatte nooit over hem. Voor zover ik weet, heeft ze daarna nooit meer in een stuk gespeeld.

Oma had een waakzame tederheid voor iedereen die ze ontmoette, en een bijzondere aantrekkingskracht op iedereen die niet goed in zijn vel zat. Ze had een aparte manier om zich om ongelukkige mensen te bekommeren; een soort daadkracht waardoor iedereen die ze onder haar hoede nam, zich volledig aan haar moest overgeven, een tijdje de ogen moest sluiten en zich naar haar meevoelende wetten diende te voegen.

Onder het beheer van oma komen betekende meestal dat je een tijdje bij haar ging wonen, de beste verzorging kreeg en 's avonds vroeg naar bed werd gestuurd. Overdag moest je grote of kleine taken in haar appartement uitvoeren, al naargelang vermogen en belangstelling. Oma was in staat om snel de behoefte te creëren dat een kamer aan een opknapbeurt toe was, in de badkamer moesten enkele tegels worden vervangen, een plafond had een schoonmaakbeurt nodig, een kast moest gerestaureerd worden, of de kozijnen van de dubbele ramen moesten afgekrabd en geverfd worden. En soms moest een oud pak of herenkostuum van zolder vernaaid worden, als ze tot de conclusie was gekomen dat de gedeprimeerde, ongelukkige of heimelijk zwangere vrouw die ze onder haar hoede had genomen, moest leren naaien. Zelf was ze een uitmuntende naaister, ze maakte al haar kleren zelf van eersteklas wollen en zijden stoffen die uit het buitenland waren geïmporteerd, en ze had weinig goede woorden over voor de goedkope, synthetische kleren die in massaproductie gemaakt werden en die na verloop van tijd de warenhuizen van de stad vulden. Wanneer een van ons met een dergelijk nieuw kledingstuk kwam aanzetten, verzocht ze ons vaak om het uit te trekken zodat ze het kon controleren. Ze bevoelde een tipje van de stof tussen duim en wijs- en middelvinger, daarna keerde ze het kledingstuk snel binnenstebuiten en inspecteerde alle naden. Ten slotte gaf ze het terug aan de eigenaar met haar bekende gesnif en dat vluchtige handgebaar.

Oma had dik, donker haar, na verloop van tijd met veel grijs erin, maar het werd nooit helemaal wit. 's Ochtends stak ze het op, maar gedurende de dag keek ze nooit in de spiegel, en ze was er het type niet naar om losgeraakte haren vast te maken of haarpennen te verplaatsen, zoals vrouwen met opgestoken haar vaak doen. Haar bovenlip was bedekt door een nogal zichtbare schaduw van een donkere snor, haar ogen stonden helder en haar hals was smal en mooi. Ze rookte sigaretten met mondstuk en speelde patience met een ernst die je deed inzien dat ze wist wat ze deed, dat ze niet zomaar wat giste. In de wintermaanden bewoonde ze een ruim, in het licht badend appartement in de stad, niet ver van waar ik nu woon. Molly bezocht haar vaak, met haar ouders en in haar eentje. Zelf was ik daar dus een aantal keren in de tijd dat ik ziek werd, en toen we kinderen waren, hielpen we haar piano verhuizen.

Als we daar kwamen, was er altijd wel iemand op bezoek, en of ons eigen bezoek kort of lang duurde, hing af van de vraag in hoeverre oma besliste dat haar gast weer in staat was de wereld buiten het appartement tegemoet te treden of niet.

Ik herinner me een keer dat Molly en ik op een vrijdagmiddag, laat in de herfst, op bezoek kwamen. Oma was kort en afwijzend aan de intercom, we werden de stad ingestuurd voor een boodschap met de mededeling dat we pas op een bepaald tijdstip terug mochten komen. We kwamen niet op het idee om te protesteren en we slopen ervandoor om een speciaal soort plamuur te gaan kopen waarvan oma beweerde dat je die alleen in een verfwinkel aan de andere kant van de stad kon kopen. Zwijgend liepen we naast elkaar, we hadden zelfs geen geld meegekregen.

Het vinden van de verfwinkel duurde een eeuwigheid, de eigenaar was net bezig de winkel te sluiten, we moesten hem smeken om binnen te mogen komen, en beiden moesten we onze zakken legen om voldoende kleingeld voor de tube plamuur bijeen te krijgen. Daarna slenterden we dezelfde weg door de stad terug.

Het was al bijna donker, we hadden koude voeten en hadden de moed bijna verloren toen we eindelijk weer op haar intercom drukten. Maar nu klonk de stem van oma heel anders, het was onmiskenbaar dat ze haar zin had gekregen met haar gast, en we werden hartelijk uitgenodigd om binnen te komen.

Eenmaal binnen in het stralend verlichte appartement werden we aan de gast voorgesteld. Het was een vrouw van in de vijftig die we geen van beiden eerder hadden ontmoet, haar ogen glansden en haar haar zat in de war, ze leek op een speciale manier te gloeien, zoals alleen mensen gloeien als ze iets hebben meegemaakt wat ze niet onder woorden kunnen brengen, iets vreemds en inspirerends, wat ze graag zouden hebben gedeeld als dat mogelijk was geweest. De vrouw strekte haar armen naar ons beiden uit en glimlachte naar ons op een open en tegelijkertijd geheimzinnige manier.

We stampten met onze voeten om weer warm te worden, we wisten niet wat we moesten zeggen. Achter haar in de woonkamer ontwaarde ik een lage tafel met daarop een paar maskers, ze leken gemaakt van papier-maché en hadden een verschillende uitdrukking: een woedend gezicht waarin de tanden in onder- en bovenkaak zichtbaar waren, een glimlachend, clownsgezicht, iets wat aan een paardenhoofd deed denken, een wit half masker met een grote, kromme vogelbek.

Ik ben nooit te weten gekomen waarvoor oma en de vrouw de maskers hebben gebruikt. Toen we de volgende keer op bezoek kwamen, waren ze opgeruimd.

Oma zocht nooit contact met mensen in de problemen. Dat was niet nodig, zij doken uit zichzelf wel op. Er wordt vast gepraat over mensen zoals zij, neem ik aan. Als er hulp te krijgen is, gaat het praatje snel. Een psycholoog zou de bezoeken aan haar wellicht een soort gecombineerde werk- en gesprekstherapie vinden, maar ze leek zich ergens anders mee bezig te houden, en Molly en ik hebben ons de afgelopen jaren vaak afgevraagd waar de kuur eigenlijk uit bestond, en wat we daarvan vonden. We hebben het als volgt in kaart gebracht: wanneer de verwarde of ongelukkige persoon zich had gemeld, bij voorkeur per telefoon, stuurde oma een uitnodiging om thee te komen drinken. Dan meldden ze hun aankomst via de intercom beneden, werden de binnenplaats op gelaten, waarna ze de brede, lichte trappen beklommen in de opgang waar het licht door de gekleurde ruiten heen scheen, naar het appartement op de derde verdieping. Dankzij het gekleurde licht in die opgang ontstond er bij degenen die in een spiraal naar boven kropen, al het gevoel dat er een verandering optrad.

Eenmaal boven stond oma in de deur van het appartement te wachten met haar robuuste, warmte uitstralende gestalte. Na de begroeting werd de jas uitgetrokken, de schoenen werden in de hal gezet, de gasten trokken een paar pantoffels aan die in allerlei maten voor hen klaarstonden, en werden vriendelijk de woonkamer binnengeleid. Daar was alles vreemd stil. Ze werden in de zachte, dieprode leunstoelen gezet, en van daaruit konden ze toekijken hoe oma haar eigen woordloze kleine theeritueel met langzame, ingestudeerde handbewegingen uitvoerde.

De thee was al getrokken, het theeservies was van broos, oud porselein, en de gasten kregen de indruk dat ze dit haar hele leven lang op exact dezelfde wijze had gedaan. Ze had speciale bewegingen voor het inschenken van thee, het omgaan met het theezeefje, de kleine stoffen servetten en voor de manier waarop ze de suikerpot aanreikte. Als ze alles hadden, bleven ze enkele minuten in stilte zitten kijken naar de vlamachtige tongen van damp die uit de theekopjes opstegen. Daarna roerden ze een paar keer met het zilveren theelepeltje. Ze roerden met de wijzers van de klok mee, nooit ertegenin. Er was geen enkel ander geluid te horen dan het iele getik van zilver tegen porselein. Wanneer de damp vanuit de theekopjes na een tijdje dunner was geworden en in kleine spiralen langs het gezicht cirkelde van degene die voorzichtig blies, konden ze het kopje aan de mond zetten. En dan begon het inleidende gesprek. De thee was gewoon Earl Grey, maar smaakte zo puur als ik daarna nooit meer heb geproefd.

Het was in wezen niet een gewoon gesprek, maar wellicht meer een soort intakegesprek. Oma bracht de conversatie voorzichtig op de leefsituatie van de gast en stelde enkele discrete vragen. Het geheel verliep nogal ondramatisch, en het gesprek eindigde meestal doordat haar gast en zij overeenkwamen dat het misschien goed zou zijn om thuis alles een tijdje achter zich te laten, een beetje perspectief op het bestaan te krijgen. Daarna bedankte de gast voor de thee, plaatste het kopje voorzichtig op het dienblad, zette de pantoffels weer op hun plaats in de hal en ging naar huis om de nodige afspraken te maken, berichten af te geven en een tasje te pakken met benodigdheden voor een tijdloos verblijf.

Ik geloof dat de meeste mensen al in de inleidende fase begrepen dat er iets moest veranderen.

Als ze dan gereed waren, de wereld voor een tijdje achter zich wilden laten en zich voor de tweede keer bij oma meldden, werden ze in de logeerkamer geïnstalleerd en kregen ze een taak in het appartement toebedeeld. Ze werkten de hele dag, slechts onderbroken door een warme lunch en de verplichte siësta rond één uur.

's Avonds kregen ze een stapel grote badhanddoeken en werden ze de grote en altijd net schoongemaakte badkamer ingestuurd voor een warm bad. Ze mochten pas weer naar buiten als oma op de deur klopte en het signaal gaf dat het warme eten klaar was, zodat ze zich net zo goed meteen aan het warme water konden overgeven.

Oma's badkamer had allerlei moderne apparatuur, en een grote kast met allerlei oliën en crèmes en zeepjes, maar er was geen spiegel. Zodoende konden ze het eigen lichaam niet van buitenaf bekijken als ze bij haar waren. Ze moesten genoegen nemen met wat ze zelf zagen en wat ze konden voelen als ze smeerden, masseerden, afdroogden en wreven.

Vervolgens kleedden ze zich om en betraden de grote eetkamer, waar ze aan tafel moesten plaatsnemen en ze oma's eigengemaakte diner kregen voorgeschoteld. Dat smaakte altijd prima en was ongetwijfeld voedzaam, maar wellicht niet bijzonder geraffineerd, dachten

Molly en ik. Ze kregen ook twee glazen, maar nooit meer, van haar zelfgemaakte rode wijn; mooi op temperatuur, maar vaak tamelijk zuur. En dit alles terwijl oma met haar intense, gedempte stem het gesprek gaande hield.

Midden op tafel had ze een grote, ouderwetse bandrecorder gezet, waarvan de twee wielen zonder enige discretie in het rond draaiden en het gesprek opnamen. Aanvankelijk werden ze soms bijna gehypnotiseerd door de draaiende wielen, waarop de band zich langzaam van de ene spoel naar de andere verplaatste, of ze nu wel of niet iets zeiden. Maar na een poosje dachten ze daar niet meer aan. Dat kon natuurlijk met de wijn te maken hebben.

Deze dinergesprekken waren heel anders dan de inleidende theegesprekken, en eindigden er vaak mee dat de gasten iets over hun innerlijk hadden onthuld waar de betrokkenen zelfs geen idee van hadden; een geheim, of iets waar ze niet mee konden omgaan en waarvan ze het gevoel hadden dat ze ermiddenin zaten, iets wat tot dan toe slechts als een soort innerlijke druk had bestaan, zonder duidelijke contouren, maar wat werd gevolgd door een gevoel van zwaarmoedigheid en wanhoop, meestal in combinatie met het gevoel een keus te moeten maken zonder dat ze in staat waren te bedenken waar de keus uit bestond.

Oma had zelden meer dan één dinergesprek nodig om uit te vinden waar die druk eigenlijk vandaan kwam. Het was alsof ze als enige ter wereld de wetmatigheid kende van neerslachtigheid; na enige tijd kon ze het patroon daarvan ontdekken bij de persoon die ze onder haar hoede had genomen. Wanneer ze zo het patroon van de betrokkene had bepaald, had ze een vreemde manier om het realiteitsbesef van iemand te bewerken, zodat het perspectief compleet veranderde. Het grote werd klein, en een detail kon groter worden en geheel nieuwe proporties aannemen.

"Weet je dat nu wel zeker?" kon ze zeggen als de gast zijn of haar situatie voor haar beschreef. "Hoe kun je weten dat hij dat denkt? En weet je zeker dat je dit wilt, en dat dat feitelijk gebeurd is? Weet je zeker dat je teleurgesteld bent? Misschien ben je wel opgelucht. Misschien ben je helemaal niet boos, maar bang! Misschien ben je niet bang, maar boos."

Wanneer ze niet meer zo zeker waren dat het neerslachtige gevoel onhanteerbaar was, waren er toch nog een heleboel andere dingen die ze als vanzelfsprekend hadden aangenomen, en waarvan ze ook niet meer overtuigd waren. Na dit punt verliep alles meestal sneller, het was alsof de spoelen van de bandrecorder hun rotatiesnelheid hadden moeten verhogen om alles mee te krijgen. Er werden soms verbazingwekkende dingen gezegd over het eigen leven en over hoe de zaken verband met elkaar hielden. Misschien had oma gelijk; misschien lag de druk helemaal niet op de plek die ze zelf vermoedden, maar heel ergens anders, op een plek die ze nooit hadden verwacht. Het was alsof ze dat zelf hadden ontdekt.

Maar op het moment dat ze daar waren, op het breekpunt van een nieuw inzicht, bezig om al het oude los te laten, drukte oma de stopknop op de bandrecorder in en sloot de maaltijd af door het glas te heffen voor een vriendelijke, maar besliste heildronk. Ze deed de kurk weer op de wijnfles en stuurde de gast naar bed in de grote, koele logeerkamer met de mededeling dat ze de volgende ochtend vroeg op moesten, er lagen taken te wachten. De band en de bandrecorder kwamen nooit meer tevoorschijn, maar het gaf een geruststellend gevoel dat wat er tijdens de maaltijd over het eigen leven was verteld, nu gedocumenteerd was. Dat ze konden vragen er nogmaals naar te mogen luisteren als ze begonnen te vergeten, in het oude leven teruggleden.

Maar Molly en ik hebben geen van beiden gehoord dat iemand naar zijn band vroeg.

Het verblijf duurde zo lang als nodig was om de kozijnen af te krabben en te verven, nieuwe tegels aan te brengen of het pak af te naaien. Molly en ik hebben in elk geval van oma leren naaien. Ze was streng als het op de naden aankwam, die moesten allemaal dubbel zijn, alles moest netjes en glad zijn en niet trekken. Even keurig aan de goede als aan de verkeerde kant.

Zodra in het voorjaar de sneeuw verdween, begon oma het seizoen in het zomerhuis voor te bereiden. Ze liet haar schoonzoon, Molly's vader, met een overdekte aanhanger komen die eigenlijk voor het transport van paarden was bedoeld, en liet hem vullen met alles uit het appartement wat ze naar haar mening tijdens de zomer nodig zou hebben. Dat betekende ook de piano, kamerplanten en al die potjes met scheuten en stekjes die op de vensterbank hadden gestaan en klaar waren om later in het voorjaar in de tuin te worden gepoot.

Het was een zware klus om de piano de trappen af te krijgen. Molly was er altijd bij, en ik mocht mee vanaf het jaar waarin mama wegging en Molly haar licht op mij liet schijnen. Molly's moeder daarentegen was er nooit bij als de piano verhuisd werd. Destijds vroeg ik me nooit af waarom niet.

Vroegere gasten werden opgeroepen om mee te helpen dragen. Een van haar buren, een zwijgzame jongeman met een blonde kuif, stond aan het hoofd van de organisatie. Oma had draagriemen, die ze speciaal voor dit doel had aangeschaft, klaar hangen op zolder, en ze stond boven aan de trap toe te kijken hoe de buurman het tillen en dragen van de piano dirigeerde. Er waren mensen die zeiden dat ze hem gratis pianoles gaf en dat hij buitengewoon begaafd was.

Zo werd het enorme meubelstuk onder veel gelach en met groot spektakel voorzichtig de drie verdiepingen af gesleept en in de aanhanger gezet. Molly en ik renden de trappen op en neer, liepen in de weg, lachten en maakten grappen, oma liep achter de piano met een fles port en een dienblad met glaasjes op een voet.

Wanneer de piano dan eindelijk in de aanhanger stond vastgebonden, begon iedereen te klappen. Er werd geproost met de port en gelachen en goede reis gewenst, en iedereen werd uitgenodigd om in het zomerhuis op bezoek te komen als dat op een bepaald moment gelegen kwam. Oma pakte de fles, het dienblad en de glazen zorgvuldig in in keukenhanddoeken, legde alles in een mandje en stapte in de wachtende auto van Molly's vader, alsof dat een taxi was. Ze zwaaide opgewekt naar Molly en mij als de wagen om de hoek verdween. De buurman ging ook mee in de auto, hij moest helpen om de piano in het zomerhuis op zijn plaats te krijgen. Daarna gaven de gasten die met het tillen van de piano hadden geholpen, elkaar de hand, namen afscheid en gingen ieder huns weegs.

Een aantal van hen ontmoette elkaar op die manier voor het eerst, en daarna zagen ze elkaar weer in het zomerhuis. Soms hielden ze contact. Er ontstond op den duur een soort vereniging, van mensen die met het tillen van de piano hadden geholpen. Zij wisten iets wat anderen niet wisten.

Molly wist dat ze oma heel binnenkort in het zomerhuis zou bezoeken, maar toen ik haar in de auto zag verdwijnen, had ik een gevoel alsof oma naar een andere wereld ging. Het zou maanden duren voor ze weer in mijn omgeving zou verschijnen. Oma nodigde me nooit uit. In elk geval niet voor zover ik weet. Soms droomde ik dat ze contact had opgenomen met papa en hem had gevraagd me naar haar toe te brengen, en dat hij gewoon was vergeten dat tegen me te zeggen. Maar erg waarschijnlijk was dat niet.

De week na aankomst in het zomerhuis kwam de pianostemmer op bezoek bij oma, werd er gezegd. Molly had hem een keer gezien, zij heeft het me verteld. Ze zei dat het een blinde, zwijgzame, ineengedoken man was die naast alle andere kwalen aan een soort botziekte leed. Oma en hij hadden ongetwijfeld een fijngevoelige communicatie over alles wat met de piano te maken had, ze praatten erover alsof het om een levend wezen ging.

Bij zijn werk was de oude moeder van de pianostemmer ook van de partij. Ze was een mens zonder enig gevoel voor humor; ze had, haar zoon ondersteunend, een briefje bij zich met daarop de naam en het adres van de klant, dat ze vasthield met de hand waarmee ze haar zoon niet ondersteunde. Ze zat stijf op een stoel tijdens het stemmen. Dat duurde een halve dag, de pianostemmer beschikte over een absoluut gehoor en moest volslagen rust hebben als hij met tastende handen boven en in het instrument aan de gang was. Als hij klaar was, stond zijn moeder op, pakte een al uitgeschreven kwitantie met daarop altijd hetzelfde bedrag. Ze nam de betaling in ontvangst, groette kort en begeleidde haar zoon naar de lelijke, blauwe auto die ze bestuurde in een tempo alsof het om een elektrische rolstoel ging.

Op het moment dat hij in de auto stapte, verhief de man voor de eerste en laatste keer tijdens het bezoek zijn stem en verzocht oma dringend om de piano niet nogmaals op die manier tussen de stad en het zomerhuis heen en weer te verhuizen. Dat was niet goed voor zo'n voornaam instrument. Zijn moeder knikte streng om zijn woorden kracht bij te zetten, alsof zij hem ertoe had aangezet die te zeggen. En oma glimlachte altijd vriendelijk naar hem, maar niet naar zijn moeder, wat paradoxaal was, omdat hij van beiden degene was die niet kon zien. Maar ze beloofde geen beterschap.

Het gerucht ging dat de pianostemmer mogelijkerwijs een keer bij oma had gelogeerd, in een turbulente periode na de dood van Molly's moeder.

Het zomerhuis was al generaties lang eigendom van Molly's familie. In het appartement in de stad was het zogezegd ondenkbaar om meer dan één gast per keer te hebben, maar in het zomerhuis waren soms veel mensen tegelijk, en je mocht ook onaangekondigd verschijnen. In dat geval werden de maaltijden, die op de grote, overdekte veranda werden geserveerd, meestal vanzelfsprekend omgezet in een soort levendige groepstherapie. Iedere gast werd, terwijl hij zijn portie zalm met komkommersalade en de verplichte twee glazen halfzure wijn wegwerkte, gedwongen te luisteren naar de uitdagingen en kleine overwinningen van de anderen, en daarnaast uiteen te zetten hoe de ontwikkelingen in het leven van de betrokkene waren verlopen sinds het verblijf in oma's appartement. Oma stuurde de gesprekken met het soevereine recht van de gastvrouw op het laatste woord bij mogelijke meningsverschillen onder de gasten. Maar ik heb nooit gehoord dat ze in het zomerhuis de bandrecorder bij zich had.

Molly's moeder had tijdens haar jeugd alle zomers in dergelijk gezelschap doorgebracht. Ik vond het vreemd te bedenken dat ze zo zwijgzaam en weinig charismatisch was geworden. Het leek wel alsof ze elk jaar dat verstreek sinds ik haar als tienjarig kind had leren kennen, meer verwelkte, alsof ze geen echte wil tot leven bezat.

Wanneer oma's gasten besloten een paar dagen te blijven, kregen ze een bed in een van de logeerkamers toebedeeld, en een of meer taken. Die bestonden meestal uit werk buitenshuis, het timmeren en verven van een tuinschutting of een vlaggenmast, het knippen van de heg, grasmaaien en het wieden van de rozenbedden of het verven van het tuinhuisje.

De schuur lag vol met allerlei gereedschap, en het hele pand was vanzelfsprekend ongelooflijk goed onderhouden. Wanneer er gasten waren die pianospeelden, werd hun altijd dringend verzocht om na het eten in de woonkamer voor de andere aanwezigen te spelen. Ik geloof niet dat oma daar ooit heeft gespeeld terwijl er toehoorders waren.

Alle gasten moesten elke dag een duik in de fjord nemen, ongeacht het weer. Zelf ging ze maar zelden mee. Er werd nooit over gesproken, maar volgens mij kon oma niet zwemmen.

De volgende vraag in mijn project over het lot komt natuurlijk voort uit de vorige: is het mogelijk om achteraf getuige van het lot te zijn? Kun je, door naar bepaalde situaties terug te spoelen, met een zuiver geweten zaken aanschouwen die ver in de tijd terug liggen en erkennen wat er zich heeft afgespeeld? Misschien het zelfs veranderen? Ik weet het niet.

De afgelopen tijd heb ik bedacht dat het misschien niet zo erg is als ik er niet in slaag te reconstrueren hoe dit beslissende moment met Molly op haar meisjeskamer, toen we negentien waren en het over Strøm hadden, afliep. Voor eigen gebruik is het voldoende dat het volgens mij als volgt eindigde:

"Vertel me wat Strøm voor grensverleggends met jou doet", zei ik tegen Molly.

"Hij leert me zien", antwoordde ze vrolijk, terwijl ze naar me wees met haar wortel alsof het om een aanwijsstok ging.

"Zo."

"Waarom sta je opeens zo sceptisch tegenover hem?" vroeg ze. "Je bent echt jaloers, is het niet?"

"Praat geen onzin. Hij interesseert me gewoon. Een beetje."

"Waarom?"

"Omdat hij jou interesseert."

"En waarom denk je dat hij mij interesseert?"

"Dat zei je zojuist zelf. Hij leert jou kijken. Hij laat je stoppen met veinzen. En het helpt uiteraard dat hij een wereldberoemde fotograaf is en dertig jaar ouder dan jij, en dat je hem hebt weggepikt van al die andere vrouwen die als motten om hem heen zwermen, en die allemaal ouder zijn dan jij."

"Wat klink je koel", zei ze. "Ik herken je niet als je zo praat. Doe niet zo."

"Oké. Ik doe wat je zegt."

"Ik heb nog niet met hem geslapen, als je dat mocht denken. En ik zal je vertellen dat hij eigenlijk verlegen is. Als ik hem teken, weet hij niet hoe hij zich moet gedragen."

"Teken je hem ook?"

"Natuurlijk. Ik ben nu met een tekening van hem bezig. Het wordt volgens mij heel mooi. Hij zal verrast zijn. Als ik hem maar stil kon laten zitten, dat zou mooi zijn."

"Stilzitten? Ik durf te wedden dat je wel een paar trucjes kent."

"Wat bedoel je?"

"Dat weet je heel goed. Enkele trucjes die hem stil laten zitten. Even met je tieten wiebelen en je achterste laten schudden, dan houdt hij zich wel rustig."

"Wat heb jij een ziekelijke, smerige fantasie!" lachte Molly vrolijk. "Jij maakt dat ik meteen naar hem toe wil!"

"Dat meen je niet. Ik ben hier nu toch. Nu zijn wij tweeën bij elkaar."

"Ha! Je bent jaloers! Dat zei ik toch!"

"Doe niet zo kinderachtig."

"Jaloers! Jaloers!" lachte ze, en ze prikte me met het stompje wortel. "Ik ga nu naar hem toe! Ik neem mijn tandenborstel mee en zeg dat ik het huis uit ben gegooid! Dan moet hij mij wel bij hem laten overnachten."

"Dat doe je niet."

"Denk je dat je me kunt tegenhouden?"

"Niemand kan jou tegenhouden."

"En jij bent dus niet jaloers?"

"Absoluut niet."

"Mooi, dan spreken we dat af. Drink je thee op, dan ga ik mijn tandenborstel halen. Ik breng je naar huis, en dan ga ik daarna naar Strøm. Ik zal wel zorgen dat hij stilzit."

"Stilligt, zul je bedoelen", zei ik gelaten.

Ik hoorde haar vrolijke, iets te luide lach. Ze was onoverwinnelijk. Ik was verlamd en zwaar.

Op dat moment liet ik haar in de steek. Ik had haar moeten tegenhouden. Het is moeilijk om helder te denken als je verlamd en zwaar bent.

Het ging zoals ze het wilde. Zo gaat het altijd. Ik ruimde de theebekers op, Molly haalde haar tandenborstel, we liepen de hal in en trokken onze jassen aan. Ze riep naar haar ouders in de woonkamer dat ze mij naar huis ging brengen en dat ze rustig naar bed konden gaan, ze had de sleutel bij zich. Ik ving een glimp op van haar moeders verdrietige gezicht op de bank in de woonkamer toen ik langsliep; ze keek bezorgd en gelaten tegelijkertijd, een bloem die op het punt stond zich voor de nacht te sluiten.

Ik protesteerde niet, ik wist dat niemand Molly kon tegenhouden als ze zich eenmaal iets in het hoofd had gezet. Ik niet en anderen niet. Maar ik voelde mijn lippen trillen.

Ze bracht me helemaal naar huis. We liepen langzaam en zonder met elkaar te praten, ik haalde zwaar adem, ik was zo moe, de medicijnen die ik van de artsen had gekregen gaven me het gevoel dat ik continu griep had. Ik bedacht dat er een kern van waarheid zat in hun woorden dat het verstandig was om alvast een rolstoel uit te zoeken.

De ietwat hysterische moed van Molly leek gedurende de wandeling enigszins op de achtergrond te zijn geraakt. We stopten op de hoek van het appartementencomplex waar ik samen met papa woonde en keken omhoog naar de muur van ramen. We legden onze hoofden in onze nek. Door het verlichte vierkant dat het raam van de bibliotheek in ons appartement op de derde verdieping vormde, zag ik papa langzaam met een boek in zijn hand door de kamer lopen. Het lamplicht om hem heen was geel en gedempt, het zag erbinnen gezellig uit. Hij leek me niet te missen. Mama ook niet. Hij leek niemand te missen.

Molly gaf me een snelle kus op mijn wang, zonder me aan te kijken. Ze straalde niet meer. Ze leek eerder een beetje eenzaam. Ik voelde opeens de drang om mijn arm om haar schouder te slaan en haar te vragen goed voor zichzelf te zorgen, maar de sfeer tussen ons was er niet naar, en ik was zo moe, ik zag ertegen op om zelf de trappen op te klauteren. Ze bood niet aan me te helpen.

"Slaap lekker", zei ze. "Ik bel je morgenochtend."

Die nacht kon ik de slaap niet vatten. Ik lag op mijn rug op bed en voelde hoe de verlamming mijn lichaam zwaar maakte. De inspanning om mijn appartement te bereiken was me te veel geweest. Ik kon de uitputting niet verbergen voor papa toen ik eindelijk de deur van het appartement binnenkwam; hij moest me naar bed helpen, en ik hoorde hem een dokter bellen toen hij dacht dat ik in slaap was gevallen, ik hoorde zijn stamelende, hulpeloze stem, terwijl hij op een nuchtere manier mijn krachteloosheid probeerde te beschrijven.

Terwijl ik in bed naar het plafond lag te staren, stelde ik me voor wat er tussen Molly en Strøm gebeurde. Alle details, alle bewegingen, alle geluiden, alle zuchten en kreunen. Het was alsof ik bij hen in het appartement aanwezig was vanaf het moment dat ze aanbelde.

Ik zag hoe hij verward de deur voor haar opende, hoe ze zich langs hem heen wrong en in een en dezelfde beweging haar jas uittrok. Hoe ze zich vermande en hoe haar ogen straalden, hoe zijn hals rood en warm werd. Hoe hij haar vastpakte en haar de tandenborstel uit haar hand rukte terwijl hij haar wild kuste, zodat ze achterover werd geduwd en met haar hoofd tegen de wand drukte. Hoe hij zijn hand-palm achter haar hoofd legde om het te beschermen. En alles wat er daarna gebeurde.

De dag daarna kwam Molly's moeder bij me op bezoek. Ik was zo verbaasd toen ik haar voor de deur zag staan. Zij noch ik had die nacht een oog dichtgedaan, en we geneerden ons voor elkaar als twee kleine meisjes. Papa was naar kantoor vertrokken; ik nodigde haar uit de woonkamer binnen te komen. Ik was nog in mijn nachthemd, ik was eigenlijk niet van plan die dag op te staan.

Ze bleef op het randje van de bank zitten met haar jas aan en haar knieën tegen elkaar zoals moeders dat vroeger deden. Ik weet niet of moeders nog steeds zo zitten. Ik krijg de indruk dat ze de knieën nu iets meer van elkaar doen.

Met zachte stem vroeg ze me voorzichtig of ze een paar vragen over Molly mocht stellen. Ze sprak zo onduidelijk dat ik haar een paar maal moest verzoeken de vraag te herhalen.

"Molly zal het niet leuk vinden dat ik achter haar rug om praat", zei ik. Dat klonk strenger dan mijn bedoeling was. Haar moeder verloor bijna haar evenwicht op de bank, het was alsof ik haar een por had gegeven. Ik kreeg medelijden met haar. Ik haastte me te zeggen dat ze me natuurlijk van alles en nog wat kon vragen, ik zou niets tegen Molly zeggen.

Ik was ervan overtuigd dat ze alles over Strøm wilde weten, maar dat was niet waarover ze wilde praten.

"Ik begrijp niet waarom Molly niets van ons wil weten", zei ze, nog zachter. Ik moest me helemaal naar haar toe buigen om het te verstaan. "Kun je niet proberen het me uit te leggen?" ging ze verder. "Ik heb altijd geprobeerd van haar te houden met alles wat ik te geven heb. Ze is mijn enig kind. Ik begrijp niet waarom ze me niet wil."

Ik leunde nog dichter naar haar toe en streelde voorzichtig haar hand. Ze barstte in huilen uit.

Toen ze vertrokken was, was ik een ander geworden. Het was alsof er in mij een luikje was opengegaan, dat ongetwijfeld leidde naar iets waarmee ik me lange tijd niet had beziggehouden. Langzaam liep ik de badkamer in, kleedde me uit en nam een douche.

Onder het stromende warme water zag ik mama weer voor me. Ze liep over de geasfalteerde weg in het oude stadsdeel van een vreemde stad. Misschien was ze op weg naar een belangrijke ontmoeting met een man die al een tijdje gespannen op haar wachtte. Ik dacht: zo zal er altijd iemand op mama wachten. Ik kan me niet herinneren dat er iemand op die manier op mij heeft gewacht.

Ik zag voor me hoe ze suizend door de lucht per vliegtuig naar de vreemde stad was gekomen. Ik zag hoe ze meteen vanaf het vliegveld een taxi naar het hotel nam, zich snel douchte met ijskoud water en het lichte pakje aantrok dat ze als handbagage op een kleerhanger van rubber en plastic had meegenomen. Dat pakje met rits, dat bij ons op zolder had gehangen voordat ze bij ons wegging.

Mama stak de bloes in de boord van haar rok en haar voeten in de lichte sandalen. Ze opende haar mond op die besliste, vogelachtige manier zoals ze altijd deed als ze een nieuw laagje lippenstift aanbracht. Ze verliet de kamer en legde de sleutel op de balie bij de receptie met een vluchtige glimlach. De sleutel zat aan een zwaar gewicht van messing waarop het kamernummer stond gegraveerd: kamer 402.

Daarna verdween ze door de deur en ging ze op in de mensenmassa op straat.

En opeens was het alsof ik haar was. Ik voelde de stof van het pakje tegen mijn huid, hoe de voering van de rok opgerold was, ik bracht mijn hand onder mijn rok en trok aan de voering, voelde met een lichte rilling hoe de dunne zijden stof langs mijn dijen streek toen hij onder de rok op zijn plaats viel. Ik bracht mijn handpalm met een lichte beweging naar mijn mond en neus en merkte een bijna onmerkbare aanraking van zeep, messing van de sleutel, schoon vlees.

Opeens was ik weer in de douche in papa's appartement, en ik voelde een enorme woede opkomen, helder en vurig, en ik wist niet waarvoor ik die moest gebruiken. Ik moest naar buiten. Iets uitzoeken.

Ik zei tegen mezelf dat ik naar oma ging, maar dat was niet waar. Ik belde aan bij de deur naast oma's appartement, bij de jongeman die ik elk voorjaar had zien helpen om de piano de trappen af te krijgen, toen Molly en ik klein waren.

Nu was hij volwassen, zoals ik al verwacht had. Hij zag er verbaasd uit, maar liet me binnen zonder te vragen wat ik wilde. Hij had wel door wie ik was.

Hij was bezig in de keuken iets te eten te maken, ik zag de damp uit de aardappelpan opstijgen. Hij liep erheen om de kookplaat uit te zetten. Hij leek daar in zijn eentje te wonen, alleen zijn eigen jas hing in de hal, en daar stonden slechts zijn eigen schoenen.

Ik kwam meteen ter zake. Ik vertelde dat ik op het punt stond te horen dat ik aan een ernstige ziekte leed die, als dat het geval was, me voor de rest van mijn leven invalide kon maken. Dat ik nog nooit een vriend had gehad. Dat ik nog nooit met iemand had geslapen. En dat dat nu moest gebeuren.

"Nu meteen?" vroeg hij. Om de een of andere reden leek hij niet verbaasd.

"Nu meteen", zei ik.

"Wil je misschien eerst iets eten?"

"Eigenlijk niet. Misschien na afloop", zei ik.

Hij was teder en voorzichtig. Zijn slaapkamer was rommelig en er was niet gelucht. Dat was niet vervelend, maar ook niet erg lekker. Hij zag er tevreden uit toen we klaar waren. Ik had een beetje gebloed. Ik bood aan zijn laken te wassen voordat ik vertrok, maar hij lag me op zijn rug aan te kijken en zei dat dat niet nodig was, dat kon hij best zelf doen.

Ik mocht zijn douche gebruiken, toen ik klaar was liep ik met een badhanddoek om me heen de keuken in en zette de kookplaat aan waarop de aardappelen hadden staan koken. Het water begon onmiddellijk te borrelen; het was nog warm, we hadden niet veel tijd verbruikt. Op het aanrecht lagen een pakje vissticks en twee wortels, klaar om geraspt te worden. Ik voelde dat ik geen honger had, helemaal niet.

Toen liep ik de slaapkamer weer binnen, boog me over hem heen en kuste hem. Nog steeds leek hij niet verbaasd.

"Wil je nu wat eten?" vroeg hij.

"Nee, bedankt", zei ik. "Het is wel goed zo."

Vanaf het moment dat ik met moeite de trappen weer af liep wist ik dat ik zwanger was. Het was het juiste moment in de maand en er zijn dingen die je gewoon weet. Het was een beslissend moment.

Ik wist dat ik het nooit aan papa zou kunnen vertellen.

Ik zette mijn rustige leventje bij papa in het appartement voort, kreeg een rolstoel en oefende in het gebruik daarvan. Ik zat veel in mijn ochtendjas op mijn kamer en voelde hoe mijn lichaam op een rustige, wilskrachtige manier aan het werk was. Er huisde nu een klein mensje in me, maar het lukte me niet enig perspectief in die zwangerschap te zien. Mijn gedachten liepen in elkaar over zodra ik probeerde heldere gedachten te vormen over alles wat met het kind te maken had. Ik begreep natuurlijk dat ik het niet zou kunnen houden.

Voor zover ik nog helder kon denken, dacht ik dat Molly en Strøm het nu fijn met elkaar hadden. Het was niet vreemd dat Molly niet belde, zei ik tegen mezelf, ze was vast gewoon gelukkig en verliefd, ze maakte het prima zonder mij. Ze zou binnenkort wel weer contact opnemen. Een goede vriendin als ik moet op de achtergrond kunnen blijven als er liefde in het spel is, zei ik tegen mezelf. Een goede vriendin is discreet en tegelijkertijd bemoedigend. Een goede vriendin weet van alles, maar niet te veel. Ze luistert, maar niet op een opdringerige manier. Ze bemoeit zich niet met de verhouding van vriendinnen met hun moeder, en vooral niet met die met hun minnaar.

Toen kreeg ik andere zaken om aan te denken. De ziekte was werkelijk bezig in een heftige fase te komen. Het was een genadeloze terugslag, ik moest weer worden opgenomen en er volgden nieuwe onderzoeken. De arts die ontdekte dat ik zwanger was, maakte daar geen groot probleem van, en we besloten dat het geen zin had om het aan papa te vertellen. Hij was al gebroken, hij zou onmogelijk kunnen begrijpen hoe ik in vredesnaam in verwachting had kunnen raken. Ik wist dat hij aan een nieuw, groot project op het instituut bezig was, maar nu kon hij alleen maar aan mij denken, zelfs al lag ik in het ziekenhuis en had hij het appartement dus feitelijk voor zich alleen, zodat er geen reden was om niet aan het werk te gaan. Naast alle andere zorgen had ik een vreselijk slecht geweten om hem.

Ik kan me de abortus bijna niet meer herinneren; alles liep in het ziekenhuis zo door elkaar. Ik werd van mijn bed in de rolstoel getild en weer terug, het was in de tijd dat de verpleegkundigen me begonnen te wassen alsof ik een kind was en geen jonge vrouw. En gehoorzaam liet ik hen mijn armen optillen en liet ik het washandje over mijn oksels gaan, draaide mijn hoofd van de ene kant naar de andere, zodat ze mijn hele hals en nek onder handen konden nemen. Ik dacht: deze vrouwen zijn mijn moeder. Ze kennen me.

Ik lag in het ziekenhuisbed uit het raam te staren, terwijl ik naar het nieuws op de radio luisterde. Er waren in die tijd zoveel dramatische gebeurtenissen in de wereld, het leek alsof de aardbol in een golf van slecht nieuws zat. Ik voelde alles zo intens; de beelden van alles wat brandde, ineenstortte, uit de hemel viel, heen en weer vloog in mijn hoofd. Ik liet ze vliegen, het lukte me niet de radio uit te zetten.

Molly kwam stilletjes binnen, ik merkte het pas toen ze midden in de kamer stond. Het verbaasde me, ik wist het anders meestal wel als ze in de buurt was. Ik draaide plotsklaps mijn hoofd naar haar om. Haar gezicht zag grauw, en haar haar zat niet zo warrig als anders altijd het geval was, het hing gekamd en glad en een beetje vettig steil naar beneden.

"Maar lieverd", zei ik overrompeld, en ik strekte mijn arm uit naar de radio. Zo, dacht ik. Eindelijk had ik de radio weten uit te zetten.

Ze liep snel op het bed toe, boog zich voorover en omhelsde me. Ze begon te huilen toen haar wang de mijne beroerde. Ze was zo warm, het was alsof ze koorts had.

"Mama heeft Strøm gebeld", zei ze. "Ze is bij de dokter geweest. Ze is heel erg ziek."

"O, Molly."

"Ik wil er niet over praten."

"Maar je moet toch ..."

"Ik wil er niet over praten, zeg ik."

"Nu, goed dan."

"Ik wist dat dit zou gebeuren. Dat gevoel had ik. Net nu alles zo goed gaat. Typisch iets voor haar."

"Molly!"

"Kijk me niet zo aan!" riep ze naar me. "Ik wil er niet over praten, heb ik toch gezegd! Ze mag de boel niet voor me verpesten! Net nu ik goed op weg ben! Zorg voor me, laat me hier een poosje blijven."

"Kom maar hier", zei ik. "Kijk, je mag mijn dekbed wel hebben."

Het korte moment waarop ze onder mijn dekbed kroop, voelde ik me als een moeder die in bed plaats inruimde voor haar dochter. Een moeder die haar koortsige dochter met een rustige, volwassen armbeweging toedekte.

"Ik zal voor je zorgen", zei ik. "Je hoeft nergens bang voor te zijn. Je hoeft alleen maar uit te rusten. Het is je de laatste tijd allemaal te veel geweest."

De volgende keer dat ze mij in het ziekenhuis bezocht, was een aantal weken later. Toen zag ze er heel anders uit. Ik vertelde haar niets over de abortus, dat vond ik niet nodig, of misschien kon ik er niet over praten. Er waren zoveel andere dingen mis met me, het gleed in elkaar over, volgens mij had ik het overzicht verloren.

Van papa had ik gehoord dat Molly's moeder in hetzelfde ziekenhuis was opgenomen als ik, maar op een andere afdeling. Het ging waarschijnlijk nogal slecht met haar. Molly was nog niet bij haar op bezoek geweest. Papa had me niet aangekeken toen hij dit vertelde, alsof het om informatie ging waar hij het liefst niets mee te maken wilde hebben.

Ik was nu naar een vierpersoonszaal overgeplaatst, en er was weinig ruimte voor privacy en intieme gesprekken, dus stelde ik voor dat Molly en ik naar de rookkamer gingen om rustig te kunnen praten. Maar dat vond ze maar niets. Ze zei dat ze de ziekenhuiszaal liever anders wilde inrichten, zodat we een beetje ruimte voor onszelf hadden. Ze zag vast kans om iets te regelen wat me op kon beuren, midden in alle ellende. Nu, achteraf, denk ik dat ze die dag een beetje manisch was.

Met haar gebruikelijke autoriteit verdween ze naar de zusterpost. Ik weet niet hoe ze het voor elkaar kreeg, maar een paar minuten later kwam ze met twee verpleegkundigen terug, en allemaal hadden ze een scherm bij zich dat ze opgewonden en lachend neerzetten. Het leek alsof ze al vriendinnen waren geworden. Over haar arm hing een stapel lakens, en daarmee wist ze binnen de kortste keren een kleine tent voor ons beiden te maken, om mijn bed heen. De verpleegkundigen hielpen haar daarbij. De drie andere patiënten in de bedden om ons heen, die tot dusver geen onnodig woord met elkaar of met mij hadden gewisseld, keken nauwlettend toe. Ze becommentarieerden het bouwproject opgewekt en kwamen met vindingrijke voorstellen voor oplossingen.

"Wasknijpers!" beval Molly, en een van de verpleegkundigen liep meteen grinnikend weg om wasknijpers te pakken, waarmee we de lakens konden vastmaken. Een van de andere patiënten had een zaklantaarn in de la van het nachtkastje die we beslist van haar moesten lenen.

Toen alles klaar was, had Molly binnen heel korte tijd een eigen klein ziekenhuiszaaldecor van witte lakens om me heen gemaakt. Verbaasd zag ik verpleegkundigen en patiënten van andere zalen binnenkomen om te applaudisseren voor het bouwwerk. Het was alsof ik weer midden in een theatervoorstelling zat, dat gevoel had ik sinds de vierde klas niet meer gehad. Binnen een mum van tijd was de hele afdeling een en al opgewektheid en vrolijkheid. Molly heeft altijd dat unieke vermogen gehad om anderen tot ijver aan te zetten. Dan deed ze veel aan oma denken, aan de manier waarop ze de sfeer orkestreerde, telkens als de piano verhuisd moest worden. Ik was de enige die zag dat ze er niet helemaal bij was, dat ze eigenlijk aan iets heel anders dacht.

Toen het decor helemaal klaar was, liet Molly de anderen weten dat zij en ik iets Belangrijks te bespreken hadden. Ze wist dat woord zo uit te spreken dat iedereen de hoofdletter kon horen, terwijl ze tegelijkertijd een vrolijke ironie wist over te brengen in de manier waarop ze dat woord uitsprak.

Toen trok ze het laken, dat als een tentdeur was gedrapeerd, met een dramatische zwaai dicht en bleef een ogenblik vertwijfeld staan voordat ze bij me in bed kroop. We hoorden hoe de verpleegkundigen daar buiten ons kleine hol weer de gang op verdwenen. Molly trok het dekbed over ons heen en deed de zaklantaarn aan. Het hol werd verlicht.

"Zo!" zei ze. "Dit is beter. Eindelijk zijn we alleen."

En dat was zo. We vormden een scène. We fluisterden. De drie andere patiënten in de andere bedden zagen we niet meer. Je zou zeggen dat er een beklemmende situatie tussen ons kon ontstaan, zoals we daar in bed zaten. Het was verre van intiem. Maar haar scenografie werkte; beide toneelspeelsters, wij dus, kwamen op en brachten de scène tot leven.

Het stuk ging over twee vriendinnen die alles met elkaar deelden. Ze stonden elkaar erg na. De een, Molly, had een minnaar die kunstenaar was. Nu was ze zelf op weg om kunstenaar te worden, ze aapte hem als het ware na. Haar moeder was erg ziek en lag op sterven, maar daarover wilde ze niet praten.

De andere vriendin was ik. Zij wist niet helemaal wat ze wilde worden. Haar moeder was al jaren geleden verdwenen, en ze leek in elk geval geen kunstenaar te worden. Ze was alleen maar ziek, en ze zou nooit kinderen krijgen. Ze had nog niet veel kennis over het lot opgedaan.

De vrouw met de minnaar wilde het alleen maar hebben over alles wat hij haar had bijgebracht.

"Hij leert me zien!" fluisterde ze. "Ik ken mezelf nu veel beter, hij heeft me erg bewust van mezelf gemaakt."

"Dat heb je me al eens verteld", fluisterde de zieke terug. "Heb je me niets nieuws te vertellen?"

"Er zal nooit iets nieuws komen", antwoordde de kunstenares. "Dit is het enige: hij leert me zien. Dat is het enige wat belangrijk is."

"Wat dan zien?"

"Van alles, begrijp je! Alles! Op een nieuwe manier."

"O?"

"Je wilt het echt niet begrijpen", zei ze op die wat manische manier die ik zo goed kende. "Het is heel simpel, je hoeft alleen maar te zien zoals het werkelijk is. Kijk hier maar, ik zal het je tonen." Ze pakte een

notitieboekje uit haar zak en ze leek iets voor me te willen gaan decla-
meren, waarschijnlijk iets wat Strøm had gezegd.

"Hoe gaat het met je moeder?" vroeg ik.

Dat had ik misschien niet moeten zeggen. In elk geval verliet Molly op
dat moment met een onverwachte, boze beweging ons hol. Ze deed de
zaklantaarn uit, sloeg het dekbed weg, legde het notitieboekje op het
nachtkastje en stond op. Ze pakte de grote schoudertas die ze aan het
voeteneind had gelegd. Daaruit pakte ze een van de maskers die ik
destijds bij oma had gezien. Ik was verbluft, ik had nooit meer aan de
maskers teruggedacht. Dit was het witte halve masker met een grote,
kromme vogelbek.

"Waar heb je dat vandaan?" vroeg ik.

Maar ze gaf geen antwoord. Ze zette alleen het masker met de bek
voor haar gezicht en trok de lakens opzij, alsof het toneelgordijnen
waren. De drie andere patiënten op de zaal werden weer werkelijkheid. Ze staarden haar als gehypnotiseerd aan.

Molly stapte de zaal binnen en bleef een aantal minuten volkomen
onbeweeglijk staan. Het was alsof het vogelmasker haar helemaal veranderde. Met een langzame, glijdende beweging haalde ze een spie-
geltje tevoorschijn en bracht dat voor haar gezicht. De maskerfiguur
leek een eigen leven te gaan leiden toen die zichzelf in de spiegel zag.
Niet alleen Molly's gezicht was veranderd, ook haar hele lichaam: ze
bewoog zich in de ziekenhuiszaal voort op een manier die ik nog
nooit eerder bij haar had gezien: een bescheiden, droevige manier;
niet energiek, zoals gewoonlijk. Het personage van het masker nam
bezit van haar, en drukte alle verdriet, wanhoop en angst uit die we
beiden voelden over wat er met ons aan de hand was. Maar dat
gebeurde op een gedempte, geleidelijke manier; de gestalte liep voorzichtig door de zaal en tilde dingen op, onderzocht alles wat hij zag,
ook de andere patiënten in de bedden. De vogel onderzocht de
patiënten alsof het dingen waren, alsof die niet leefden. Hij tilde een
arm in een lichtblauw ziekenhuishemd op en legde hem voorzichtig
weer op het dekbed, raakte een oor aan. Ik kreeg het gevoel dat die
vogel een kind was dat nog nooit in zo'n vreemde wereld was geweest.
En dat was oneindig triest. Het had iets verloren.

Na een tijdje stond de deuropening vol met verpleegkundigen,
artsen en patiënten van andere zalen, die zwijgend naar de bizarre
voorstelling van Molly stonden te kijken. Niemand zei iets. Volgens
mij voelden we ons allemaal herschapen, alsof we echt voorwerpen
waren en geen mensen.

Ten slotte leek het alsof de vogel de hele zaal en iedereen erin had onderzocht, en dat dit alles zijn natuurlijke einde had gevonden. Toen bleef de vogel weer een aantal minuten onbeweeglijk midden in de zaal staan. Toen deed hij eindelijk een hand omhoog en trok het masker met de kromme bek in één opgaande beweging van het gezicht weg.

Op het moment dat Molly's gezicht weer zichtbaar werd, was de vogel verdwenen. Het was een schok om te zien dat zíj de hele tijd onder het masker had gezeten. Ze leek zelf ook verbaasd; bijna gehypnotiseerd.

Nog steeds zei niemand op de zaal iets. Molly liep op mij toe, boog zich over me heen en kuste me op mijn mond. Daarna stopte ze het masker en de spiegel weer in haar tas, pakte haar jas en verdween zonder iets te zeggen van de zaal.

Ik had misschien bezorgd om haar moeten zijn, maar dat was ik niet. Ik dacht: iets in haar weet waar ze naartoe moet. Nu gaat ze de stad in, daar loopt ze een poosje rond tot ze het koud krijgt en honger heeft. Dan gaat ze naar Strøm. Hij zal voor haar zorgen. Strøm en ik verdelen de taken tussen ons. We zijn als een echtpaar dat samen enkele kinderen heeft opgevoed; we weten hoe we dat moeten doen.

Een paar dagen later kwam papa en hij vertelde dat Molly's moeder was overleden. Ze was rustig ingeslapen, zoals dat heet, in een bed op maar één verdieping lager dan ik lag. Molly was niet op bezoek geweest, en oma ook niet. Alleen Molly's vader. Papa had de overlijdensadvertentie in de krant gezien. Dat Molly noch oma op bezoek was geweest, had hij gehoord van een collega op het instituut die de familie een beetje kende. Juist dat soort dingen maken immers dat mensen gaan roddelen.

Ik wist niet wat ik moest zeggen. Papa ook niet. Ik zag dat het hem te veel was, meer kon hij niet aan. Hij had die blik die zei dat hij hier geen krachten aan wilde verspillen. Ik begreep hem. Ik kon er ook niet nog meer bij hebben.

Hij vroeg of we misschien bloemen voor de begrafenis moesten sturen. Ik zei dat ik dat vanaf de afdeling kon regelen. Hij leek opgelucht, alsof hem een last van zijn schouders was genomen, bijna voordat hij een uitweg uit de situatie had gevonden.

Toen papa was vertrokken, lag ik na te denken. Ik voelde me vreemd rustig en helder. Langzaam draaide ik mijn hoofd in de richting van het nachtkastje en zag daar het zwarte notitieboekje van Molly liggen waar een strik omheen zat. Het lag naast de radio, daar had ze het neergelegd voordat ze een treurvogel werd. Er was vast iets wat ze me had willen laten zien in het boekje, een schets van Strøm of zoiets, maar toen had de vogel het overgenomen en werd het notitieboekje vergeten.

Ik sloeg het open en bekeek haar tekeningen, het dichte handschrift, de pijlen en onderstrepingen. Ik had niet het gevoel dat ik iets deed wat niet klopte; het was alsof het boekje altijd van mij was geweest, alsof ik degene was die er de aantekeningen in had gemaakt.

Het meeste ging over Strøm. Het leek alsof Molly over de afgelopen tijd een dagboekje had bijgehouden, gevuld met tekeningetjes en citaten. Ik zag niets over de ziekte van haar moeder staan. Haar project van die tijd was kennelijk uitsluitend een Strømproject en geen mamaproject.

Ik wilde begrijpen wat er met Molly gebeurde. Dat was mijn enige wens. Ik zag alles voor me en liet haar voor me leven, terwijl ik het boekje langzaam doorbladerde. Ze had me niet zoveel echte feiten over zichzelf en Strøm verteld. Het grootste deel had uit dweperige beschrijvingen en halfverteerde filosofische beschouwingen bestaan. De echte beelden moest ik zelf maken:

In het begin van hun relatie waren Molly en Strøm voorzichtig met elkaar. Zij mocht dan jong zijn, geen enkele grens hebben en voor de meeste dingen te porren zijn, hij was uiteindelijk niet zo onbezonnen als de geruchten wilden doen geloven. Hij was nog van de oude stempel, en ik kwam tot de conclusie dat hij best besefte dat hij deze jonge vrouw veel schade zou kunnen berokkenen, mocht hij haar dwingen iets te doen waarop ze niet was voorbereid.

Ze maakten samen diverse tochten. Ze reden naar de fjord, of naar de uitgestrekte bossen buiten de stad. Molly vroeg hem uit over zijn leven, vooral over zijn eigen ontwikkeling als fotograaf, maar ook over de vrouwen die hij had gehad, wat hij met hen had gedaan, welke invloed ze op hem hadden gehad. Hij was terughoudend in wat hij haar vertelde.

Toen stond Molly een keer op het punt om weg te gaan. Ze was de hele middag bij hem thuis geweest. Ze had op de vanzelfsprekende manier van een tiener zijn keuken ingenomen, voor hen beiden thee gezet en die in de woonkamer geserveerd. Hij had ruim de tijd genomen om opmerkingen over haar laatste foto's te maken. Die waren niet mooi, ze leden aan de meest elementaire gebreken. Toch hadden ze wel iets. Daar praatte hij met haar over. Zij vatte dat op alsof hij een zwak voor haar had, en dat hij een mate van geduld voor haar opbracht die ze niemand anders die bij hem op bezoek kwam, had horen noemen.

Hij had haar gevraagd de foto's te selecteren die ze zelf het best vond, en hem de reden daarvan uit te leggen. Haar selectie was overtuigd geweest, maar de argumenten waren mager. Met een frons had hij haar aangehoord, en zodoende raakte ze gejaagd en ging ze steeds sneller en luider praten. Ten slotte had ze de foto's opeens bijeengegraaid van de grote werktafel. Ze zei dat ze naar huis wilde, en dat fotograferen eigenlijk niet haar hobby was, maar tekenen.

En toen stond ze hem in zijn hal aan te staren. Hij was niet uit de versleten, diepe bureaustoel gekomen, hij had zich omgedraaid zodat hij met zijn rug naar haar toe en het gezicht naar het raam zat, terwijl zij met haar jas en de lange gebreide sjaal in de weer was. Ze trok haar jas aan en daarna weer uit. Hij draaide zijn stoel weer naar haar toe en keek haar aandachtig aan. Toen vroeg hij of hij haar foto's een tijdje mocht houden. Ze gaf geen antwoord.

Ze hoorde hem opstaan en door de kamer naar haar toe lopen. Ze stond nu met het gezicht naar de deur, maar ze had haar jas in haar handen.

Er was opeens iets tussen hen veranderd, maar ze begreep niet wat.

"Wat zie je in mij wat ik zelf niet zie?" vroeg ze op een toon die het onmogelijk maakte geen antwoord te geven. Hij ging dicht bij haar staan, legde zijn arm om haar heen en pakte haar de jas af. Daarna hield hij hem achter haar open, zodat ze haar armen erin kon steken. Hij draaide haar om en deed langzaam haar knopen dicht.

Voor iemand die zo oud is, heeft hij soepele vingers, dacht ze. Hij sloeg de lange sjaal een aantal keren om haar nek, legde ten slotte zijn handen op haar schouders en drukte haar als het ware in haar eigen vorm.

"Je bent zo mooi", zei hij zacht. "Je straalt."

Een paar weken later stonden ze weer dicht tegen elkaar aan, voor de grote spiegel in de hal, naakt. Zo had ze hem al diverse malen begroet, ze was niet langer verlegen. Hij stond achter haar, zij trok zijn armen om zich heen en drukte zich tegen hem aan.

"Zeg nog eens wat je een keer eerder hebt gezegd", zei ze.

"Wat dan?"

"Zeg wat je tegen me zei. De tweede keer dat we vreeën. Vlak daarvoor."

"O, dat."

"Zeg het."

"Je bent mooi", zei hij.

"Maar zeg dat andere ook."

"Zei ik verder nog iets?"

"Ja. Je zei nog iets."

"Ik weet niet of ik me dat wel herinner."

"Hou me niet voor de gek. Je weet het nog. Zeg het."

"Ik ..."

"Zeg het."

Hij maakte zijn armen los en deed een stap opzij, zodat ze alleen in het spiegelbeeld bleef staan.

"Je straalt", zei hij.

"Ja?"

"Ja. En ooit zul je iets groots creëren."

Dat wakkerde haar vuur aan.

Sommige dingen weet je gewoon.

Maar er was ook nog een andere keer, dacht ik. Molly arriveerde op een nieuwe manier in zijn appartement. Die keer had ze geen foto's bij zich, maar haar tekenspullen. Ze had een nieuw soort autoriteit, alsof ze het recht had verworven iets van hem te eisen wat ze nog niet eerder had gehad. Ze liep meteen de woonkamer binnen zonder haar schoenen uit te trekken, en verzocht hem de bureaustoel voor het raam te zetten en daar te gaan zitten.

"Ga je me tekenen?" vroeg Strøm. Hij leek opeens verlegen.

"Natuurlijk. Ik heb besloten toelatingsexamen voor de kunstacademie te doen."

"Zo, de kunstacademie."

"Ja!"

"En dan ga je als eerste mij tekenen?"

"Ja."

"Ik had eigenlijk niet gedacht dat ..."

"Meende je niet wat je zei? Of weet je het misschien niet meer?"

"Ik weet nog wat ik zei en meende het ook."

"Zit dan stil. En je mag niet kijken hoe het wordt. Ik ga alleen tekenen, daarna ga ik weer weg. Oké? We vrijen niet."

"Maar zal ik niet eerst een kopje koffie voor ons zetten?"

"Nee. Zit stil."

Ze was al gaan zitten, legde haar tekenblok op haar knie en begon.

Hij zat onbeweeglijk op zijn stoel en staarde zo lang mogelijk uit het raam. Toen stond hij opeens op en wankelde naar haar toe; zijn ene been was gaan slapen in die ongemakkelijke houding, en daarnaast voelde hij zich niet lekker. Hij had haar niet verteld dat hij aan suikerziekte leed, en hij was ook niet van plan om dat nu te gaan doen.

Ze legde het tekenblok snel weg en ging staan om hem op te vangen, aangezien hij op het punt stond tegen haar aan te vallen. Zonder een woord te zeggen, bracht ze hem naar de rommelige bank. Daar liet ze hem zitten en legde de plaid over zijn knieën, alsof hij een oude passagier op een plezierboot was. Vervolgens stopte ze haar tekenspullen in haar tas, trok haar jas aan, kuste hem op zijn voorhoofd en verliet het appartement.

Volgens mij dacht hij: ze gaat me verlaten. Ik weet ongeveer wat ik haar te bieden heb, en zij vermoedt hetzelfde. Als ik verder niets meer heb, en zij merkt dat ik ziek ben, zal ze me gaan verlaten.

Maar wat hij bedoelde was: ik ben bang.

Molly en ik wisten geen van beiden veel van Strøms achtergrond, behalve wat ze hem over zijn vrouwenaffaires had weten te ontfutselen en wat er in de catalogus bij de tentoonstelling die we hadden gezien over hem had gestaan. Hij had er opmerkingen over gemaakt, die keer dat ik hem in zijn appartement had opgezocht, maar dat had ik haar niet verteld. Er had gestaan dat hij uit een gegoede familie afkomstig was, dat hem de rol van erfgenaam van het familiebedrijf was toebedacht, maar dat hij als jongeman met zijn familie had gebroken, waardoor hij was onterfd. Eerst had hij schilder willen worden, en hij had een tijdje een particuliere schildersopleiding gevolgd. Maar toen was hij van richting veranderd en had hij voor de fotografie gekozen. Hij had in het buitenland gereisd en was al snel in contact gekomen met een grote Franse fotograaf, een van de allergrootsten, die toen al een oude man was. Er deden veel verhalen de ronde over de eerste ontmoetingen tussen die twee, en het viel moeilijk te zeggen of die verzonnen of echt waren. Strøm leek het onaangenaam te vinden om over die periode in zijn leven te praten.

En toen kwam de avond waarop Molly de trappen van het appartement op kwam waar papa en ik woonden.

Ze was duidelijk in shock. Papa was niet thuis, hij was nog op het instituut, zoals dat in die tijd vaak het geval was. Ik geloof dat hij er gedeprimeerd van werd om te veel bij mij te zijn.

Ik bleef haar in de deuropening aanstaren. Zij staarde terug. Toen pakte ik haar jas aan en liet haar de woonkamer binnengaan en op de bank plaatsnemen, waarna ik de plaid om haar heen sloeg.

"Wil je een kop thee?" vroeg ik.

"Nee."

"Cognac?"

"Ja."

Ik liep naar papa's barkast, schonk cognac in een van zijn grote cognacglazen en gaf dat aan haar. Ze dronk het in twee grote slokken leeg. Ze rilde zelfs niet toen ze het doorslikte. Ik maakte me geen zorgen; ik kende haar.

Daarna begon ze te vertellen. Ze was met Strøm en een paar mensen van wie ze dacht dat het vage kennissen uit het kunstmilieu waren, in een café geweest. Hij had de hele middag niet op zijn gemak geleken, er was kennelijk iets wat hem kwelde, maar ze kwam er niet achter wat dat was. Ten slotte was hij opgestaan en vertrokken. Zelf was ze blijven zitten, ze was te trots om hem achterna te lopen, ze wilde niet zo'n afhankelijk meisje zijn dat claimend achter haar verovering aan rent.

Toen Strøm was vertrokken, was het gesprek niet onverwacht om hem gaan draaien.

"Wat zeiden ze dan?" vroeg ik. Molly maakte zo'n ongelukkige indruk, en ik kon me niet voorstellen wat er was gebeurd.

"Ze begonnen over zijn verleden te praten. Opeens begreep ik dat hij vroeger met een van die wijven aan onze tafel had gehokt. Uiteraard had zij het hoogste woord."

"Dat kan ik me voorstellen, ja."

"Ik weet zeker dat ze dat deed omdat ze wist dat ik met hem ga. En de anderen gingen meedoen, en spraken over dingen die ze van hem wisten. Die wijven zijn zo vreselijk jaloers, en ze doen ook geen enkele moeite dat te verbergen, ze jutten elkaar op."

"Maar wat zeiden ze?"

"Ze zeiden dat hij getrouwd is."

"Oei. Met wie?"

"Een vrouw die in Frankrijk woont. Ze hebben elkaar ontmoet toen hij nog erg jong was, en zij was enkele jaren ouder dan hij."

"En hij is niet van haar gescheiden? Na al die jaren?"

"Blijkbaar niet. Maar dat maakt waarschijnlijk niet veel uit, want ze wil niets met hem te maken hebben."

"Waarom niet?"

"Ze heeft een kind van hem. Een dochter die nu al groot is. Van mijn leeftijd."

"Jeetje."

Ze vertelde dat die vroegere vlam van Strøm haar later die avond naar het damestoilet was gevolgd. Ze was twintig jaar ouder dan Molly en een succesvolle zangeres. Ze was duidelijk onder invloed en had gezegd dat het haar zaak niet was, maar ze wilde dat Molly wist dat

Strøm de voogdij over zijn Franse dochter was kwijtgeraakt vanwege incest. Het misbruik zou hebben plaatsgevonden toen zijn dochter nog klein was en jarenlang hebben geduurd, en Strøm had toegegeven. Hij had ervoor in de gevangenis gezeten, jaren geleden, zei ze. De zaak was aan het licht gekomen toen dat wijf met hem ging. Hij had ook tegenover haar toegegeven dat hij het misbruik had gepleegd. Er waren niet veel mensen die ervan wisten; ze had het liever voor zich gehouden, dus hadden de anderen rond de tafel in het café er nooit iets over gehoord, en ze zou het hun ook niet vertellen, benadrukte ze met een plechtig gezicht. Zelf was ze bij Strøm weggegaan toen ze over de incestaffaire te horen kreeg. Sindsdien had ze geen contact meer met hem gehad, tot ze hem die avond in het café toevallig tegen het lijf liep. Ze geloofde ook niet dat hij het zelf aan iemand had verteld.

Molly staarde me onder het vertellen met een strakke blik aan. Ik wist niet wat ik moest zeggen. Ze reikte me het cognacglas aan en ik schonk haar nog een keer in.

"Het ergste was dat ze me dit vertelde terwijl ik zat te plassen", zei ze. "Ik kon niets doen om haar tegen te houden, en ik had een paar liter bier gedronken, er leek geen eind aan te komen, het was lastig om precies te horen wat ze zei. Ze was zo weerzinwekkend. Ik snap niet wat hij in haar heeft gezien."

"Ga je hem vertellen dat je het weet?"

"Nee. Maar hij heeft gezien dat ze daar was; daarom is hij waarschijnlijk weggegaan. Hij is nu vast nerveus."

"Ja, nu zal alles tussen jullie wel anders worden! Je moet de relatie verbreken."

"Natuurlijk. Over een tijdje. Maar ik ben nog niet met hem klaar", zei ze verbeten.

"Wat bedoel je?"

"Hij gaat me leren tekenen en fotograferen. Niemand in de stad is zo goed als hij, en het is te vroeg voor me om naar het buitenland te gaan."

"Ik vind dat uitbuiten, Molly."

"En wat denk je dat hij met mij doet?"

"Ik heb niet het gevoel dat hij jou uitbuit. Ik heb de indruk dat je heel goed weet wat je doet."

"Hij is geen haar beter. Hij gebruikt me als een trofee. Ik zie dat wel, hij weet het niet te verbergen als we zijn vrienden ontmoeten, zoals vanavond."

"Je hebt nooit eerder verteld dat je er zo over denkt."

"Ik zie het nu ook pas."

Ze raakte na een tijdje behoorlijk dronken, en toen papa thuiskwam, was ze op de bank in slaap gevallen. Hij hielp me haar in mijn bed te dragen. Papa stelde geen vragen, hij respecteerde mij en mijn leven, en hij begreep dat het een noodsituatie was. Maar hij zag er verward uit.

Achteraf bedacht ik me dat hij bijna opgelucht leek dat ik me ergens bij betrokken voelde.

Ik keek toe terwijl hij een matras voor me op de vloer in orde maakte. Ik moest als een hond over Molly liggen waken.

De volgende dag ging Molly terug naar Strøm. Ik kon het niet geloven. Ik maakte me zorgen om haar. Het was duidelijk dat ze een inzinking had gehad, maar ook dat haar besluit sterker was dan wat er in haar kapot was gegaan.

Het was een zondag, ze was suf en moet een enorme kater hebben gehad toen ze het appartement van papa en mij verliet. Ik had sterke koffie gezet en bacon voor haar gebakken, ik had haar bezwete voorhoofd gekust voor ze vertrok.

Volgens mij heeft ze Strøm niet met haar kennis geconfronteerd. Misschien is ze gewoon met hem blijven tekenen alsof er niets was gebeurd. Het is niet helemaal zeker hoeveel hij destijds van haar begreep. Misschien was hij wel een beetje bang voor haar. Bang om verlaten te worden.

Ik zie voor me dat Strøm haar op die zondag dat ze bij mij vandaan kwam, meenam op een lange wandeling langs een van de stranden buiten de stad. Ze liepen waarschijnlijk met lange stappen naast elkaar zonder iets te zeggen. Het was een koele herfstdag midden in oktober; het was slecht weer, beiden waren geheel in regenkleding met laarzen en een zuidwester gehuld, maar toch werden ze koud en nat.

In de auto terug naar huis zette hij de verwarming op hoog, en ze legden de regenjassen en zuidwesters op de achterbank. De ruiten besloegen, en ze moesten ze voortdurend afnemen met een doekje uit het handschoenenkastje. Voor de verandering zat Molly zwijgend uit het raam te staren, wanneer ze tenminste niet naar zijn kant van de voorruit boog en verbeten een cirkel vlak voor hem schoonwreef, zodat hij haar geïrriteerd aan de kant moest duwen omdat ze het uitzicht belemmerde.

Ik verbeeld me dat hij in de auto al merkte dat ze een besluit had genomen. Hij meende te weten wat ze had besloten en dat maakte hem onrustig. Zonder het te merken, minderde hij vaart. Toen ze de stillere straten in zijn buurt in draaiden, vroeg hij of hij haar niet naar huis moest brengen. Ze keek hem niet-begrijpend aan.

Toen reden ze naar zijn huis en parkeerden ze op hun gebruikelijke plek. Ze liep voor hem uit het complex binnen en de trappen naar het appartement op. Ze stond voor de deur op hem te wachten, hij reikte haar de sleutels aan en zij schopte de krant opzij die op de deurmat lag. Ze deed de deur van het slot, deed in de gang haar laarzen uit en verdween zonder een woord te zeggen de badkamer in. Hij hoorde hoe ze de deur op slot draaide, dat ze een aantal keren aan het snoer van het toilet trok, en daarna het geluid van stromend douchewater. Hij hing hun regenkleding in de gang te drogen en ging aan de werktafel in de woonkamer zitten. Daar schonk hij zichzelf iets te drinken in, maar niet voor haar. Hij bleef besluiteloos zitten zonder het drankje aan te raken.

Ten slotte kwam ze naar buiten. Ze was naakt, haar huid zag er rood en warm uit nadat ze zich met een van zijn harde, versleten handdoeken had afgedroogd. Ze droeg haar kleren in een bult; het slipje en de bh zaten zorgvuldig in de mouw van haar trui verstopt. Ze keek hem niet aan, maar liep stijf langs hem heen de slaapkamer in. Daar legde ze de bult kleren op de vloer, ze trok het dekbed met een ruk opzij. Daarna kroop ze eronder.

Het was een heel smal eenpersoonsbed.

Hij bleef een tijdje in de woonkamer zitten zonder te weten wat hij moest doen. Daarna liep hij naar de slaapkamerdeur en leunde tegen de deurpost aan terwijl hij naar haar keek. Ze was zo mager onder dat dekbed, ze was bijna niet te zien.

"Wat wil je dat ik nu doe?" vroeg hij uiteindelijk.

"Vraag het me niet", zei ze. "Kom hier."

Naderhand huilde ze. Eerst zonder een kik te geven, daarna hardop; haar hele lichaam beefde. Hij probeerde zijn arm om haar heen te slaan, maar ze schoof hem weg.

Het was onmogelijk om ver bij elkaar vandaan te raken in dat smalle bed, maar ze drukte zich zo dicht mogelijk tegen de wand en keerde hem haar witte rug toe. Hij bleef met zijn onderarm over zijn ogen op zijn rug liggen. Misschien had hij het gevoel dat hij nu alles kapot had gemaakt, dat dit zijn schuld was. Hij was hardhandiger geweest dan zijn bedoeling was, en zij was anders geweest dan hij voordien had meegemaakt. Hij was van plan geweest ruim de tijd te nemen, voorzichtig met haar te zijn, maar zij was opdringerig en ongeduldig geweest, en tegelijkertijd een beetje afwezig, alsof ze niet wilde dat hij bij haar in de buurt kwam. Alsof ze eigenlijk met rust gelaten wilde worden.

Het was niet de eerste keer dat ze met elkaar vreeën, maar zo voelde het wel. Hij kreeg het gevoel dat het alleen om deze ene keer ging, alsof dit de laatste keer was, die al die andere keren ongeldig maakte. Een soort uitglijder, die al die andere keren uitwiste; de keren die goed waren geweest.

"Sorry", zei hij ten slotte. Ze antwoordde niet, maar haar snikken lieten haar lichaam ineenkrimpen. Opeens besefte hij dat deze huilbui niets met hem te maken had. Er was een gat tussen hen ontstaan, een bodemloos gat; hij wist niet wat dat was. Maar hij begreep dat hier hun wegen zich scheidden.

Als ze bij elkaar waren gebleven, zou hij tegen die eenzaamheid binnen in haar aan blijven lopen, tegen dat harde, boze huilen waarmee ze aangaf met rust gelaten te willen worden. Beiden bezaten ze niet de kracht een blik in het gat tussen hen te werpen.

Wat hij niet kon weten, was dat alle mannen met wie ze hierna samen zou zijn, genoodzaakt waren dit te herhalen. Een stukje met haar meegaan, en daarna zien hoe ze in hun bed een andere weg insloeg. Ze zouden naast haar op hun rug liggen en naar het plafond staren met haar bevende lichaam naast zich, dat onbereikbaar zou zijn voor troost, alsof ze naar een heel andere plek op weg was: naar een bos waar de bomen her en der verspreid stonden.

Het kostte kracht om me dit allemaal voor te stellen. Ik leed met Molly mee, en met Strøm. Ik voelde me slecht; de korte tijd waarin het beter ging en die maakte dat de artsen me uit het ziekenhuis ontsloegen, was maar van korte duur. Iets in me had daar even een glimp van hoop gezien, hoop op een uitgang, een beweging. Maar toen liep de relatie tussen Molly en Strøm ten einde, en dat wat binnen in mij over het lot sprak, gaf op, verloor de grip, geloof ik. Ik voelde het heel duidelijk in mijn benen, die verwelkten als twee zieke planten onder me; ze waren niet te vertrouwen, ze wilden niet daarheen waar ik heen wilde. Ze wilden nergens heen, ze wilden alleen maar slapen.

Er volgden nieuwe onderzoeken in het ziekenhuis, testen met nieuwe medicijnen met nieuwe bijwerkingen, en ten slotte een nieuwe opname die weleens een tijdje zou kunnen duren. Ik voelde mijn krachten wegsijpelen, als een donkere rivier die de weg kwijt was.

Tegelijkertijd veranderde er iets tussen Molly en mij, wat me vreemd genoeg sterker maakte. Ik kreeg de indruk dat mijn ziekte me meer autoriteit in haar leven verschafte, of misschien was ik nu nog de enige die ze had. Ze wendde zich in elk geval met een ander soort overgave tot mij, dat had ik nog niet eerder bij haar meegemaakt; teder, alsof ik een man was. Het leek bijna alsof zij en ik een liefdesrelatie waren begonnen.

Zij liet me de lege plaats innemen die na de breuk met Strøm was ontstaan. Ik werd degene die naar haar luisterde en haar bestudeerde, haar bewonderde, haar vuur aanwakkerde, haar goede raad gaf en haar op haar plaats zette wanneer ze te ver doorsloeg. Zo zag ik het althans bij voorkeur. Doordat Molly mij die rol toebedeelde, voelde ik zelf bijna een soort autoriteit: de autoriteit van de ziekte.

Ze wilde nog steeds niet over haar moeder praten. Ik kwam er nooit achter waarom ze haar niet in het ziekenhuis opzocht, of waarom ze niet bij de begrafenis was. Ik snap nu dat ik haar op dat punt meer onder druk had moeten zetten. Misschien zat ze daar de hele tijd juist op te wachten. Misschien ging haar vertrouwen in mij nu juist daar om, zonder dat ze dat ooit zou kunnen toegeven: ik moest de knoop van haar moeders ziekte en dood zien te ontwarren.

Maar ze wilde wel over Strøm praten, ook na de breuk. En toen begreep ik in feite al dat ze het eigenlijk over haar moeder had wanneer ze over Strøm sprak. Ik kan het niet uitleggen, zo was het nou eenmaal; er had een merkwaardige vorm van verschuiving in haar plaatsgevonden. Zowel haar moeder als Strøm had haar op grove wijze in de steek gelaten, zo ervoer ze dat tenminste, maar ze was niet van plan daaraan onderdoor te gaan. Ze moest alleen de poppetjes in zichzelf een beetje van plaats veranderen.

Zelf meende ik haar ook in de steek te hebben gelaten, maar dat had ze volgens mij gelukkig niet ontdekt. In al onze gesprekken over Strøm dacht ik bij mezelf dat ik haar nooit, nooit meer mocht verraden, zoals ik die avond had gedaan toen ik haar had laten gaan om hem te verleiden, zich aan hem te binden, hoewel alles in mij schreeuwde dat de relatie een ongelukkig einde zou krijgen.

Maar als ik eerlijk ben, zie ik ook wel dat ik nog steeds niet begrijp wat er eigenlijk in de tijd na de breuk tussen Strøm en haar gebeurde. Ik had het gevoel dat ze hem, hoewel ze hem met alle geweld van zich afschoof, in werkelijkheid ergens tegen beschermde.

Voordat ze met hem brak, had Strøm haar geholpen op de kunstacademie te komen. Hij was onder de indruk gekomen van haar tekeningen, en had ongetwijfeld contacten; hij was een man die in die tijd in de kunstwereld moeilijk te negeren viel.

Molly nam de studie erg serieus, en ze deed alles om te verbergen dat ze een van de jongste studenten aan de kunstacademie was. Ze trad actief en zelfverzekerd op, en ze wilde er absoluut niets van weten dat haar studieplek iets met Strøms invloed te maken had. Ze vond nog steeds dat ze zichzelf schiep, en ze had er helemaal geen moeite mee anderen in haar te laten geloven. Strøm als weldoener bestond niet meer voor haar, hij was alleen nog een verrader.

Als ik daar achteraf over nadenk, begrijp ik dat mijn tweede, lange verblijf in het ziekenhuis in hoge mate werd beheerst door mijn fantasieën over wat er tussen Molly en Strøm gebeurde. Daar hield ik me in het ziekenhuisbed mee bezig. Ik deed in elk geval geen moeite om weer gezond te worden, zoals papa me zo dringend verzocht te doen.

Ik dacht aan hen en aan wat ze deden, ik zag alles tussen hen zo duidelijk voor me. Het was alsof ik Molly's geschiedenis met Strøm tot mijn eigen realiteit maakte.

Nu denk ik dat wellicht deze liefdeservaringen van mij in het ziekenhuis, die immers slechts indirect op de realiteit waren gebaseerd, mijn belangrijkste voorbereiding voor mijn project vormden: dankzij de beelden in mijn eigen hoofd leerde ik iets over de realiteit. Ik had de man in het appartement naast oma alleen maar bezocht om mijn beelden aan iets concreets te kunnen koppelen, aan emoties.

In zekere zin had dat gewerkt: over het beeld in mijn hoofd van Molly en Strøm in Strøms smalle bed kwam een waas van halfgekookte aardappelen en vissticks te liggen.

Zoals Molly's liefdesrelatie met Strøm in een soort kleine dood was geëindigd, een val van een te grote hoogte om een van beiden te laten ontsnappen, eindigde mijn affaire met oma's buurman in een kind dat moest sterven voordat het tot bloei was gekomen. Dat kind werd nooit meer dan een zaadje met daarin een heel, heel klein kloppend hartje.

Het resultaat was sterk en verrassend: tussen Molly en mij was een ondefinieerbaar evenwicht ontstaan, een soort scheefheid was rechtgezet, en volgens mij waren we er allebei opgelucht door. Beiden konden we iets vrijer ademhalen.

Na de abortus besloot ik dat ook ik aan modeltekenen moest beginnen, zoals Molly en de anderen op de kunstacademie deden. Papa schafte tekenspullen voor me aan; koolstiften, dure viltstiften en papier van de fijnste kwaliteit, en daarnaast een tekenblok dat ik op bed kon gebruiken. Hij was zichtbaar opgelucht dat hij iets concreets voor me kon doen, en kocht het beste van het beste. Maar ik had geen model. Iedereen die de kamer binnenkwam en weer verliet, was op weg ergens naartoe, er was niemand die ik kon vragen lang genoeg stil te staan om te kunnen tekenen. Behalve papa, natuurlijk. Hij zat immers steeds stokstijf stil op zijn stoel. Maar hij raakte alleen maar geïrriteerd als ik hem probeerde te tekenen, het was duidelijk dat ik hem irriteerde. Ik probeerde het een paar maal, maar gaf het uiteindelijk op.

Ik besefte dat ik Strøm nog graag een keer wilde ontmoeten. Ik stelde me voor dat hij degene was die aan mijn bed had moeten zitten om over me te waken. Ik zou er wel in zijn geslaagd om bij zijn gevaarlijke kanten vandaan te blijven, dacht ik. Er was alleen een kant van mezelf die ik moest vinden en daarbij moest hij me helpen, zoals hij dat ook bij Molly had gedaan. Ik had iemand als hij nodig om mijn vuur aan te wakkeren.

Meer gebeurde er niet. In elk geval niet zichtbaar. Na verloop van tijd had ik nog slechts kracht genoeg om naar de radio te luisteren. Ik kon beter Molly de kunstenaar van ons tweeën laten worden, zonder zelf mee te doen, dacht ik gelaten. Het was altijd al een vanzelfsprekende zaak geweest dat het zo moest gaan, al vanaf de kleuterschool.

Maar wanneer ik nu terugspoel om de film te bekijken van mezelf in de tijd na de breuk tussen Molly en Strøm, zie ik alles op een andere manier. Ik zie hoe destijds de eerste, prille kiem van mijn project ontstond. In dat project over het lot werd ik iemand die iets kon creëren. En dat deed ik helemaal zelf, zonder een man om me aan te moedigen.

Tijdens mijn tweede verblijf in het ziekenhuis kwam Molly niet op bezoek, ondanks die nieuwe sfeer tussen ons, haar vertrouwen in mijn kennis van haar. Ik weet niet waarom ze niets van zich liet horen. Ik had haar kunnen bellen, of papa kunnen vragen contact met haar op te nemen, maar dat deed ik niet, wekenlang.

Ik miste haar. Ik had het gevoel dat ík nu iets moest verzinnen. Ik woelde zo in bed dat het laken in een dikke prop onder mijn rug kwam te liggen, ik volgde maar ten dele wat de artsen en verpleegkundigen met me deden. Ik probeerde een plan voor Molly en mij te bedenken. Ik had het gevoel dat er haast bij was; er gebeurde iets met ons wat ik niet wilde. Het was alsof de band tussen ons ergens door werd aangetrokken.

Dat kon ik niet accepteren. Ik moest weer uit het ziekenhuis zien te komen. Ik moest mijn best doen, ik moest de ziekte voor zijn. Het enige wat ik kon verzinnen, was dat Molly en ik bij oma moesten gaan wonen. Het was alsof ik er volledig op vertrouwde dat wanneer we ons maar tussen oma's muren bevonden, we veilig voor het lot zouden zijn.

Nadat ik een beslissing had genomen, was het alsof het uitvoeren van het plan slechts een formaliteit was. Zo gaat dat vaak; het moeilijkste is je iets voor te stellen. Als je je er eenmaal een beeld van hebt gevormd waar je in je hoofd een plaats voor hebt gemaakt, is de uitvoering gemakkelijker dan je denkt. Ik vroeg alleen om een gesprek met de arts die voor mij verantwoordelijk was. Ik stond erop dat ik bij hem kwam, en niet andersom.

Een zaalhulp reed me naar zijn kantoor. Gek, in die tijd verschilde het van dag tot dag of ik al dan niet een rolstoel nodig had. Het was alsof er een voor de artsen en mij onbegrijpelijk mechanisme bestond dat willekeurig in- of uitgeschakeld werd.

De arts zat op me te wachten, hij had mijn papieren voor zich liggen, het was een grote stapel, maar hij keek er niet naar. Hij bood me een plastic beker met slechte koffie uit de zusterpost aan, dat vond ik aardig van hem. Op een prikbord boven zijn bureau hingen ansichtkaarten van verschillende plaatsen op de wereld, ik vroeg me af of die door vroegere patiënten waren gestuurd. Wat er achter op de kaarten stond, kon ik niet zien, maar het was niet moeilijk me voor te stellen: *Beste dokter, hartelijk dank voor mijn genezing, ik ben nu zo gezond als een vis en geniet aan de westkust van Afrika van het leven.*

Hij had voor zichzelf ook een beker koffie gehaald, hij pakte enkele suikerklontjes die hij in de lauwe koffie probeerde op te lossen. Ik dacht dat hij als arts maar weinig notie van het welzijn van het lichaam had als hij dacht dat een plastic beker blauwige, lauwe koffie en vier suikerklontjes wonderen konden verrichten. Er bestonden betere alternatieven. Maar ik zei er niets van. Vast niet alle dokters zien het als hun taak om van het welzijn van het lichaam op de hoogte te zijn, of hun kennis op zichzelf toe te passen. Ze hebben wel wat anders te doen. Bezig zijn met mensen als ik, bijvoorbeeld.

De arts keek me onder het roeren in zijn koffie aandachtig aan en vroeg zich af waarmee hij me kon helpen. Ik glimlachte en zei dat hij me maar moest genezen. Maar aangezien dat er slecht voor stond, dacht ik dat ik maar het beste naar huis kon gaan. Ik legde hem uit dat het veel beter voor me was om thuis te zijn en aan de gedachte van een leven in een rolstoel te wennen dan langzaam in de kunstmatige omgeving van het ziekenhuis weg te kwijnen.

"Het ziekenhuis is niet het leven", zei ik. "Hier kan ik op niets echts oefenen, hier vind je niet de geur, het geluid en de smaak van de realiteit." En dat moest hij toegeven. Misschien was het wel een heel snuggere kerel, ondanks zijn slechte koffiemanieren. Ik geloof althans dat hij begreep waarover ik het had, en hij had me in elk geval weinig anders te bieden.

Ik kreeg alles zoals ik het wilde, met de mededeling dat ik me strikt aan de medicatie moest houden.

Ik nam hierin de leiding. Zodra ik thuis was, belde ik Molly en vertelde zonder nadere inleiding dat zij en ik een tijdje bij oma moesten gaan wonen. Ze protesteerde niet, ook al zat ze op de kunstacademie midden in het eerste semester. Ze volgde me gewoon, als een angstig kind.

Ze was erg mager geworden sinds ik haar voor het laatst had gezien. Ze had wel iets weg van een schaduw, alsof ze had rondgewaard in dat dunne bos waar ik niet was geweest. Alsof ze erop had gewacht dat ik haar terug zou roepen.

Ik was ook degene die oma belde en alles met haar regelde, en ik zorgde ervoor dat papa mij hielp met het inpakken van alles wat Molly en ik tijdens ons verblijf nodig zouden hebben. Ik vroeg hem om zowel voor mij als voor haar te pakken, maar in één tas en niet in twee. Dat gaf meer het gevoel dat we een tweeling waren. Daarna belde ik Molly's vader en verzon een reden waarom we een tijdje bij oma gingen wonen. Ik weet niet meer wat ik hem vertelde, hij leek alleen maar opgelucht en stelde geen vragen. Hij was vast vergeten dat ik ook in het ziekenhuis had gelegen, hij had het alleen druk met zichzelf en zijn eigen verdriet omdat zijn vrouw van hem was weggerukt, hij kon niet begrijpen waarom iemand hem zo'n verdriet had willen aandoen. Hij wilde het niet begrijpen.

Mijn eigen vader vroeg ook niet waarom ik Molly naar oma wilde meenemen. Hij was met zijn eigen zaken bezig, maakte ezelsoren in de boeken, bracht theewater aan de kook en vergat dat vervolgens, zodat het weer koud werd voordat hij het theezakje tevoorschijn had gehaald. Het had geen enkele zin om te proberen dat soort dingen bij hem te veranderen. Ik hoorde hem aan de telefoon met de dokter over mijn situatie praten, hij leek alles in handen van de dokter te leggen.

Hij bood aan ons naar oma te rijden, maar ik zei dat we wel een taxi konden nemen, en hij protesteerde niet.

Oma nam anders nooit twee gasten tegelijk, en ik weet niet waarom ze deze keer een uitzondering maakte. Ik hoopte dat ze Molly en mij als zusters zou zien. Bijna een en dezelfde persoon, misschien. Twee vliegen in één klap.

We verkeerden in behoorlijk slechte staat toen we bij haar aankwamen. Het was op een ochtend in november; het was helder en koud, het was lang geleden dat ik zo'n bijtende lucht op mijn huid had gevoeld als in die paar minuten tussen het moment dat we uit de taxi stapten en Molly en ik met de door papa ingepakte tas tussen ons in in oma's entree stonden te wankelen. We moeten er wel besluiteloos uit hebben gezien, of op de een of andere manier grappig, in elk geval barstte oma in lachen uit toen ze ons zag.

"Maar meisjes toch", zei ze. "Hoe gaat het ermee?"

Een klein meisje bij oma zijn, gaf iets geruststellends; zo was het ook toen we jonger waren.

We ondergingen allebei apart het theeritueel. Eerst was Molly aan de beurt. Oma stuurde mij naar de badkamer om me op te knappen, terwijl zij tweeën in de woonkamer theedronken. Ze voorzag me van een stapel handdoeken en verzocht me alle tijd te nemen en goed voor mezelf te zorgen, er was absoluut geen haast bij.

Misschien dat haar woorden dat er absoluut geen haast bij was, me totaal overdonderden. Ik barstte zomaar in tranen uit. Ik zat op het witgeverfde krukje voor de badkuip te huilen, terwijl ik mijn buik en mijn slappe, witte dijen bekeek. Ik kon de zachte stemmen van Molly en oma in de woonkamer horen, en ik deed mijn best om geen kik te geven.

Na een hele tijd hadden Molly en oma hun thee op, en Molly stond voor de badkamerdeur en riep met gedempte, angstige stem mijn naam. Ze begreep vast wel dat er iets ernstig mis was met mij, ernstiger dan met haar. Uiteindelijk begon ook zij te huilen. Ik gaf haar geen antwoord. Ik had me uitgekleed en de kleren in een bult op de vloer gelegd, de stop in de badkuip gedaan en beide kranen opengedraaid. Het water gutste tegen het glanzende porselein, de badkuip moest wel heel nieuw zijn, misschien onlangs geïnstalleerd door iemand die vóór ons bij oma had gelogeerd en in de logeerkamer had geslapen die nu een paar dagen van Molly en mij was, en van oma's zure rode wijn had gedronken.

Oma kwam binnen. Ze bleef even bij de deur naar me staan kijken, bijna op dezelfde manier als de dokter in het ziekenhuis naar me had gekeken voordat hij me ontsloeg. Toen kwam ze naar me toe, tilde mijn kin omhoog zodat ik haar in het gezicht moest kijken.

Die blik. Ik weet niet hoe ik die moet beschrijven.

De eerste maaltijd aten we met zijn drieën. De bandrecorder stond midden op tafel te zoemen. Ik staarde ernaar, alsof het apparaat iets wist wat ikzelf niet wist. Daarna zaten we de hele avond ieder in onze dieprode pluchen stoel door oude nummers van handwerktijdschriften te bladeren. Oma had ons verteld dat we voor ons verblijf een najaarspakje voor haar moesten naaien. We hielden de afbeeldingen van verschillende modellen voor elkaar omhoog en bespraken de snit en de moeilijkheidsgraad. Oma stak de ene sigaret na de andere aan en stak hem in het elegante mondstuk, terwijl ze ons zwijgend bekeek. Ze leek niet blij.

Toen we het eens waren over het model dat we gingen naaien, stelde ze voor dat Molly verantwoordelijk zou zijn voor het jasje, terwijl ik me over de rok en de voering van het jasje zou buigen. Molly protesteerde echter en zei dat we natuurlijk alles samen zouden doen, zowel het jasje als de rok en de voering. Ik keek haar dankbaar aan; ze had een speciale manier om me een goed gevoel te bezorgen, de twee-lingzus te spelen.

Oma begreep waarschijnlijk wel dat we alles gelijkelijk moesten ver-delen. Zonder te protesteren toverde ze de stof voor het pakje tevoor-schijn, ze had het al een tijdje liggen, het zag er mooi uit, gemêleerde wollen stof uit Engeland. Ze liet ons zien hoe we moesten meten: ze gaf ons een voor een het meetlint en liet ons kriskras over haar hele lichaam de maat nemen, en we maakten aantekeningen op een stukje papier. Ik had het gevoel dat we veel meer maten namen dan strikt noodzakelijk was, alle maten werden minstens twee keer gecontro-leerd. Ze genoot er duidelijk van om met opgeheven armen en gebie-dende stem in de kamer te staan, terwijl Molly en ik om haar heen cirkelden om de lengte te bepalen van schouder tot pols, de maat van haar taille en van haar buste, zoals ze dat noemde, en de lengte van de nek tot het staartbeen.

Daarna toonde ze ons hoe je de stijve bladzijden met patronen mid-den in het tijdschrift los kon maken, en het deel van het juiste model op het patroonpapier kon kopiëren. Ze legde uit hoe we erachter kon-den komen welke delen we nodig hadden. Er bestond een speciaal symbolensysteem; Molly en ik hadden beiden het gevoel dat zich een nieuwe wereld aan ons openbaarde, die was verhelderend en sprak voor zich, we hadden die alleen vroeger niet gekend. Weliswaar had-den we de afgelopen jaren allebei heel wat genaaid, maar alles gebeur-de op de gok en al naargelang ons iets inviel. We hadden nooit de maat genomen, en we wisten niet eens dat er een aparte wereld van symbolen voor dat soort zaken bestond.

Toen alle maten waren genomen, keek oma ons ernstig aan. We begrepen dat er nu iets belangrijks zou komen. Ze zei: "Je mag de stof-schaar nooit, maar dan ook nooit gebruiken om papier mee te knip-pen. De stofschaar is heilig."

We knikten plechtig, alsof we zojuist in een geheim waren ingewijd.

We knipten alle onderdelen van het patroon uit en markeerden ze met de juiste getallen en symbolen voor inzetstuk, knoopsgaten en vouwen. Maar daarna stond oma opeens op en zei op enigszins afwe-zige toon dat het tijd was om naar bed te gaan. We wisten niet hoe laat het was; bij oma moesten alle gasten hun horloges in een aparte la van de commode in de hal deponeren, en ze had geen wandklokken of wekkers. Ik voelde dat ik moe was, en Molly geeuwde ook. Het maak-te niet uit hoe laat het was, we waren een andere tijd binnengetreden. 's Nachts sliepen we ieder in ons eigen bed op de logeerkamer. We hadden er een extra, opklapbaar bed in moeten plaatsen en dat moeten opmaken, ik lag erop, zoals ik op een matras op de vloer van mijn eigen kamer had gelegen in die nacht dat Molly naar me toe kwam nadat ze van Strøms geheim had gehoord.

Beiden sliepen we diep en droomloos, murw in het hoofd door oma's rode wijn.

Ik weet niet wat oma deed nadat wij naar bed waren gegaan. Dat is vreemd; het drong toen niet tot me door dat ze in de rouw moest zijn. Ze had immers haar enige dochter verloren.

Ik was in die tijd te veel met mezelf bezig.

De volgende ochtend haalden we na het ontbijt het kleed van de eettafel en spreidden de gemêleerde wollen stof op het tafelblad uit. Oma moest het gestreken hebben nadat Molly en ik naar bed gingen; er zat geen vouw meer in. Ze leek die nacht niet veel geslapen te hebben.

Ze liet ons zien hoe je het patroon neer moest leggen om zo voordelig mogelijk met de stof om te gaan.

"Je moet slim te werk gaan", zei ze, en ze plaatste het patroon voor een manchet in de ronding voor de hals op het ene voorpand.

Dat het belangrijk was om de richting van de draad te volgen, begreep ik al snel. Er waren veel dingen belangrijk bij het naaien. Ik tekende met kleermakerskrijt langs het patroondeel, markeerde de diverse symbolen zo nauwkeurig als ik maar kon, en Molly knipte de delen uit. De stofschaar zag er vlijmscherp uit en lag zwaar in de hand. Oma stond naast Molly om haar te laten zien hoe ze open, regelmatige knipbewegingen moest maken.

Het rijgen en het gebruik van de naaimachine wisselden we af. Een van ons reeg een arm aan elkaar, en daarna gingen we die samen bij oma passen. Zij zat in de andere kamer te lezen. Ze toonde ons hoe je erachter kunt komen of de mouw goed komt te zitten. Mouwen zijn altijd een uitdaging, legde ze uit; die kunnen al snel gaan rimpelen en lelijk gaan zitten op de schouderboog, en de stof kan vervelend onder de arm gaan trekken. Er moet voldoende ruimte zijn om beide armen omhoog te steken zonder dat er iets scheurt, terwijl de snit op de rug snel op zijn plaats moet vallen als je de armen weer laat zakken. Hierbij is de voering behulpzaam, natuurlijk. Die moet op een correcte manier zijn aangebracht, en de mouw moet precies zo lang zijn dat hij de wortel van de duim raakt als de arm recht naar beneden hangt. Als je de armen vooruit of omhoogsteekt, zal de mouw natuurlijk een paar centimeter op de onderarm omhoog kruipen.

"Het is uiteraard ongebruikelijk om lange tijd met je armen

omhoog te lopen, dus is dat meestal geen probleem", zei oma, en ze probeerde op een wat vermoeide manier lollig te zijn. Molly en ik lachten geen van beiden.

Nadat we de tweede avond naar bed waren gegaan, kwam oma onze kamer binnensluipen, naar mijn bed toe. Als een donkere schaduw boog ze zich over me heen, schudde me voorzichtig heen en weer en fluisterde me iets onbegrijpelijks in mijn oor. Ik was al bijna in slaap en begreep niet wat er aan de hand was, ik bevond me in dat merkwaardige landschap tussen droom en werkelijkheid. Achteraf snap ik dat het haar daar juist om te doen was geweest; ze wilde me in dat irreële landschap zien. Op de grens.

Ze pakte mijn hand en hielp me uit bed, legde een wijsvinger op haar mond en wees op Molly; een teken dat dit alleen iets tussen haar en mij was. Toen leidde ze me de slaapkamer uit en daarna de gang door naar de woonkamer. Het viel waarschijnlijk niet mee om me mee te nemen.

In de woonkamer had ze al haar kandelaars op de tafels, de schoorsteenmantel, in de vensterbanken en op de vloer neergezet. Ze had witte, lange kaarsen aangestoken die flakkerden toen we de kamer binnenkwamen, het was alsof we een middeleeuwse kerk betraden, overal licht, en een merkwaardige, zoemende sfeer, alsof er in de naastgelegen kamer een grote machine aan het werk was. Ik werd bijna verblind, en voelde me in elk geval verward.

Oma leidde me naar de bank en liet me daar plaatsnemen, ze legde een plaid over mijn schouders en een op de vloer over mijn voeten. Op de tafel voor me stonden een foto van Molly's moeder in een zware zilveren lijst en de ouderwetse, logge bandrecorder. De twee spoelen draaiden in het rond zonder geluid te maken. Naast de bandrecorder lag een dieprood fluwelen kussen. Boven op het kussen lagen een lang, iel zilveren hamertje en een zilveren klokje dat aan een getwijnde, roodgouden zijden draad was bevestigd. Ik had nog nooit zoiets als die hamer gezien. Hij leek buitenlands, in de smalle schacht stond iets kleins gegraveerd, en de hamerkop had de vorm van een zilveren olifant. De olifant had zijn slurf omhooggestoken en op de punt daarvan zat een zilveren bolletje. Zowel de hamer als het klokje moest op een speciale manier zijn gepoetst, ze fonkelden in de flakkerende weerschijn van de kaarsen.

Oma keek me lange tijd zwijgend aan. Toen pakte ze de hamer van het kussen en legde hem in mijn hand. Zelf pakte ze het zilveren klokje bij de draad vast, zodat dat vlak voor mijn borst hing. Met een hoofdknikje gebaarde ze me dat ik met de hamer tegen het klokje moest slaan.

Ik voelde me verdoofd, het ademhalen ging zwaar. Ik tilde mijn zware arm op en hield hem even stil voor het klokje. Ik staarde naar de foto van Molly's moeder; die was uit haar kindertijd. Ze moet ongeveer negentien jaar zijn geweest, net zo oud als wij nu.

Daarna raakte ik met het zilveren bolletje op de punt van de slurf het klokje aan. Het geluid was iel en zuiver, en leek eindeloos te duren. Toen het eindelijk was weggestorven, drukte oma op de knop en zette de bandrecorder uit.

Het pakje werd mooi. Het jasje was getailleerd en viel op de juiste manier over de onderrug, en de rok viel mooi over oma's heupen. Achterin zat een lange, ruime split, zodat ze niet met korte pasjes hoefde te trippelen.

Ons eerste verblijf bij haar was een efficiënte cursus in het naaien van kleren geweest, daarover kon geen enkele twijfel bestaan. Ik heb ook het vermoeden dat het een school in iets anders en groters was waarvan Molly en ik het bestaan niet kenden, en waarvan ik nog steeds niet weet of we daarmee iets nuttigs hebben gedaan.

Zelf ben ik niet veel in de gelegenheid geweest om mijn kennis van het naaien in de praktijk te brengen. Ik heb maar een beperkt aantal kleren nodig in het leven dat ik leid. Maar Molly tekent wel de meest fantastische kostuums voor haar voorstellingen, en ze staat in de theaterwereld bekend als een genadeloze coupeuse die niet aarzelt om slecht genaaide kledingstukken naar de naaikamer terug te sturen. Ze heeft oma's snelle beweging om het kledingstuk binnenstebuiten te keren en de naden te controleren, overgenomen, om vervolgens dat karakteristieke handgebaar te maken.

Toen was onze logeerpartij voorbij. Er werd niet meer over gepraat. Het was alsof er niets was gebeurd, of misschien kun je beter zeggen dat alles was gebeurd, maar zonder dat iemand van ons kon zeggen wat dat was.

We pakten onze tas en haalden de bedden af, legden het beddengoed keurig opgevouwen aan het voeteneind en klapten het logeerbed in. Oma stond in haar pakje en met mooie, bijpassende schoenen met hoge hakken aan in de hal. Ze had haar haar gekapt en lippenstift op, ze zag er buitenlands en elegant uit. Met haar was er ook iets gebeurd, misschien wel op die avond met al die brandende kaarsen. Ik begreep echter niet wat dat kon zijn, en ik durfde het niet te vragen. Misschien begon dat grote verdriet zich eindelijk een weg naar buiten te banen.

"Voordat we afscheid nemen, gaan we nog een eindje wandelen", zei ze. "Dat hebben we verdiend."

We liepen naar het park. Oma ferm voorop en Molly en ik achter haar aan, langzamer. Ik was zwak en stond onvast op mijn benen, maar was vreemd genoeg veel en veel sterker dan toen ik nog maar een paar dagen geleden uit het ziekenhuis werd ontslagen. Het voelde onwerkelijk dat iemand me in een rolstoel naar het kantoor van de dokter had moeten rijden. Het was moeilijk te zeggen wat er was gebeurd. Ik was blij en verward. Maar ik voelde dat geen van ons beiden echt klaar was bij oma, niet klaar om al naar huis te gaan.

"Kop op, meisjes", zei oma. "Nu gaan we op een bankje zitten om de eendjes te voeren, en dan bedenken we een plan."

Een plan, ja! dacht ik. Dat ontbrak er nog aan.

Toen de zak met stukjes brood, die oma in haar tas had, leeg was, hadden we besloten dat Molly verder zou studeren aan de kunstacademie, maar dat ze de eerste, beste gelegenheid zou aangrijpen om naar het buitenland te gaan. Vertrekken zou het beste voor haar zijn, dit land zou al snel te klein voor haar worden, dat vonden we alle drie. Molly was voorbestemd voor iets groters dan wat dit land te bieden had. Oma zou haar financieel helpen en met haar vader praten, zodat hij geen problemen zou veroorzaken. Dat laatste zei ze op een enigszins spottende manier. In een flits begreep ik dat haar relatie met haar schoonzoon wellicht niet zo ontspannen was als je vanwege die jaarlijkse happenings met het vervoer van de piano naar het zomerhuis zou denken.

Het plan voor mij bestond eruit dat ik weer bij papa zou gaan wonen en met de medische onderzoeken zou doorgaan. Ik moest me op gezond worden concentreren. Punt. Meer wist ik niet uit oma te krijgen. Het was alsof ze wilde dat ik zweeg en verdroeg.

Voordat ze wegging, gaf ze me een notitieboekje dat ze in haar tas had, mooi ingepakt in cadeaupapier dat kennelijk al eerder was gebruikt. Het boekje was precies hetzelfde als dat wat Molly die keer in het ziekenhuis had laten liggen, en waarin ik al haar aantekeningen over Strøm had gelezen, en misschien ook wel iets had geschreven. Zij moet haar boekje op een eerder moment hebben gekregen.

Molly kreeg een kus op haar voorhoofd, ik een klopje op de rug van mijn hand.

Zo verliet oma ons daar op dat bankje. We zagen haar doortastende gestalte verdwijnen in het pakje dat we zelf hadden genaaid. In het novemberlicht gleed ze weg over het pad langs de eendenvijver in het park. Het jasje viel mooi over haar rug, er was niets mis met de snit. Ze draaide zich niet om.

Ik dacht: ze heeft het vast koud zonder mantel. En het verdriet heeft haar nog niet helemaal verlaten, er is nog een restje van over. Maar het zal langzaam verdwijnen.

Hierna hoorde ik niet veel van Molly. Het werd winter. Ze leek zich weer helemaal op haar leven aan de kunstacademie te storten. De paar keer dat we elkaar spraken, was aan de telefoon; ze maakte een enigszins koortsachtige indruk. Ze praatte alsof alles weer normaal was en noemde Strøm niet meer. Ze vertelde alleen over haar nieuwe projecten, wat de docenten op de academie hadden gezegd en gedaan, en hoe de andere studenten waren. Opeens kon ik niet goed meer uit mijn woorden komen en voelde ik me dom, ik wist niet welke vragen ik moest stellen, of hoe ik op haar verhaal moest reageren. Ik wist zelfs niet meer zeker of we nog wel dezelfde humor hadden. Ze bediende zich nu van een ander jargon, een vreemd aandoende manier van spreken, alsof ze langs me heen praatte. Ze had het over kunst.

Dus besloot ik in mijn eentje terug te gaan naar oma. Ik moest iets onder vier ogen met haar bespreken. Ik belde niet van tevoren om een afspraak te maken, ik weet niet waarom niet, misschien dacht ik door die korte logeerpartij van een paar weken eerder dat ik het recht had om bij haar te komen en weer weg te gaan zoals het mij uitkwam; evenveel recht als Molly had.

Ik arriveerde bij haar appartementencomplex op het moment dat een van de andere bewoners van de portiek de buitendeur opendeed. Ik ging met een dankbare glimlach naar binnen. Ik klauterde met veel moeite de trap naar de verdiepingen op, ik hijgde en was bekaf. Om de een of andere reden zat de deur naar oma's appartement niet op slot, ik dacht dat ze waarschijnlijk zat te naaien; ik wilde haar niet storen, alleen een leuke verrassing zijn. Stilletjes trok ik mijn jas uit en deed in de hal een paar versleten pantoffels aan. Toen liep ik naar de woonkamer.

Toen ik de deur naar de kamer naderde, hoorde ik daarbinnen geluiden. Het was alsof ik gekreun hoorde, als van een dier. Een pluizig beest dat in grote nood verkeerde.

Oma en haar buurman lagen ineengestrengeld op de bank. Ik kon oma's naakte, witte rug zien, haar rok zat als een worst om haar middel opgestroopt. Ze lag van me afgekeerd, maar zij was degene die bewoog, de buurman lag bijna stil. Ik zag zijn handen die stevig oma's roterende heupen vasthielden. Als verlamd stond ik een hele tijd te staren. Hij leek helemaal geen kleren te hebben uitgetrokken, maar iets moet hij toch een stukje hebben geopend. Toen oma met een lichte kreet ineenkromp, hief hij zijn hoofd en keek over haar schouder. Hij keek me recht aan. Oma zonk ineen en zag er kleintjes uit. Daarna sloot hij kreunend zijn ogen.

Pas op dat moment liep ik achteruit de gang op, alsof iemand aan de strik had getrokken die op mijn rug zat. De man deed zijn ogen weer open, even keek hij me recht in de ogen, voordat ik verdween, uit zijn gezichtsveld.

Ik schopte de pantoffels uit, greep mijn jas en laarsjes en struikelde de trappen af. Ik was niet zwaar meer, ik was boos en opgewonden en voelde even een ander vuur in me.

Pas toen ik weer op straat stond, deed ik mijn jas aan en voelde ik de vermoeidheid weer terugkomen.

Ik kon het niet verklaren, maar ik was ervan overtuigd dat de man op de bank oma niet ging vertellen dat hij me had gezien, en dat hij daar niet voor het eerst was geweest.

Ik zag voor me hoe hij daar boven aan de trap stond en de verhuizing van de grote piano stond te dirigeren toen Molly en ik nog kinderen waren.

Hij bezat autoriteit.

Ik heb Molly nooit verteld wat ik had gezien, maar een paar weken later belde ik haar en drong er bij haar op aan om samen weer een bezoek aan oma te brengen. Ik voelde me als een magneet naar oma's appartement getrokken, ik was onrustig en gespannen, het gaf een akelig gevoel dat ik de enige was die dat allemaal had gezien. Maar Molly was niet meer zo in oma geïnteresseerd. En het leek alsof ze alles wat haar aan Strøm kon doen denken, in een la had gestopt die ze met een sleuteltje op slot had gedaan.

Ze was gesloten en verlegen, en agressief op een manier die ik nog niet eerder had gezien. Het was niet die bekende, strijdbare agressie, het had eerder een ietwat bittere, onaangename smaak. Ze was toch niet naar het buitenland gegaan, zoals we in november samen met oma in het park hadden gepland, en ik begreep dat er iets was gebeurd sinds ik voor het laatst met haar had gesproken; ze volgde de colleges op de kunstacademie niet meer. In die tijd wisselde ze zo snel tussen verschillende fases, het was moeilijk haar te volgen. Nog maar een paar weken geleden was ze een ambitieuze kunststudent, nu kreeg ik de indruk dat ze het grootste deel van de tijd thuis bij haar vader op haar meisjeskamer romans zat te lezen. Ze kon de huichelarij op de academie niet langer verdragen, zei ze, alle docenten daar waren idioten, geen van hen had een zelfstandige gedachte in het hoofd.

Ze had een serie historische romans ontdekt die uit talloze delen bestond. Ik kreeg de indruk dat je jarenlang in die serie kon doorbrengen, ze lagen in stapels om haar bed heen. Bovendien was ze blijkbaar begonnen aan een massaproductie van pakjes, zoals oma ons had geleerd die te naaien. Ze had er minstens vier genaaid; allemaal van dezelfde soort stof, ze hingen op kleerhangers in haar kamer, volkomen identiek, maar in verschillende kleuren. Ze droeg er altijd een. Ze zei dat ze te maken hadden met een project over identiteit waaraan ze op de academie had gewerkt, maar waar die idioten daar geen gevoel voor hadden. En dan kon het haar verder ook niets meer schelen.

Aan de pakjes kon ik zien dat ze zich op glad ijs begaf. In tegenstelling tot het exemplaar dat we voor oma hadden genaaid, en waarmee we zo vlijtig bezig waren geweest, zat er in deze geen voering en waren ze genaaid van een goedkope, synthetische stof die slecht viel. De uiteinden van de draden waren niet afgeknipt en door de stof zagen ze er goedkoop uit. Ze was ook begonnen zich op een overdreven, theatrale manier op te maken. Ik bedacht dat ze eruitzag alsof ze met de stofschaar in papier had geknipt.

Maar ik begreep dat ze ergens verdriet om had. Ze rouwde niet net als oma, er druppelde niet voorzichtig verdriet uit haar; ze rouwde agressief. Het viel niet goed te zeggen of die verandering met haar moeders dood of met Strøms verraad te maken had. Misschien met allebei. Misschien was het een combinatie.

Des te meer reden om haar mee terug naar oma te nemen, dacht ik.

Zelf was ik in die tijd behoorlijk afgezwakt. Het gevoel sterker te zijn, dat ik had gehad toen oma die dag in het park afscheid van ons nam, was van korte duur; hooguit een korte opleving. Ik was genoodzaakt aan de rolstoel te wennen als ik lange afstanden moest afleggen. Het ding was vreselijk onpraktisch als je in een appartementencomplex zonder lift woonde, en daarom zat ik het grootste deel van de tijd thuis.

Ik had nog steeds het kleine, zwarte notitieboekje dat Molly in het ziekenhuis had laten liggen toen ze die keer een treurvogel met oma's masker uitbeeldde. Ik was van plan geweest het terug te geven, maar het was anders gegaan. Ze had er nooit naar gevraagd, en volgens mij tekende ze niet meer. Ik zei tegen mezelf dat het op de verkeerde manier opdringerig zou zijn om nu met een notitieboekje aan te komen zetten, nu ze zich zo duidelijk in een andere levensfase bevond.

Het notitieboekje was precies hetzelfde als het exemplaar dat ik in het park van oma had gekregen. Je kon je gemakkelijk vergissen. Misschien heb ik me ook wel een paar maal vergist en maakte ik aantekeningen in haar boekje in plaats van in mijn eigen.

Ik zat veel op mijn kamer en zou willen dat Molly op bezoek kwam, maar ze hield zich afzijdig. Ze heeft het nooit toegegeven, maar volgens mij voelde ze zich niet prettig bij papa en mij thuis. Ik denk dat ze mijn kamer te ascetisch vond, misschien een beetje als een kloostercel. Zo vind ik het nu eenmaal fijn, misschien is het appartement waarin ik nu woon ook wel wat kloosterachtig. Ik kan in de woonkamer geen foto's aan de wand hebben hangen, die heb ik nodig als witte doeken om op te projecteren. Niet dat iemand daar opmerkingen over heeft gemaakt.

Ik bleef haar bellen en aan haar hoofd zeuren om weer met me naar oma te gaan, en na enige overreding kwam ze me tegenstribbelend ophalen om me voor bezoek nummer twee van en naar huis te rijden. Ze benadrukte dat het bezoek niet te lang mocht duren.

Papa had de rolstoel en mij de trap af geholpen. Hij had mijn tas over de rand van de rolstoel gehangen. De manier waarop hij dat deed, gaf me het gevoel een invalide te zijn. Hij wilde beneden op straat met mij op Molly blijven wachten, maar ik stuurde hem weer naar binnen. Als hij daar bleef staan, bleek en rillerig op pantoffels en met korte mouwen, werd het hele beeld alleen maar triester.

Ik zag haar al van verre. Het was een grijze winterdag met natte sneeuw in de lucht, de synthetische gele stof van haar pakje leek fluorescerend op te lichten. Aan haar manier van lopen kon ik zien dat ze nog niet helemaal de oude was, en dat het onwaarschijnlijk was dat ze ergens over zou praten, niet met mij en ook niet met oma.

Ze groette kort en afgemeten, daarna greep ze mijn handtas, stopte die achter me in de stoel, zodat ik onaangenaam voorovergebogen zat, en begon me op haar grove manier door de prut in de stad te duwen. Ze was onvoorzichtig en botste tegen hoge stoepranden, liep zonder pardon door een verkeerslicht zonder op groen te wachten. Als Molly uit verschillende uitdrukkingsvormen kan kiezen, dan kiest ze altijd de meest theatrale. We moeten een merkwaardig schouwspel zijn geweest.

"Allemachtig", snauwde ze toen de auto's van beide kanten op de rem moesten gaan staan en toeterden. "Zien ze niet dat dit gehandicaptenvervoer is?"

Ik klampte me aan de rolstoel vast om er niet uit te vallen.

Bij oma's appartementencomplex aangekomen bleef ze even een moment radeloos staan. Het was duidelijk dat ze niet wist hoe ze het aan moest pakken om de stoel en mij omhoog te krijgen. Ik was veel zwakker dan de vorige keer toen we de trappen op gingen. Zelf was ik ook onzeker; destijds had ik nog weinig training als rolstoelgebruiker, ik had geen plannen gemaakt over hoe we dit moesten aanpakken.

Ten slotte lieten we de stoel beneden staan. Molly nam mij op haar rug en droeg me alle drie verdiepingen omhoog, een overloop per keer. Dat was een prestatie. Erg sterk in haar spieren is ze nooit geweest, maar ze heeft een krankzinnig sterke wil die alles mogelijk maakt. Haar wil maakt een stier van haar. Ik protesteerde uiteraard; ik was er best in geslaagd zelf de trappen omhoog te klauteren, als ik daarvoor maar ruim de tijd had gehad. Maar Molly leek deze situatie volkomen te accepteren. De verbeten razernij gleed van haar af naarmate we in het licht van de gekleurde ruiten steeds verder naar boven zwoegden. En toen we dan eindelijk voor oma's deur op de derde verdieping stonden, huilden we allebei bijna van het lachen. Het was allemaal te gek komisch, het was echt om van te gieren.

Die keer zag oma er heel normaal uit. Haar ietwat verwilderde, loshangende haar, de heldere, vriendelijke ogen. Ze glimlachte breed en open tegen ons, alsof ze wist waar we om lachten, en ze wilde meteen dat Molly haar nieuwe pakje liet zien. Dat prees ze uitgebreid, terwijl Molly nog hikte van de lach, en ze gaf geen commentaar op de eenvoudige stofkeuze, of op het feit dat het pakje geen voering en dubbele naden had. Ze wist natuurlijk niet dat Molly nog andere identieke pakjes had genaaid, maar ik zag aan haar ogen dat ze wat het pakje betrof het een en ander begreep wat me zelf was ontgaan. Ik voelde me gedesoriënteerd.

Toen Molly en ik onze jassen hadden opgehangen en de pantoffels hadden aangetrokken, sloeg oma een stevige arm om mijn middel en ondersteunde me terwijl ze me naar de kamer bracht. Daar stond de tafel gedekt met het theeservies en de speciale, gekruide koekjes die ze altijd serveerde op het zilveren blaadje met een klein gehaakt kleedje, bijna onwerkelijk wit. We gingen ieder in onze zachte pluchen stoel zitten. Nu lachten we niet meer.

Oma keek van de een naar de ander, alsof onze gezichten haar alles vertelden wat ze moest weten. Dat was vast en zeker ook zo. Ik nam het woord voordat ze iets kon zeggen.

"We zijn gekomen om over mannen te praten", zei ik. "De laatste keer dat we hier waren, zijn we daar niet aan toegekomen. Je moet ons iets uitleggen."

Het werd een lang gesprek. Die dag vertelde oma ons over haar theorie over mannen: over hun kwetsbaarheid, over hoe ze door hun driften worden geleid, over hun relatie tot hun moeder, en over wat de taak van vrouwen is in het leven van mannen.

Molly zat grotendeels zwijgend te luisteren. Er was geen spoor van lach meer bij haar te bekennen. Ze schonk ons allemaal thee bij en staarde van oma naar mij en terug, terwijl oma praatte en ik af en toe een vraag stelde. Ze zag eruit alsof ze een tenniswedstrijd zat te volgen.

Tenslotte zag ik aan oma dat ze zich afvroeg of ze wellicht te veel had gezegd. Te veel over zichzelf had losgelaten, misschien. Ze had nog nooit eerder zo direct tegen ons gesproken, anders praatten wij altijd en zat zij te luisteren en vragen te stellen.

"Ik begrijp wat je zegt over mannen en hun moeders", zei ik. "Maar hoe zit dat met moeders en dochters?" Ik wierp Molly een onzekere blik toe. Ze sloeg snel haar ogen neer, en oma deed hetzelfde. En ik begreep dat Molly en oma stilzwijgend een bepaalde soevereine alliantie waren aangegaan om dit onderwerp na de dood van Molly's moeder onbespreekbaar te maken. Zij zouden nooit ofte nimmer over moeders en dochters spreken, niet met mij en ook niet met elkaar. Ik moest het vanuit een andere invalshoek proberen.

"Zijn deze dingen die je over mannen hebt verteld de reden dat je niet met de vader van je kind hebt samengeleefd?" vroeg ik voorzichtig. Maar oma gaf geen antwoord. Ik voelde irritatie opkomen. Dit was te belangrijk om er het zwijgen toe te doen.

"Je moet antwoord geven als we over belangrijke zaken vragen stellen, oma!" zei ik met luide stem. "Waarom heb je nooit met een man samengeleefd?"

Oma draaide langzaam haar gezicht naar het raam en antwoordde ten slotte met zachte stem: "Daar heb ik geen tijd voor gehad. Zij eisen te veel."

"Wat heb je dan gedaan? Ben je moeder geweest?"

"Dat is mijn zaak."

"Maar hoe zit het dan met Molly's opa? De man van wie je een kind hebt?"

"Ik heb altijd zoveel andere dingen te doen gehad. Het is moeilijk om het allemaal te combineren. Ik had een kind, dat was bijna al te veel. Ik had geen tijd om me daarnaast ook nog met een man bezig te houden."

Ik dacht aan de verdrietige blik van Molly's moeder.

Ik was nog steeds niet tevreden. Er waren te veel dingen die ik niet begreep. Ik vond oma en Molly op een vermoeiende manier geheimzinnig. Ik moest proberen hen naar de kern te bewegen.

"Maar oma", zei ik. "Wat moet je doen als je moeder niet meer leeft?"

Ik knikte in Molly's richting, die haar hoofd afwendde.

"Dan moet je rouwen", zei oma, en ze wendde haar blik van het raam weg. "Je moet werkelijk diep en echt lang rouwen, tot er geen verdriet meer over is. Dan moet je je bezatten, dan moet je je roes uitslapen, dan moet je naar het buitenland gaan – en dan moet je weer aan het werk. En dat moet je volhouden, in die volgorde."

Ik zag dat ze uit ervaring sprak. Ik besefte opeens dat ik nog nooit iemand iets over oma's moeder had horen zeggen.

"En je moet je in elk geval niet opsluiten en slechte historische romans lezen, zeker?" zei ik volhardend. Molly's blik had even op onze gezichten gerust, maar gleed weer weg.

"Jawel, dat mag volgens mij best", zei oma. "Een poosje. Maar daarna moet je je vol laten lopen. Daarna moet je je roes uitslapen. En dan naar het buitenland gaan. En dan aan het werk. In die volgorde."

Plotseling, en volgens mij tot verbazing van ons alle drie, nam Molly het woord.

"Maar als je dat niet op kunt brengen?" vroeg ze.

Oma keek haar liefdevol en ernstig aan.

"Dan moet je nog even verder rouwen", zei ze. "En dan moet je naar het buitenland vertrekken. En daar moet je dan aan het werk gaan."

"In die volgorde?" vroeg Molly.

Oma en ik knikten allebei.

Ik geloof dat oma op het moment dat het gesprek eigenlijk voorbij was en we in de gang onze jassen stonden aan te trekken, iets zei over dat er van mannen altijd wel iets te leren viel. Ik kan me niet herinneren hoe ze het letterlijk formuleerde, maar Molly en ik hebben er vaak over nagepraat, en beiden hebben we de theorie opgevat dat alle mannen die je tegenkomt, een soort cadeautjes zijn die je tijdig moet uitpakken voordat je hen verlaat. Niets is zo triest als onuitgepakte cadeaus, zei oma. Of iets dergelijks.

"Maar ze weten zelf toch wel wat het beste voor hen is?" vroeg ik.

"Niet noodzakelijkerwijs", zei oma. "Meestal is dat niet het geval. Ze lopen hun pik achterna."

Molly en ik barstten weer in lachen uit.

"Ik wist niet dat je dat soort woorden kende, oma!" riep Molly. Opeens had ze haar normale stem terug, en haar gezicht had weer de oude, fijne trekken. En die eekhoornblik. Die had ik lang niet gezien.

"O nee?" zei oma.

Achteraf denk ik dat oma dat alleen maar zei om Molly aan het lachen te brengen. Het kan niet echt zo zijn dat ze haar woorden werkelijk meende. Maar ze slaagde erin Molly te bevrijden uit een ruimte die lange tijd dicht had gezeten, en dat was niet slecht, met slechts één zin. Soms is lachen het enige wat helpt.

Alle drie bleven we even tussen de pantoffels in de gang staan. Ik wilde niet weggaan. Iets tussen oma en mij leek nog niet afgerond te zijn. Om tijd te rekken vroeg ik haar of ze een beetje piano voor me wilde spelen. Ik zag dat ze moe was, dat ze op het punt stond nee te zeggen, maar toen was het alsof ze me opeens met andere ogen bekeek, met die naar binnen gerichte blik, en daardoor veranderde ze midden in de zin van mening.

"Dat zou kunnen", zei ze.

"Ik denk dat ik moet gaan", zei Molly. "Ik heb een afspraak."

Ik had gehoopt dat ze dat zou zeggen. Ik wilde niet met haar mee, en ik wilde niet weten wat voor afspraak ze had, of met wie.

"Ga maar", zei ik. "Ik neem wel een taxi. En de buurman van oma wil me wel de trap af helpen."

Daarna zat ik in de woonkamer te luisteren hoe oma voor me speelde. Ze had me weer in de rode leunstoel gezet en een rode plaid om me heen gelegd. Dat was precies wat ik nodig had: haar volledige, onverdeelde aandacht. Het was alsof ik in een zachte, roodgloeiende grot zat.

Oma was heel geconcentreerd en tegelijkertijd zat ze met rechte, soepele rug. Ze had een erg zachte aanslag.

Ik durfde niet te vragen wat ze speelde. Haar sigaret lag in het mondstuk in de asbak op de piano een tijdje te branden, maar ze raakte hem niet aan, en ten slotte ging hij vanzelf uit. Ik staarde naar het gloeiende puntje, dat langzaam grijs en daarna zwart werd, dat hypnotiseerde me. Alles was rood en verdween langzaam uit zicht.

Buiten was het donker geworden.

Toen ik weer wilde opstaan, had ik het gevoel flauw te vallen. Oma ondersteunde me toen ik naar de gang liep en belde bij de buurman aan. Ze liet hem mij de trappen naar beneden af helpen. Hij hielp me beheerst en voorzichtig, bijna alsof ik oma's piano was die naar een wachtende aanhanger moest worden getild. Hij keek me geen enkele keer in de ogen terwijl we de trappen af strompelden. Het was alsof hij me niet herkende. Hij leek zich er vooral druk om te maken dat hij mij niet los mocht laten, zodat ik in een laatste, gigantisch disharmonieus pianoakkoord de treden af rolde. Het was niet moeilijk je voor te stellen hoe dat akkoord zou klinken: alle tonen tegelijk.

Toen we beneden waren en hij me in de rolstoel had gezet, was hij net zo bezweet en buiten adem als ik. Ik kon me nog goed een andere keer herinneren dat ik hem zo had gezien.

Achter ons hoorde we oma langzaam de trap af komen. Ze had de muziek die ze zojuist had gespeeld, in de hand. De map had een bleekgroene omslag en een design alsof het rond de eeuwwisseling was gedrukt. Ze gaf het aan me.

Als ik er nu over nadenk, dringt het tot me door dat het moment daar beneden op straat met oma en de buurman, toen ik de muziek kreeg, een duidelijk noodlottig moment was. Zoveel sterke krachten in één punt samengekomen. Nu pas begrijp ik dat oma me, door me die muziek te geven, waarschijnlijk wilde laten zien dat ze toch wel iets over het lot wist.

Ik denk: misschien houdt alles wat er destijds gebeurde wel verband met elkaar op een voor mij onbegrijpelijke manier. Misschien heeft oma me die ervaring toentertijd geschonken toen ze met de buurman op de bank lag. Misschien werd ik gestuurd door haar wil. Misschien was zij de reden dat ik zwanger werd, en een moeder mocht zijn die een paar weken lang op haar kind mocht broeden, voordat de ziekte weer de kop opstak. Dat ik iemand mocht zijn die wist dat er een kind in me kon leven. Misschien hadden oma en het lot een verbond gesloten.

Maar het klopt vast niet dat alles vanwege oma gebeurde. Ik had immers zelf besloten om die keer naar de buurman te gaan. Ik bezat toch zeker een vrije wil.

De eerste jaren nadat ik naar dit appartement verhuisde, vond ik het moeilijk te bepalen bij wie ik hoorde en wie ik kon vertrouwen. Papa was er natuurlijk, maar hij had genoeg met zichzelf te stellen, geloof ik. Volgens mij was het een grote opluchting voor hem toen ik het huis verliet en hij niet meer herinnerd hoefde te worden aan zijn eigen onvermogen om mij van de ziekte te redden, en aan het gezin dat hij had gehad toen mama nog bij ons woonde. Of aan zijn onvermogen om iemand willekeurig hoe te helpen. Niet dat hij zoiets ooit zou kunnen toegeven, natuurlijk, hij had altijd het gevoel dat hij meer te lijden had dan de meeste mensen.

Ik keek er nuchter naar en dacht dat het ook wel beter voor hem was om zich met zijn onderzoek op het instituut bezig te houden dan om met mij bezig te zijn. Daar kreeg hij ten minste erkenning en respect, en kon hij het gevoel blijven houden van nut te zijn door voortdurend nieuwe onderzoeksprojecten op te stellen die de grenzen weer ietsje verder konden leggen. De grenzen van het onderzoeksfront, of hoe ze dat daar op het instituut ook maar noemden. Ik zag een soort militaire kaart voor me waarop telkens nieuwe grenzen van de fronten werden getekend; het rode front en het blauwe. De oude, onwetende krachten tegen de nieuwe, progressieve. Ook al deden papa en zijn collega's niets wat de meeste mensen konden begrijpen, dan deden ze tenminste iets voor de wetenschap; dat was vast op die kaart met de beweegbare frontlijnen te zien, zei ik tegen mezelf.

Als hij bij me op bezoek kwam, was hij de interessante gast en ik de aandachtige gastvrouw, en dat waren voor ons allebei eenvoudige rollen. Ik stelde hem gedegen vragen over het onderzoeksfront, en hij tekende de kaart voor me en gaf daarbij uitleg. Door wat hij vertelde, leerde ik veel wat me later bij mijn eigen project van pas is gekomen.

Om eerlijk te zijn, deed het verlies van het contact met oma me meer pijn dan dat met papa. Nadat Molly eindelijk naar het buitenland was vertrokken, vond ik dat ik niet langer kon doen alsof oma ook mijn oma was. Ik werd aan mezelf overgelaten. Ze nam nooit contact met me op, ze leek niet aan me te denken. Dat kwetste me. Eigenlijk had ik gedacht dat ik iets bijzonders voor haar was gaan betekenen, bijna meer dan Molly, dacht ik soms. In elk geval na die keer dat ze voor me speelde en me haar bladmuziek gaf. Dat noodlottige moment daar op de stoep met haar en de buurman moet toch iets betekend hebben? dacht ik. Ze heeft vast een plan voor me gehad.

Ik vroeg enkele keren telefonisch aan Molly's vader hoe het met oma ging. Hij leek verbaasd als ik dat vroeg, alsof hij haar eigenlijk een beetje was vergeten. Maar wat hij over haar vertelde maakte duidelijk dat ze nog steeds hetzelfde leven leidde, met in de winter voortdurend gasten over de vloer en een hectisch zomerleven in het zomerhuis; huisconcerten en veel gelach. Niets wees erop dat ze ouder werd, en ik dacht er niet bij na dat ze een keer zou komen te sterven, hoewel het statistisch het meest waarschijnlijk was dat oma als eerste van ons zou overlijden.

Oma was het oudst, natuurlijk, maar het drong slechts langzaam tot me door dat niet altijd de oudste als eerste sterft. Oma's dochter overleed voordat ze zelf stierf. Ik wist niet of ze daar ooit helemaal overheen zou komen. Maar er was niemand met wie ik daarover kon praten, niemand die ik ernaar kon vragen.

En ik speculeer hier natuurlijk maar wat: misschien ga ik wel te ver in mijn pogingen alles in mijn eigen project over het lot te stoppen. De vraag wie er het eerst overlijdt, is een typische vraag over het lot, en is even moeilijk te doorgronden als al het andere dat met die kracht te maken heeft. De regels, zo die al bestaan, lijken ingewikkeld en weinig consequent.

Een tijdlang dacht ik dus te weten dat oma zich evenveel met deze vragen bezighield als ik, en dat ze al veel verder was in die studie dan ik, dat ze zich daarmee in haar appartement en in haar zomerhuis bezighield.

Maar ik weet het niet meer. Veel wijst erop dat ook zij het spoor bijster was, net als ik. En mocht ze toch iets hebben geweten, dan zou ze hetzelfde probleem hebben gehad als ik: hoe had ze haar kennis wereldkundig kunnen maken?

De muziek die ik van haar kreeg toen haar buurman me de trappen af had geholpen, betrof een arabesk van Debussy; de eerste. Ik begreep niet waarom ze die aan mij had gegeven. Ik had geen piano en ik kon niet spelen. En het lot leek geen pianotoekomst voor mijn vingers in petto te hebben, daar had de ziekte wel voor gezorgd. Ik was bang dat die als twee bosjes slappe, gekookte asperges zouden worden.

Ik stak de muziek onder een paar boeken op de boekenplank. Al die jaren dat ik bij papa woonde, zag ik het bleekgroene mapje onder de naslagwerken op de middelste plank vandaan steken. Het zou natuurlijk zinloos zijn om tegen papa te zeggen dat ik graag een piano wilde, en pianolessen bij een goede docent.

Toen ik na verloop van tijd op mezelf ging wonen, in dit appartement, zorgde ik ervoor dat de bladmuziek mee verhuisde. Ik legde het mapje hier in de la van het bureau.

Pas nu begin ik te begrijpen waarom oma me dit heeft gegeven. Het begint nu pas tot me door te dringen. Net als de zon. *Like the first morning.*

Ik nam de hoorn op en hoorde op de achtergrond een soort gegier. Een ijle meisjesstem: Ine, natuurlijk.

"Moet je ze eens tekeer horen gaan", zei Molly. "Het eerste wat ze vroegen was of ik een tv had."

"Jij hebt geen tv."

"Wat doen kinderen van hun leeftijd als ze niet slapen of roepen of schreeuwen of tv-kijken?"

"Dat weet ik niet. Maar daar kom je vast wel achter."

Van wat Aksel me had verteld, wist ik dat Eilif en Ine in de zomervakantie elke ochtend eerst naar tekenfilms op tv keken, maar dat kon ik haar volgens mij beter niet vertellen.

"Je hebt een computer en een internetverbinding", zei ik. "Misschien kunnen ze daar iets mee doen? Daar zitten een heleboel leuke spelletjes en zo op die je gratis kunt downloaden. Volkomen ongevaarlijke zaken."

"Daar komt niets van in!"

Ik wist dat Eilif uitstekend met internet overweg kon, Aksel was er zichtbaar trots op geweest toen hij dat vertelde. Maar ook daarover zei ik niets. Ik vond dat dingen zich in hun eigen tempo moesten kunnen ontwikkelen.

Molly kreunde, alsof ze zich al aan het voorbereiden was op wat ze tegen hen moest zeggen om duidelijk te maken waarom ze geen tv had of waarom ze haar computer niet mochten gebruiken.

"Ja, ik zal langzamerhand wel gaan ontdekken wat ze leuk vinden om te doen", zei ze.

"Wat ben je van plan om met het kind te gaan doen?" ontglipte me. "Ga je het houden?"

"We spreken elkaar later", zei ze snel. "Ze zijn daar buiten vast aan het ruziemaken. Misschien willen ze dat ik bemiddel. Ik moet maar naar hen toe gaan."

"Ga maar naar hen toe", zei ik gelaten.

Het werd weer stil. Ik hoorde hoe ze een sigaret opstak; het gefrummel met het pakje, het scherpe gesis toen de rode kop van de lucifer tegen het luciferdoosje explodeerde. Normaal gesproken heb ik er niets op tegen dat ze rookt, sigaretten passen bij haar, maar ik vond het anders nu Ine en Eilif in hetzelfde huis woonden.

"Zeg?" zei ik voorzichtig. "Steek je een sigaret op?"

"Mm."

"Is dat wel slim als je zwanger bent?"

"Ja", zei ze kort, en ze legde neer.

De foto's van het zomerhuis kwamen op de avond dat de kinderen arriveerden op mijn mobieltje binnen. Molly heeft vast gedaan wat ik vroeg en hun verteld dat ik graag foto's wilde hebben. Ze had er duidelijk plichtsgetrouw een paar van Aksel en hen na het eten genomen, en Ine of Eilif een van Aksel en haar laten maken, met de armen om elkaar heen. Die foto vond ik een beetje demonstratief. Daarna hadden Aksel en zij de camera helemaal aan Eilif en Ine overgelaten en hen op pad gestuurd. Misschien hadden ze zelfs wel het woord 'fotosafari' laten vallen, zonder zich te herinneren dat ik dat woord had voorgesteld. Ik hoopte dat Molly eraan had gedacht om te zeggen dat ze voor de foto's betaald zouden worden.

Daar waren ze.

Ik hield bijna mijn adem in toen ik de foto's van de kinderen zag. Ik zette ze met trillende handen van mijn mobieltje over naar de computer en projecteerde ze op de wand. De foto's waren van goede kwaliteit, ze konden prima vergroot worden. Opeens had ik hen enorm groot gemaakt, ze leken in de kamer op te zwellen; scherp en met oplichtende, heldere kleuren.

Ik begreep meteen dat ik een heleboel aanpassingen moest uitvoeren, met de kartonnen poppen en met de portretten die ik uit mijn hoofd van hen in het notitieboekje had gemaakt. Niets daarvan kwam ook maar in de buurt van de werkelijkheid.

Ine met dat mooie haar. Eilif met die oranje honkbalpet. Beiden met een zonnebril. Ze waren zo ... echt. Echter dan ik me had voorgesteld. En ouder.

Op de eerste foto stonden ze blijkbaar aan de tafel op de veranda waar ze hadden gegeten. Aan de restanten op de borden viel niet precies te zien wat ze hadden gegeten, maar het leek op spaghetti met stukjes worst. Dat is goed, dacht ik. Ze heeft mijn raad opgevolgd. En natuurlijk zijn ze ouder dan ik voor ogen had, dat is toch vanzelf-sprekend, dat ik daar niet aan had gedacht. De foto's die Aksel me vlak voor kerst had laten zien waren immers van vorige zomer. Ongeloof-lijk hoe kinderen in een jaar tijd kunnen groeien en zich ontwikkelen. Dat ik zo dom kon zijn om daar niet aan te denken.

Maar er waren nog meer foto's. De kinderen hadden hun mobieltje kennelijk mee naar buiten genomen. Ze hadden een aantal foto's gemaakt van de verandatrap, ongetwijfeld in opdracht van Molly, zodat ik een indruk kon krijgen van hoe de rolstoelrijplank gebouwd moest worden. Maar daarna moesten ze aan de wandel zijn gegaan, want er waren ook foto's van de tuin, van de weg langs het huis, van een kat die voor hen de weg overstak. Veel foto's van die kat.

Daarna een paar foto's van Eilifs rug, die moest Ine hebben ge-maakt. En daarna eentje van een rood huis dat achter een grote rozen-haag lag. Ze moesten in de richting van dat huis zijn gelopen.

Op de foto was achter in de tuin een gestalte waar te nemen; een oude man met een wit vissershoedje. Het was alsof hij naar de foto-graaf tuurde.

De laatste foto die ik die avond op de wand projecteerde, was een close-up van dezelfde man, genomen in een donkere, rommelige keu-ken. Hij was iets onderbelicht. De man met het vissershoedje nam het grootste deel van de foto in beslag.

Mijn hart werd zwart en stokte even. Ik sperde mijn ogen open en staarde naar de foto. De man met het vissershoedje. Ik vergrootte de foto zo veel mogelijk, en ten slotte besloeg hij de hele woonkamer-wand. Hij groeide naar me toe naarmate ik hem groter maakte.

Er bestond geen enkele twijfel. Dat was Strøm.

Hij was zo oud geworden. Er was iets raars met zijn ogen.

"Molly!" riep ik in de telefoonhoorn, in haar antwoordapparaat dat net was ingeschakeld. Ze neemt vaak de telefoon niet op als ze aan het werk is. "Besef je wel naar wie je de kinderen laat gaan? Strøm! Strøm woont in het huis naast je! Hij is de eigenaar van de kat! Je moet er meteen heen gaan en hen ophalen! Hij is veroordeeld wegens pedofilie! Wat spoken jullie daarginds eigenlijk uit?"

Maar het antwoordapparaat brak met een piepje af.

Ik moet erheen en hen redden! dacht ik. Ik weet wat ze over Strøm zeggen. Hij kan van alles verzinnen, die man is niet te vertrouwen!

Het was niet moeilijk je voor te stellen hoe alles moest zijn gegaan: na het eten en het fotograferen op de veranda wees Molly op Eilifs mobieltje en stelde voor dat Ine en hij op pad zouden gaan om een paar foto's te maken voor een vriendin van papa en haar in de stad die over een tijdje bij hen op bezoek zou komen. Ik. Die vriendin zat in een rolstoel, legde ze uit, en ze wilde graag weten hoe alles er hier uitzag, zodat ze zich erop kon voorbereiden om zich zelfstandig voort te bewegen. Daar konden ze haar toch wel mee helpen? Ze benadrukte dat de vriendin goed voor de dienst zou betalen.

Aksel en zij ruimden de eettafel af en zagen er gemaakt onschuldig uit, maar de kinderen hadden het vermoeden dat er iets tussen hen stond te gebeuren, en ze wilden zich zo snel mogelijk uit de voeten maken. Ik dacht: er zijn nu opeens twee kampen ontstaan. De volwassenen tegen de kinderen. Jammer, maar zo gaat dat soms.

Ik stelde me voor dat Eilif en Ine langs het smalle grindpad in de richting van de fjord liepen. De bebouwing is een mengeling van zomerhuizen en vaste woonstekken, dacht ik, en de weg is kronkelig en bedekt met grind. Insecten en grasmaaiers maken een zoemend geluid, zoals dat 's zomers op dat soort plekken altijd het geval is.

Ze lopen zwijgend naast elkaar. Eilif maakt grotere passen dan Ine, hij ziet er gesloten en vastberaden uit, zij moet af en toe een stukje rennen om hem bij te benen, maar dat doet ze automatisch, zonder erbij na te denken, terwijl ze de hele tijd probeert de blik van haar broer te vangen. Ze heeft magere, lichte benen, het is bijna alsof ze zweeft. Regelmatig blijft Eilif stilstaan en knipt hij een foto met het mobieltje. Na een tijdje geeft hij het aan Ine.

Op de kruising blijven ze even staan en ze vragen zich af waar ze heen moeten, wat de snelste weg naar het strand is. Want ze hebben besloten naar het strand te gaan, hoewel daarover geen woord is gesproken, en ook al weten ze dat dat niet mag. Ik denk dat het soms zo tussen broer en zus kan gaan; je hoeft niet altijd met woorden te discussiëren.

En terwijl ze daar op de kruising staan, komt er een poesje van onder een tuinhaag geslopen, ging ik voor mezelf verder. Dat is zwart met wit, en de pootjes raken de grond bijna niet, het lijkt alsof het beestje naar hen toe glijdt. De kat blijft staan als hij hen in de gaten krijgt, daarna trippelt hij naar hen toe met de stijve staart recht omhoog, en begint tegen Ines benen aan te wrijven. Ze gaat door haar knieën van tederheid en tilt hem op, drukt hem tegen haar borst, blij om dit nieuwe dat ze misschien met haar broer kan delen. De kat begint meteen te spinnen, hij schuurt zijn ruwe tong langs haar kin, zodat ze met een iel stemmetje giert en de mobiele telefoon op de grond laat vallen. Eilif pakt de telefoon op, schudt hem angstig en droogt hem af met een stukje van zijn T-shirt, voordat hij hem in zijn zak steekt. Maar hij zegt niets, en het wolkendek op zijn gezicht breekt bijna door, hij steekt een hand uit om de kat te aaien. Dan maakt hij een foto van Ine met de kat op haar arm, daarna enkele close-ups van alleen de kat en eentje van alleen Ines gezicht.

"Van wie zou hij zijn?" vraagt Ine.

De kat begint opeens te kronkelen en springt uit haar arm. Hij draait zich om, alsof hij haar vraag beantwoordt en wil dat ze hem volgen.

Ik kon mijn gedachten niet stopzetten, de beelden gingen vanzelf verder; het was niet langer een film, het was alsof ik ergens aan deelnam. Aan de realiteit.

Ik zag: Strøm staat in de tuin voor zijn huis. De haag omringt hem, die is bezig helemaal dicht te groeien, met gigantische stokrozen in de bloei; witte, roze, purperrode, zwavelgele en violette bloemen. En zijn gezicht is bijna helemaal bedekt met haar, het is lang geleden dat hij zich heeft geschoren, misschien is hij op het idee gekomen dat het niet langer verantwoord is zelf het scheermes ter hand te nemen, nu zijn gezichtsvermogen zo slecht is geworden. Hij denkt dat zijn gezicht onder de baard kleiner is geworden, zo voelt het soms als hij met zijn rechterhand met de levervlekken over zijn kin wrijft, een beweging die hij zich de laatste paar jaar heeft aangeleerd. Die beweging maakt een radeloze indruk.

Hij knijpt zijn ogen tot spleetjes en tuurt de tuin in. Hij merkt dat zijn gezichtsvermogen de afgelopen paar weken slechter is geworden, het is alsof er over alles om hem heen een melkachtig vlies is gekomen. Hij heeft het versleten, blauwe flanellen overhemd aan en een verbleekte lichte broek. Schipperslaarzen aan zijn voeten, een wit vissershoedje op zijn hoofd.

Toen hij dat huis een paar jaar geleden kocht, had hij ambities voor de oude tuin, en hij heeft nieuw tuingereedschap aangeschaft: snoeischaren in verschillende formaten, een kruiwagen, een schop en een nieuwe grasmaaier. Maar toen kwam die opdracht met die grote retrospectieve tentoonstelling waarover ik in de krant heb gelezen, dacht ik. De directeur van het museum die hem heeft uitgenodigd, is een oude bekende. Dit is een aanbod dat je niet kunt afslaan. En ook al voelde hij vanaf het begin instinctief een afkeer van het hele project, toch zei hij deze keer tegen zichzelf dat hij in elk geval kon beginnen de oude negatieven van jaren geleden door te kijken.

Hij begaf zich naar de woonkamer in het oude huis met de versleten bureaustoel die hij uit het appartement in de stad had meegenomen, net als het vergrootglas en een sterke bureaulamp, naast dozen en boxen vol oud beeldmateriaal. Hij heeft zijn eigen systeem. En het geconcentreerde werk – het omhooghouden van de negatieven onder de bureaulamp, zijn vergrootglas voor de ogen brengen en de afbeeldingen een voor een bestuderen, onsentimenteel en langzaam – liet aanvankelijk een nieuwe golf werklust door hem heen gaan. Een bijna uitgelaten gevoel, een verlangen om nieuwe dingen te creëren, foto's die nog nooit iemand heeft gezien, in elk geval niet iets wat op dat oude, opgebruikte werk leek.

Eerst dacht hij dat hij de mensen van de galerie een keer moest bellen om hen erop voor te bereiden dat dit een volslagen nieuwe tentoonstelling zou worden, dat hij niet in staat was tot iets retrospectiefs, sentimenteels en al bestaands. Het stond hem nog niet duidelijk voor ogen hoe deze nieuwe foto's eruit zouden zien, maar het gevoel nog iets onafgemaakts te hebben, veranderde hem, deed hem zijn woning verlaten. Wekenlang liep hij elke dag met zijn camera in de omgeving van zijn woning en op het strand bij de badhuisjes, dag in dag uit dezelfde ronde. Ten slotte kende hij elke stap vanbuiten, de ronde was een aparte wereld voor hem geworden. Hij stopte op dezelfde plaatsen en stond minutenlang onbeweeglijk stil om te kijken of er iets zou gebeuren; of de boom, de paal van de omheining, het sterke fluitenkruid, het hek in de omheining iets te zeggen hadden.

Na dit een paar weken te hebben gedaan, besefte hij dat dít de nieuwe tentoonstelling moest worden: de wereld zoals die tot hem sprak, een oude man die bezig was blind te worden. Niet de wereld door zijn ogen, maar de wereld zoals die was. De wereld als die niet werd gezien. Zo moest het zijn. De wereld als de fotograaf blind is. De wereld als de fotograaf verdwenen is.

Hij wist nog niet precies hoe hij dit voor elkaar moest krijgen, maar zijn oude gevoel kwam terug, dat iets in zijn camera meer wist dan hijzelf, dat die iets met hem wilde.

Hij heeft met de gedachte gespeeld gebruik te maken van apparatuur die automatisch foto's van de wereld maakt, zonder dat hijzelf daarbij aanwezig is, op een onverwacht moment. Hij stelt zich voor dat dergelijke foto's vanaf de achterkant de realiteit binnensluipen, die realiteit verrassen als die het het minst verwacht, zonder dat ze het zelfs maar merkt. Aspecten onthullen van toevallig geselecteerde objecten zoals de paal van de omheining, het hek, het fluitenkruid of de versleten trap van het badhuisje naar het water die nog nooit iemand heeft gezien; diepe geheimen waardoor het grootste deel van het publiek zich in verwarring of van afschuw zal afwenden.

Alles hangt van het licht af, natuurlijk. Uiteindelijk zal het licht het doen, niet hij. Het licht is nooit hetzelfde, dat heeft hij uiteraard altijd geweten, de kennis van de lichtwisselingen en wat die van hem verlangen is altijd zijn sterke kant geweest, dat wat hem al die jaren lang heeft onderscheiden van de grote groep middelmatige fotografen, die met de nieuwste van de nieuwste uitrusting rondsjouwen en die de digitale realiteit als de enige beschouwen, alsof het oude handwerk niet zou bestaan.

Ik snoof even toen ik aan dat soort fotografen dacht.

Vanwege het licht zijn de plaatsen en voorwerpen waarbij hij op zijn tochten blijft stilstaan, nooit dezelfde, ging ik verder. Het licht doet alles verschuiven, in elkaar overglijden, alles in en uit focus gaan. Zich verbergen, of zich opeens voor hem opensperren, ruw en wild.

Het komt hem voor dat de lichtwisselingen nu onverwachter komen dan toen hij jonger was. En naarmate zijn gezichtsvermogen geleidelijk aan minder wordt, is hij steeds meer genoodzaakt om bij een inwendig gevoel voor licht steun te zoeken. Aanvankelijk dacht hij dat dit onmogelijk zou zijn, maar in de loop van de afgelopen weken meent hij de wisselingen van het licht met gesloten ogen te kunnen voelen, alsof het innerlijk en het uiterlijk in elkaar overgaan, een geheel worden.

En er zijn altijd veranderingen. Die zijn het gemakkelijkst te zien aan de jonge planten. Van de ene dag op de andere kunnen ze onherkenbaar zijn, dubbel zo hoog als de dag ervoor, of opeens uitgebloeid; er gaat af en toe een schok door hem heen als hij dat ziet.

Die enorme stokrozen. Die blauwe monnikskap met de giftige bloemen.

Die vaste wandeling van hem is een aparte wereld geworden die hem altijd binnenlaat, het is een opluchting zich zo welkom te weten. Maar tegelijkertijd wordt het steeds moeilijker om die wereld weer te verlaten. Hij weet niet eens of hij dat nog wel wil.

Hij beseft opeens dat hij bijna geen foto's meer neemt, hij kijkt alleen maar. Tuurt.

Dat is hij hier vandaag aan het doen. Hij tuurt alleen maar. Of hij werkt in de tuin; hij wiedt onkruid en strooit compost, snoeit een paar takken met de tuinschaar.

Dat zijn ogen het afgelopen halfjaar beduidend slechter zijn geworden, heeft een ontsnapping uit zijn zelfverkozen isolement alleen maar moeilijker gemaakt. Het tentoonstellingsproject is al wat op een afstand geraakt. Hij heeft niet eens meer altijd zijn camera bij zich. Hij is begonnen aan een brief voor de directeur van het museum, die hem heeft uitgenodigd. In de brief moet hij duidelijk en vastbesloten uiteenzetten dat er geen tentoonstelling komt, dat ze iemand anders moeten zoeken. Hij heeft alleen de goede woorden nog niet gevonden en het is zo gemakkelijk om het schrijven uit te stellen; er komt altijd wel iets tussen.

Toen hij vanochtend vroeg aan de keukentafel de ochtendkrant zat door te bladeren zonder meer dan de koppen te kunnen onderscheiden, brak het besef door dat hij nu lang genoeg in de andere wereld had verkeerd. De dingen spraken niet meer tegen hem, ze spraken nu vooral tegen elkaar of tegen zichzelf. Hoog tijd om uit te breken, om zich weer op andere mensen te richten. Als daar nog iemand is, als ze niet allemaal zijn verdwenen terwijl hij zich in het duistere isolement van zijn bewustzijn ophield, denkt hij.

Hij heeft net de gieter gevuld bij de buitenkraan aan de andere kant van het huis en die over het grindpad naar de restanten van een sierlijke border gesleept. De stokrozen bloeien ondanks het gebrek aan verzorging, ze bloeien bijna uitbundiger dan vroeger, alsof ze aan hun eigen vorm, hun eigen geur willen vasthouden, ze zijn in de loop van de zomer steeds werkelijker geworden en hun werkelijkheid heeft niet meer zoveel met de zijne te maken.

De laatste dagen heeft hij het gevoel dat alles op zijn eind loopt. Het is alsof hij vergeten is waar de uitgang zit, denkt hij, terwijl hij het water uit de gieter op de bloemen laat stromen. De uitgang waar hij door moet om de anderen te vinden, is moeilijk te zien. Alsof die is dichtgegroeid met te sterk woekerende gewassen, overdreven bloeiend, zo werkelijk dat het haast te veel wordt, dat het haast niet meer is uit te houden.

Hij zou willen dat de bloemen het opgeven en verwelken.

De stokrozen geven me een laatste kans, denkt hij. Een laatste kans voordat alles op zijn einde loopt. Ik moet ze water geven. Hij tilt de gieter op.

Ze zijn zo intens en diep van kleur, ze trekken hem naar zich toe. Hij ruikt ze duidelijker dan hij ze ziet.

Natuurlijk is het mogelijk om deze wildernis op orde te brengen. Wieden, een border maken. De scherpe nieuwe schop pakken en het gras aan de lange kant van het rode huis afsteken. Twee, drie meter van de muur misschien, dan valt de schaduw van het dak niet op de border. Vanzelfsprekend kun je hier pioenen en andere vaste sierplanten poten. Vlak bij de muur kan hij een natuurstenen pad maken, om in zijn eigen tempo met een sigaret in de hand om het huis te kunnen lopen.

Ja, zo moet het worden. Hij kan de grote, oude pioen die aan de andere kant van het huis staat scheuren, denkt hij, hij laat zich helemaal meeslepen. Of misschien toch beter het gebroken hartje. Pioenen kunnen niet tegen verplanten. Opnieuw wrijft hij over zijn bebaarde kin. Eigenlijk zou hij een ouderwetse zeis moeten hebben, denkt hij, de grasmaaier kan dat lange gras niet de baas.

Hij voelt de kat tegen zijn broekspijp schurken voor hij hem ziet, dacht ik verder. Uit het hevige gespin dat de kat produceert maakt hij op dat de kat zojuist is aangehaald door iemand die weet hoe het moet. Het is zijn kat, het enige levende wezen waarmee hij dagelijks omgaat.

Dan merkt hij dat er mensen in de tuin zijn gekomen. Hij komt overeind en tuurt naar de plaats waar hij hen vermoedt, bij het hek.

"Ja?" roept hij, iets te hard.

Ine en Eilif lopen het hek door, maar blijven bij de haag staan. Hij knijpt zijn ogen tot spleetjes, brengt een vlakke hand naar zijn voorhoofd om tegen de zon in te kunnen kijken, en ziet de omtrek van de twee gedaanten, hij begrijpt dat het kinderen zijn, voor een volwassene zijn hun gestaltes te kort en te smal.

"Kan ik jullie helpen?" vraagt hij zacht, bijna in zichzelf. Ze horen hem niet. Ine wil een stap in zijn richting zetten, maar Eilif houdt haar tegen. Hij tilt het mobieltje op en richt het op de tuin, op de turende man.

"Is die kat van jou?" roept Ine, terwijl haar broer de ontspanner met een iel, digitaal piepje laat afgaan.

"Die kat is van niemand", roept Strøm naar de twee kinderen bij het hek. "Maar hij woont bij mij!" Hij meent hen nu beter te kunnen zien. "Hij heet Henry!" voegt hij eraan toe. Alsof hun dat wat uitmaakt, denkt hij geïrriteerd.

"Mag ik hem aaien?" roept Ine terug. "Ik heb hem op de weg al geaaid, hij vond het fijn, hij was niet bang."

Een iele meisjesstem, denkt hij. Basisschoolleeftijd, niet ouder.

"Dan heb je geluk gehad", roept hij weer. "Henry is meestal een beetje bang voor vreemden. Kom maar hier, meisje."

Ine kijkt snel naar haar broer, maar negeert zijn waarschuwende blik en loopt naar de oude man met de witte baard en de kat toe. De kat maakt het haar gemakkelijk en komt met opgerichte staart op haar af. Haar kleine, tengere lijfje buigt zich en tilt het diertje op, hij boort zich met zijn kop in haar hals en tegen de onderkant van haar kin.

"Kijk eens aan, een meisje dat weet hoe ze met een kat moet omgaan", zegt Strøm, terwijl hij de gieter neerzet. Eilif tilt zijn mobiel op en maakt weer een foto van zijn zus met de kat. Strøm merkt het, maar laat zich er niet door afleiden. Hij kan Ine nu duidelijker zien, een mager schepseltje met rode shorts, ze is al helemaal opgegaan in het brommende gespin van de kat, in zijn bewegingen, zijn geur, zijn gladde vacht, in alles wat aan poes doet denken. Vol tederheid streelt ze de kat aan één stuk door met dat smalle handje van haar. Strøm begrijpt dat zij en de kat één zijn geworden en dat Ine een groot gemis in zich draagt en hunkert naar iets wat haar kan omhullen, haar kan vasthouden.

"Zijn jullie hier nieuw?" vraagt hij. "Ik kan me niet herinneren jullie hier eerder te hebben gezien."

"We logeren in een huis dat een eindje verderop staat", zegt Eilif. "Maar we wonen in de stad."

"Stadsmensen dus. Fijn om er even uit te zijn?"

"We hebben helemaal geen zin om hier te zijn."

"Geen zin?"

"Nee, eigenlijk zouden we deze zomer met mama naar Italië, maar toen werd ze ziek."

Eilif is nu ook dichterbij gekomen.

"Zo, zo, Italië. Daar is het prachtig, ik heb er vroeger gewoond."

"Echt waar?"

"Ja, maar dat is alweer jaren geleden. 's Zomers is het hier ook prachtig, maar het is natuurlijk geen Italië. Daar praten ze Italiaans, om maar wat te noemen, en schenken ze heerlijke wijn en dat is meer dan je van de mensen hier kunt zeggen."

Strøm zwijgt opeens, geschrokken door die onverwachte woordenstroom. Het is alsof zijn stem die van een vreemde is, hij merkt dat het lang geleden is dat hij met een kind heeft gepraat. Er komt maar zelden iemand bij hem langs, en nooit onaangekondigd. En er komen nooit, nooit kinderen. Die schalkse toon past niet bij me, denkt hij. Ik heb nooit de grapjas uitgehangen, het is onzin om daar nu nog mee te beginnen.

"Mama ligt in het ziekenhuis", zegt Ine opeens. "Ze hebben haar geopereerd."

Strøm weet niet wat hij moet zeggen. Hij wacht af of er nog meer komt, maar Ine blijft zwijgen en hijzelf vervalt in een ongemakkelijke stilte.

"Ik begrijp het", zegt hij ten slotte. Dan weet hij niets meer te zeggen en opnieuw wordt het stil.

"Ja, logisch, dat is geen lolletje", zegt hij uiteindelijk, om de stilte te verbreken. "Maar meestal gaat het goed, althans volgens de mensen die er verstand van hebben."

"Ken je die dan?" vraagt Ine.

"Kennen en kennen. Je moet de dokters vertrouwen, ze weten wat ze doen. Ze zijn heel lang naar school geweest om dat soort dingen te leren."

"Ben jij weleens geopereerd?"

"Nee, het heeft totaal geen zin om mij te opereren."

"Waarom niet?"

"Omdat ik te ziek ben, denk ik. En te oud. Ik ben suikerpatiënt, zoals ze dat noemen, en ik heb niet goed voor mezelf gezorgd en nu is het te laat om daar nog mee te beginnen. Ik zie slecht en het zal nog wel erger worden. Maar het is een veel te mooie zomerdag om over dergelijke treurigheden te praten. Waar komen jullie vandaan?"

"We wonen in de stad", zegt Eilif. "Meestal bij mama, maar ook veel bij papa."

"Heel veel, dus", zegt Ine. "Mama en papa wonen vlak bij elkaar", voegt ze er snel aan toe.

"We willen hier eigenlijk helemaal niet zijn", zegt Eilif. "We wachten alleen maar tot papa ons komt ophalen."

Hij komt een beetje dichterbij, die oude man met de witte baard begint hem te interesseren. Alsof hij hem ergens van kent, maar zich niet kan herinneren waarvan.

"Juist. Nou, kunnen Henry en ik jullie dan misschien iets te drinken aanbieden terwijl jullie wachten? Ik geloof dat er nog wat vruchtensap in de keuken staat. Maar of er ook koekjes en zo zijn, weet ik ..."

"Ja, graag", zegt Ine. "Waarom heet hij Henry?"

"Eigenlijk is het Frans en moet je 'Henri' zeggen, hij is genoemd naar een grote leraar van mij van vroeger. Maar dat werd uiteindelijk te ingewikkeld en hier praten de mensen ook geen Frans, dus ik heb besloten het maar bij Henry te houden."

"Wat voor leraar was dat?"

"Een fotograaf."

"Wij maken ook foto's!" zegt Ine. "We hebben een mobiele telefoon met een camera erin gekregen van papa, en Molly heeft gezegd dat we foto's moeten maken voor een vriendin van haar die binnenkort hier komt. Die zit in een rolstoel. Zij betaalt."

"Molly, zei je? Die naam komt niet vaak voor. Logeren jullie bij haar?"

"Ja. Ze is papa's vriendin. Ze zegt dat ze maar één keer per dag met ons kan gaan zwemmen, dus we moeten iets verzinnen wat we tussen het ontbijt en één uur kunnen doen, en 's avonds ook. Ze heeft niet eens een tv, maar ze heeft gezegd dat ze dat zal regelen."

"O, en wat doet Molly dan?"

"Ze maakt dingen", zegt Ine. "Voor een toneelstuk. Ik weet niet hoe dat heet."

"Ze is scenografe", zegt Eilif.

"Zo, dat is mooi", zegt Strøm. "Scenografe, wel, wel."

"Daarom heeft ze pas na één uur tijd voor ons. We vinden haar niet aardig. We willen liever bij jou zijn. Toch, Eilif?"

Eilif geeft geen antwoord. Strøm denkt na.

"Molly", zegt hij. "Die naam komt niet vaak voor. Ik kende vroeger iemand die Molly heette, jaren geleden. Hoe oud is die Molly bij wie jullie logeren?"

"Weet ik niet", zegt Eilif. "Net zo oud als papa, denk ik. Niet zo oud als jij, dat niet, maar wel volwassen."

"Volwassen", zegt Ine. "Vroeger woonde ze in de stad, maar toen erfde ze het zomerhuis van haar oma, en daar logeren we nu. Die ging dood. In het ziekenhuis. Die oma, dus."

"Hm", zegt Strøm.

"Wat bedoel je met 'hm'?" vraagt Ine.

"De Molly die ik kende kon heel goed tekenen", zegt hij. "Ze was toen nog heel jong. Ik heb haar leren fotograferen."

"We hebben een foto van haar!" zegt Eilif plotseling. "Die hebben we net gemaakt." Hij haalt de mobiel uit de zak van zijn capuchontrui en klikt terug naar de goede foto aan het begin, vóór de foto's van Strøm, de kat, de weg naar Strøms huis en Ine met de kat op de arm.

"Aha, jullie hebben dus zo'n telefooncamera. Daar heb ik geen verstand van", zegt Strøm.

"Die zijn hartstikke goed", zegt Eilif. "Kijk, hier heb je haar. Ze staat naast papa. Ik heb hem net genomen, op de veranda van haar zomerhuis."

Strøm pakt het kleine, zilverkleurige voorwerp dat de jongen hem aanreikt en tuurt ingespannen, terwijl hij een indruk van Molly op de foto probeert te krijgen. Hij is stil. Het is duidelijk dat hij het niet goed kan zien. Eilif gaat naar hem toe en helpt hem met het zoeken naar de juiste hoek waarin hij het display moet houden om het beeld scherp te krijgen. Ten slotte lijkt Strøm iets herkenbaars te zien.

"Dat is lang geleden", zegt hij.

"Ken je haar?"

"Kende."

"We kunnen haar wel de groeten van je doen! Hoe heet je trouwens?"

"Nee, doe maar niet", zegt Strøm. "Ik weet niet of ze het leuk vindt om te horen dat ik hier ben."

"Waarom niet?"

"Kom", zegt Strøm. "Kom maar binnen, dan zal ik jullie het huis laten zien. Het is er een beetje donker, misschien zie ik dan de foto beter."

Ik kon het niet laten te bedenken wat er verder met de kinderen gebeurde. Ik was op sleeptouw genomen door een verhaal dat me niet wilde loslaten. Het had een eigen wil, het wilde iets met mij. Ik bleef met gesloten ogen in de rolstoel bij de telefoon zitten, mijn handen stevig om de duwring van de wielen geklemd, klaar om me af te zetten, om in beweging te komen.

Natuurlijk wil Strøm niet vertellen hoe hij heet, dacht ik. Hij is bang ontmaskerd te worden. Hij weet dat er geruchten over hem de ronde doen, hij vermoedt dat Eilif en Ine misschien hebben gehoord dat hij een pedofiel is. Met geruchten weet je het nooit, je hebt geen idee wie ze horen. Geruchten duiken op de meest onverwachte plaatsen op. Hij kan zich nooit veilig voelen en dat weet hij.

Toch was het alsof het verhaal dat ik aan het verzinnen was, mij een andere kant op dwong dan ik zelf in gedachten had. Alsof het meer wist dan ik. Het kapselde me in en richtte een plaats voor me in. Ik voelde me verward.

Strøm heeft een kind misbruikt en de kinderen en hij lopen nu langzaam door de tuin in de richting van het huis, dacht ik. Ze blijven gezellig met elkaar praten. Geen van beiden beseft het mogelijke risico. Voorlopig voelen ze zich veilig.

"Had je een leraar die je leerde fotograferen?" vraagt Eilif. Hij is wat toeschietelijker geworden.

"Ja", zegt Strøm. "Maar het was geen gewone schoolleraar. In die tijd kreeg je op school nog geen fotografie."

"Hoe leerde je het dan?"

"Je probeerde gewoon maar wat en als je geluk had, kwam je iemand tegen die erg goed was en die je de fijne kneepjes wilde bijbrengen."

"Net zoals wanneer je piano wilt leren spelen?"

"Ja, zo ongeveer. Door Henri kreeg ik zin om een goede fotograaf te worden, en toen was ik nog heel jong."

"Werd je dat ook?"

"Ja, ik ben een redelijk goede fotograaf geworden, denk ik."

"Hoe kreeg je hem zover dat hij je leraar wilde worden?"

"Tja, dan zet je gewoon je beste beentje voor en hoop je maar dat hij zich voor je gaat interesseren. Dat hij vindt dat je ... iets extra's hebt."

"Hoe laat je zien dat je iets extra's hebt?"

"Wat een vragen allemaal. Ik denk dat je gewoon jezelf moet blijven. Maar in de eerste plaats moet je zelf denken dat je iets extra's hebt, anders kun je iemand anders daar moeilijk van overtuigen."

"En hoe weet je of je dat hebt?"

"Dat wéét je gewoon", zegt Strøm ernstig, en hij kijkt Eilif belangstellend aan. "Dat wéét je gewoon."

"Als een soort vuur?"

"Ja, zoiets. Als een soort vuur."

"Maar hoe betaal je de leraar dan?"

"Dat kan op zoveel manieren. Ik betaalde Henri door hem te helpen met verschillende praktische dingen, in de doka werken bijvoorbeeld. Ik hielp hem zodat hij kon doen wat hij moest doen. Hij was al aardig oud in die tijd."

Ine begint haar belangstelling voor het gesprek te verliezen, ze begrijpt dat het niets met haar te maken heeft. Ze schuifelt onrustig heen en weer en bestudeert de omgeving. Maar Eilif is nog niet klaar.

"Dus je bent naar Frankrijk verhuisd om bij die leraar te kunnen zijn", zegt hij.

"Jazeker. Ik heb jarenlang in Parijs gewoond. Maar Henri overleed na een paar jaar. Ik heb niet zo heel veel les van hem kunnen krijgen."

"Wat deed je toen hij doodging?"

"Ik ging door met fotograferen. Wat moest ik anders?"

"Maar toen je geen leraar meer had?"

"Een leraar heb je alleen in het begin nodig. Daarna moet je jezelf zien te redden. De leraar gaat dood, dat komt wel vaker voor, of je gaat bij hem weg."

"En jouw leraar ging dood."

"Ja."

"Werden zíjn ogen ook slechter?" zegt Ine opeens. Ze heeft het gesprek dus toch gevolgd.

Strøm kijkt haar verrast aan.

"Daar heb ik nooit over nagedacht. Maar het zal vast wel. Dat overkomt de meeste mensen als ze ouder worden."

"Net als jou."

"Ja. Net als mij."

"Heeft Henri ook een achternaam?"

"Hm. Jij bent een pienter kereltje. Wat was jouw naam ook alweer?"

"Die heb ik niet genoemd, maar ik heet Eilif. Zij heet Ine."

"Ine en Eilif dus. Mooie namen, ze klinken goed. Ja, de kat heeft inderdaad een achternaam, maar die is geheim."

"Vertel!" roept Ine enthousiast. Ze doet weer mee. Even lijkt er iets van haar af te vallen, ziet Strøm. Een last. Hij wil dat moment voor haar zo lang mogelijk laten duren, zodat ze de angst die ze nog niet onder woorden kan brengen, een tijdje van zich af kan zetten. Hij heeft die wel gezien. Hij is iemand die dat soort dingen ziet; bij mij heeft hij het ook gezien, toen ik hem die keer in zijn atelier opzocht. Toen hij nog met Molly was.

"Nee, dat doe ik liever niet."

"Waarom niet?"

"Niet alle namen kun je hardop zeggen."

"Waarom niet?"

"Je wilt toch altijd iets voor jezelf houden."

"En hoe heet jij?"

"Ik heet Strøm."

"Dat is een achternaam."

"Ja, dat is een achternaam."

"Maar wat is je voornaam?"

"Niet alle namen kun je hardop zeggen", herhaalt Strøm. "Dat begrijpen jullie pas als je net zo oud bent als ik. Kom, we gaan naar binnen en kijken of er nog wat sap is. Ik weet in elk geval zeker dat er koffie is."

"Ik lust koffie!" roept Ine enthousiast.

"Niet waar", zegt Eilif.

"Wel waar!"

"Nou, zal ik dan misschien een kop koffie voor jullie maken?" zegt Strøm met een glimlach. Langzaam gaat hij hun voor naar het huis.

Beide kinderen volgen hem de stenen trap op.

Binnen is het koel en schaduwrijk, een beetje zoals het bij Molly is, denkt Eilif, een enorme rotzooi en toch heerst er overal een vreemd soort orde.

Ik stelde me voor dat ze alle drie aan de versleten keukentafel in het huis van Strøm gingen zitten wachten tot het water voor de koffie kookte.

De tafel ligt vol sliertjes shag, kranten en broodkruimels, zei ik tegen mezelf. Hij is een man met een witte baard en een wit vissershoedje, zij zijn twee lange, magere kinderen in trendy zomerkleren. Eilif met een oranje pet op en een capuchontrui aan, Ine met het haar in een paardenstaart. De kat is hen gevolgd en schurkt onder de tafel al slalommend tegen hun benen aan.

Strøm zet slappe koffie en maakt melk warm in een pan. Dan giet hij de koppen van de kinderen voor meer dan de helft vol met melk, waarna hij er een scheutje koffie bij doet en hun de suikerpot aanbiedt. Beiden nemen suiker en beginnen te roeren. Synchroon, met de klok mee. Ze maken een tevreden indruk, staan al op vertrouwelijke voet met hem.

En hij denkt hen ook al een beetje te kennen, vervolgde ik. Hij vraagt niet verder naar hun moeder, maar zij willen van hem weten waarom hij niet meer in de stad wil wonen en hij vertelt over zijn slechte ogen, die waarschijnlijk de komende jaren steeds slechter zullen worden. Hij denkt dat er niet veel meer aan te doen is; hij heeft zich te lang niet laten behandelen en hij is bang voor dokters. Maar voordat het licht voorgoed zal doven, denkt hij dat hij zich in zijn eentje beter hier op het platteland kan redden dan in de stad, zonder al het verkeer en de eisen die de stad stelt; alle verstoringen.

Eilif staart hem aan.

"Maar wat doe je dan als je straks blind bent?" vraagt hij. "Dan moet je zeker naar een bejaardentehuis."

"Eén ding staat vast", zegt Strøm. "In een bejaardentehuis krijgen ze me niet, nooit."

"Mij ook niet", zegt Ine.

"Dan zijn we het daarover eens", zegt Strøm, terwijl hij haar een glimlach schenkt. "Ik heb er nog geen oplossing voor. Op dit moment is het voor mij belangrijk om af te maken wat ik van plan ben, voor het te laat is. Er zijn een paar dingen die haast hebben."

"Wat dan?" vraagt Ine, terwijl ze haar tong in de koffie steekt en in stilte griezelt. Ze heeft nog nooit koffie gedronken.

"Iemand uit de stad heeft me gevraagd foto's te maken voor een tentoonstelling. Maar ik weet het niet. Als je ogen het laten afweten, dan ..."

"Vind je dat naar?" vraagt Ine.

Tot zijn verbazing merkt Strøm dat hij zich bezwaard voelt. Dat kleine meisje naast hem doet iets met hem.

"Maak je er maar niet druk om", zegt Ine.

"Nee. Als er geen tentoonstelling komt, dan komt er maar geen tentoonstelling, ook al heb ik het wel min of meer beloofd. Het te proberen, bedoel ik."

"Je kunt niet meer dan je best doen", zegt Ine wijs. "Dat zegt mama altijd als iets niet lukt."

"Die mama van jou is lang niet dom."

"Nee, ze is hartstikke slim. Veel slimmer dan dat mens in het zomerhuis."

"Dat zijn jouw woorden. Maar ik vind toch dat ik het moet proberen. En dan zien we wel wat het wordt. Ik maak me in elk geval niet meer druk over wat anderen ervan zullen zeggen, of wat ze van mijn werk vinden. Dat is het voordeel van oud worden."

"Ik maak me er ook niet meer druk om", zegt Ine.

"Goed zo!" zegt Strøm instemmend. "Dan zijn we het daarover eens."

"En ik ook", zegt Eilif.

Dan laat Strøm de kinderen het rode huis zien, vertelde ik mezelf. Het heeft één verdieping, maar de helft van de ruimte op de begane grond is omgebouwd tot doka, de ramen zijn afgeschermd en er zit een waarschuwingssticker op de deur. Dat zorgt voor een wat lugubere sfeer. In wat er nog van de woonkamer over is, staan een eettafel, een paar oude leunstoelen en een oude, donkere piano. Overal liggen grote, ongesorteerde stapels kranten, fotoafdrukken, boeken, borden en koppen en allerlei soorten gereedschap.

"Oei, wat een rommel", zegt Ine. "Bijna net als bij Molly."

"Je hebt een piano", zegt Eilif.

"Kun je spelen?" vraagt Strøm.

"Een beetje", zegt Eilif. "We hebben thuis geen piano, niet bij mama en niet bij papa, ze hebben er allebei geen plaats voor. Maar mama kan wel pianospelen. Ze kan het goed, ik heb het weleens gehoord, als we op bezoek zijn bij iemand met een piano."

"Je mag hier wel wat spelen, als je wilt", zegt Strøm.

"Kun jij het?"

"Vroeger wel. Nu zit ik haast nooit meer achter de piano. Ik ben er denk ik te oud voor geworden."

"Kon je het goed?"

"Redelijk. Goed genoeg om thuis te spelen."

"Kun je het me leren?"

"Tja, ik heb nog nooit iemand pianoles gegeven, ik weet niet of ..."

"Ik kan het best leren."

"Je voelt het vuur, bedoel je?"

Strøm grinnikt een beetje, maar Eilif vindt het niet grappig.

"Alsjeblieft. Dan help ik jou als je ergens hulp bij nodig hebt. Met de tuin, bijvoorbeeld."

"Daar zeg je wat", zegt Strøm nadenkend. "Ik heb opeens een ander idee gekregen, daarnet, toen we koffie zaten te drinken. Ik denk aan de tentoonstelling waar ik mee bezig ben. Die slechte ogen van me. Ik heb iemand nodig die mijn ogen kan zijn. Ik moet weer een paar foto's zien te maken."

"Wij kunnen je ogen wel zijn!" roept Ine enthousiast. Ze ziet haar kans schoon om zich een plaats te bemachtigen in wat er tussen Eilif en Strøm aan het ontstaan is. "Jij blijft gewoon rustig zitten", gaat ze verder. "En dan lopen wij rond en vertellen je wat je ziet en dan nemen we de foto's voor je. Dat is leuk."

"Dat klinkt goed", zegt Strøm. "Dat lijkt een beetje op Hugin en Munin. Kennen jullie die?"

"Wie zijn dat?" vraagt Ine.

"Hugin en Munin waren twee raven die de hele wereld over vlogen. Zij moesten de ogen van de god Odin zijn."

"Waarom?"

"Omdat hij zelf niet zo goed kon zien", zegt Strøm. "Misschien had hij een oogziekte, wie zal het zeggen?"

"Moest hij naar het ziekenhuis om geopereerd te worden?"

"Nee, het was te laat om hem nog te opereren. Hij had niet goed voor zichzelf gezorgd."

"Was hij bang voor dokters?"

"Zoiets."

"En was hij dan ook bang voor het scalpel?"

"Misschien wel. Daarom had hij die raven nodig. Die vlogen de hele dag rond en zagen alles wat er in de wereld gebeurde, en als het avond werd, gingen ze op zijn schouders zitten en vertelden ze wat ze allemaal hadden gezien."

"Wat hadden ze dan gezien?" vraagt Ine.

"Dat snap je toch wel?" zegt Eilif. "Ze hadden van alles gezien."

"Jazeker", zegt Strøm. "En omdat ze hem van alles konden vertellen, was Odin de wijste van alle goden."

"Maar kun je mij leren pianospelen?" vraagt Eilif.

"Ik ben Hugin!" roept Ine.

Strøm begrijpt dat het hun ernst is. Hij kijkt Eilif recht aan.

"Ik begrijp dat je heel graag piano wilt leren spelen", zegt hij.

"Ik wil mama verrassen. Ze is heel erg ziek."

"En je denkt dat ze beter wordt als je haar kunt laten zien dat hebt leren spelen?"

"Ze zal er heel blij om zijn."

"Ja, blij zijn helpt wel als je beter moet worden", zegt Strøm. "Natuurlijk help ik je. Als je denkt dat ik een geschikte leraar voor je ben."

"En dan nemen Ine en ik foto's voor je met de mobiel. Niemand kan het wat schelen wat voor foto's we ermee maken."

"Nou, dan mogen jullie overal foto's van maken."

"En dan geven we ze aan jou. Zo betalen we je. Je mag ze gebruiken zoals je wilt."

"Maar ik weet niets van digitale camera's af."

"Ik kan ze op de pc zetten en ze op echt fotopapier uitprinten. Dat is geen enkel probleem. Molly heeft alle spullen in haar zomerhuis staan, dat heb ik gezien. Ik weet hoe het moet."

"Ik heb geen muziek voor beginners", zegt Strøm. "We zullen het zonder bladmuziek moeten doen."

"Dat kan best."

"Is er iets speciaals wat je graag wilt spelen?"

"Een liedje dat mama mooi vindt. Het is Zweeds, ik weet niet hoe het heet."

"Kun je het zingen?"

"Nee, de tekst is heel erg moeilijk", zegt Eilif.

"Maar ik kan het fluiten!" zegt Ine, ze weet kennelijk welk liedje haar broer bedoelt. "Ik heb leren fluiten." En dan fluit ze het melodietje, langzaam en zorgvuldig, van begin tot eind. Haar broer houdt zijn ogen continu op haar gericht, alsof hij meteen wil ingrijpen als ze het fout doet, om het van haar over te nemen. Eindelijk is ze klaar, ze haalt diep en opgelucht adem.

"Dat is mooi", zegt Strøm langzaam. "Dat ken ik wel. Het heet *Hier in Haga's groene dreven*. Het is van Bellman."

"Kun je het me leren?" vraagt Eilif.

Ik begreep dat Molly mijn waarschuwing op haar antwoordapparaat niet had gehoord, en ik kon me er niet toe brengen het door de telefoon tegen haar te zeggen. Ik was onrustig, ik had me laten meeslepen door een verhaal over Strøm en de kinderen dat me iets duidelijk wilde maken. Alsof ik weer een verteller was geworden, zoals indertijd in de vierde klas toen ik tijdens de schooluitvoering voor Molly's schijnwerper stond. Maar nu leek het alsof het verhaal dat via mij werd verteld, iets van me eiste.

Alsof het vertellen zelf iets met het lot te maken had.

Ik moest een hand op mijn voorhoofd leggen om mijn kalmte te bewaren en mijn vermoedens er niet tegenover Molly uit te flappen.

"Hoe gaat het met ze?" zei ik net iets te luid in de hoorn. "Let je goed op hen? Laat je hen niet op eigen gelegenheid rondlopen?"

Maar Molly begreep niet wat me bezighield, ze zei dat Ine en Eilif veel groter en verstandiger waren dan ze had gedacht, het was geen enkel probleem om hen hun eigen gang te laten gaan.

"Eilif past als een echte ridder op zijn zusje", zei ze. Ze klonk haast trots, alsof het haar verdienste was dat Aksel een zoon met verantwoordelijkheidsgevoel had.

Ze zei dat de kinderen haar hadden verteld dat ze een aardige buurman hadden ontmoet. Ze hadden hem kennelijk niet verder omschreven en ze was alleen maar opgelucht geweest dat ze iets te doen hadden gekregen, zodat ze zelf in alle rust kon werken. Ze was in de stad geweest om de tv uit het appartement van haar oma te halen, ze was niet bij me langsgegaan, vertelde ze. De videospeler had ze ook meegenomen, en een paar films. Haar stem had een rare bijklank toen ze dat zei. Misschien voelde ze zich ergens schuldig over.

Ik geloof niet dat ze Aksel al iets over het kind had verteld. Daardoor voelde ik me met een nieuw soort stomheid geslagen, ook al was ik nu de verteller geworden van een verhaal dat iets met me wilde. Die stomheid had met Molly's zwangerschap te maken. Het was alsof die op een voor mij onbegrijpelijke manier thuishoorde in het verhaal over Eilif en Ine.

Dit begreep ik wel: het lot was bezig een paar smerige streken uit te halen, en ik was de enige die het wist, de enige die kon voorkomen dat Strøm zich aan de kinderen van Aksel zou vergrijpen. Misschien was ik ook de enige die kon voorkomen dat Molly en Aksel een kind zouden krijgen. Die verantwoordelijkheid was bijna niet te dragen.

Toch liet ik Molly praten alsof er niets aan de hand was. Op de terugweg naar het zomerhuis was ze bij een benzinestation gestopt om een paar video's voor de kinderen te kopen, vertelde ze. Ik vroeg haar naar de titels en het antwoord beviel me niet erg, ze leek volstrekt willekeurig wat gepakt te hebben; armzalige, commerciële rommel, bedoeld voor veel jongere kinderen, jonger dan Eilif in elk geval. Hij was bezig een jongeman te worden, hij had wat serieuzers nodig. Het ergerde me dat ze niet wat meer moeite had gedaan om iets van kwaliteit voor hen te kopen. Terwijl ze anders altijd zo prat gaat op haar goede smaak wat films betreft.

Maar ze maakte de indruk bijzonder tevreden te zijn dat ze dankzij de videospeler een goedkope oppas voor de kinderen had gevonden. Ze vertelde opgewekt dat ze een idee had gekregen voor de kostuums in het *Droomspel*, ze had op haar eigen kamer gezeten en iets ingewikkelds gehaakt van metaalgaren waar ze mee experimenteerde, terwijl de kinderen in de woonkamer voor de tv hingen. Als het lukte, zou het spectaculair zijn, dacht ze. Ze probeerde me de haaktechniek uit te leggen, maar ik volgde het maar half. Het was duidelijk niet meer zo belangrijk voor haar dat ik haar bij het *Droomspel* zou helpen.

"Praat je wel met de kinderen?" onderbrak ik haar. "Je moet met hen praten, hoor. Laten zien dat je je betrokken voelt. Ze lopen vast met allemaal nare gedachten rond. Denk maar aan hun moeder. En misschien maken ze overdag wel iets dramatisch mee. Met de buren misschien? Het is heel belangrijk dat getraumatiseerde kinderen met iemand kunnen praten. Jij bent nu degene die voor hen zorgt, vergeet dat niet."

"Ja, ja, ja", zei Molly geïrriteerd. "Zet me niet zo onder druk. Ik heb ook tijd voor mezelf nodig, hoor. Ik ben niet gewend om kinderen om me heen te hebben."

"Hoe doe je het als ze naar bed gaan?"

"Wat bedoel je?"

"Maak je dan wat tijd voor ze? Dat vinden kinderen fijn."

"Een verhaaltje vertellen? Dat is niets voor mij. Ik ken geen verhaaltjes. Daar zijn ze bovendien veel te oud voor. Ze zijn veel groter dan jij wilt geloven. Jij kent hen toch niet?"

"Je hoeft hun niet per se een verhaaltje te vertellen", zei ik. "Maar gewoon op de rand van het bed zitten, een beetje met hen praten. Vragen waar ze aan denken, wat ze overdag hebben meegemaakt. Kinderen vinden dat fijn. Vergeet niet dat Ine nog maar zes is. Denk eens terug aan jezelf toen je zes was."

Dat laatste was natuurlijk reuzestom om te zeggen. Toen Molly zes was, was ze waarschijnlijk een boos meisje dat zich door niemand de wet liet voorschrijven. Behalve door oma dan.

"Ze is bijna zeven", zei Molly. "Met midzomer."

Dat wist ik niet. Zoiets had ik over Ine moeten weten. Ik moest erachter zien te komen wanneer Eilif jarig was.

"Dan moet je een verjaardagsfeestje voor haar geven!"
zei ik.

"Natuurlijk."

"Hebben Aksel en jij het erover gehad hoe jullie dat gaan doen? Het is al over een paar dagen."

"Hè, hou nu eens op met zeuren."

"En ik wil je echt op het hart drukken ervoor te zorgen dat de kinderen niet op eigen houtje naar de buren toegaan", ging ik verder. "Ik begrijp dat je niet precies weet wie er bij jou in de buurt wonen. En ik wil dat je me morgenochtend met de auto komt halen. Neem de kinderen mee. Ik moet je iets vertellen. Het is echt heel belangrijk, Molly."

"Daar vraag je me nogal wat." Ze klonk nu echt nijdig. "Als het zo belangrijk is, kun je het me nu toch zeggen?"

"Ik moet erbij zijn als ik het vertel", zei ik. "Je hebt steun nodig als je het hoort."

Toen hing ik op.

De tijd begon te dringen. Ik had een taak te vervullen. De nieuwe dag brak aan, het lot wilde mij iets laten zien. Het wilde ook Molly iets laten zien en misschien was ik wel als boodschapper uitverkoren. Ik merkte het aan het trillen van mijn lippen; geen vergissing mogelijk. Ik moest erbij zijn om tekst en uitleg te geven, degene zijn die rustig bleef, helder bleef denken. Ik moest op die kinderen letten.

Ik draaide in mijn rolstoel een paar rondjes door de kamer, vervolgens pakte ik de telefoon en belde Molly opnieuw. Dat was niets voor mij. Ik was bang dat ze in het vorige gesprek niet had begrepen hoe belangrijk het was, en ik had gelijk, denk ik.

"Molly, het heeft haast!" riep ik. "Je hebt me daar nu nodig!"

"Is er iets bijzonders gebeurd? Je klinkt overstuur."

Ik hoorde aan haar stem dat ze het gesprek dat we daarnet hadden gehad, al bijna was vergeten en weer volop bezig was met dat metalen haakwerk van haar.

"Ik bén ook overstuur", zei ik. "Ik mis je."

Ik weet niet waarom ik dat zei. Het was moeilijk om het hoofd koel te houden.

"Ik mis jou ook, lieverd", zei ze. "Ik verheug me op je komst. Maar ik moet nu echt aan de slag. Ik heb de kinderen beloofd een spel met hen te gaan doen als ik klaar ben met het haakwerk. En bij kinderen moet je toch altijd doen wat je hebt beloofd?"

"Wat voor spel?"

"Wat bedoel je?"

"Wat voor spel gaan jullie doen!" Ik had mijn stem niet meer onder controle, ik hoorde het zelf.

"Tja, hoe heet het ook maar weer?" zei ze, een beetje verbluft door mijn felheid. "Iets met Afrika. Ze hadden het bij zich, ik heb niet goed naar de doos gekeken, hij ligt geloof ik in hun kamer."

"De Ster van Afrika?"

"Zoiets."

De vloer zonk onder me weg. Dat was míjn spel. Dat zou ík met hen gaan spelen. Molly had mijn plannetjes gestolen. Dat ging te ver. Het lijkt wel alsof ze het verschil tussen ons niet meer ziet, dacht ik geschokt.

Zij had het meeste, zo was het altijd geweest, daar was ik aan gewend. Maar De Ster van Afrika was míjn spel. Het was míjn idee.

"Agnes, wat is er met je? Voel je je niet lekker?" vroeg Molly. Ik vond haar stem gemaakt bezorgd klinken. "Ik verheug me echt op je komst", herhaalde ze.

"Ja, maar ik vraag me af wanneer je me denkt te komen halen!"

"Maak je daar niet druk om", zei ze. "Ik kom morgenochtend. Ik zal de rijplank voor de rolstoel vanavond nog in elkaar zetten, ik begrijp dat het belangrijk voor je is. Desnoods werk ik vannacht door."

"Goed", zei ik. "Dan ga ik pakken en zet ik alles klaar. Wees voorzichtig met de lintzaag. Het laatste wat we nu kunnen gebruiken is dat jij gewond raakt. Denk aan je verantwoordelijkheid. Aksel heeft de kinderen aan jou toevertrouwd."

Ze moet meteen na ons gesprek het metalen haakwerk hebben weggelegd en aan de gang zijn gegaan, want 's avonds laat mailde ze me foto's van de rolstoelrijplank. Ze kan verrassend snel zijn als ze eenmaal bezig is, en ze heeft ervaring met timmerwerk.

De rijplank was echt mooi geworden. Er zat nog geen hekwerk omheen en hij was nog niet geverfd, maar dat kon in de loop van de zomer wel, dacht ik. Als ik over die rijplank ga rijden, moet er een hekwerk omheen. Ik kan een tekening maken en het haar laten zien. Ik kan het hekwerk van de veranda als voorbeeld nemen, dan lijkt het net alsof het er altijd is geweest. En uiteraard moet er een verfje op, zodat het niet iets tijdelijks lijkt.

Maar het lukte me niet een hekwerk te tekenen. Ik was zo onrustig, ik kon me niet concentreren. Ik draaide maar rondjes in de rolstoel, boog me over de maquette, verzette dingen in het huis, de telefoon, de schijnwerper, het stukje textiel dat de hangmat moest voorstellen. Ik zocht de kartonnen poppen die ik gemaakt had van mezelf, van de kinderen, van Aksel en Molly, tilde ze een voor een op, draaide aan de armen en de benen, duwde ze tegen elkaar aan en haalde ze weer van elkaar. Ik probeerde ze elkaar te laten omhelzen, maar het lukte niet, ze raakten verstrikt in elkaar; ik moest Ine van Molly wegtrekken, Aksel van mij, het werd een zootje. Ten slotte gooide ik de poppen weg, ze kwamen op een hoop op het bureau terecht.

Ik deed mijn ogen dicht en zei tegen mezelf, zo intens en nadrukkelijk mogelijk: "Nu. Nu moet het gebeuren."

En misschien werkte het. In elk geval kwam Aksel de avond van Monika's operatie bij me langs.

Ja. Hij kwam bij mij.

Hij dacht alleen maar aan Monika en haar zieke lichaam, dat was niet moeilijk te zien; de narcose, de scalpels, de zwachtels. Hij zag er vermoeid en grauw uit. Maar hij kwam bij mij.

Ik was vergeten dat hij zelf een sleutel had. Ik sprong op in mijn rolstoel toen ik de drie krachtige drukken op de bel van het appartement hoorde. Ik riep iets in de richting van de deur, ik weet niet meer wat, hij kwam binnen voor ik de hal had bereikt. Ik deed snel de projector uit waarmee de foto van het zomerhuis op het plafond werd geprojecteerd, en ik schoof de kartonnen poppen onder een paar boeken die opengeslagen op het bureau lagen. Ik geloof niet dat hij iets in de gaten had.

Ik had de hele middag aan de maquette gewerkt. Er zat iets fanatieks in de manier waarop ik de schaar hanteerde, ik stoorde me eraan maar kon er niet mee ophouden. Het leek wel alsof ik de controle had overgedragen aan een piloot die een andere kant op wilde dan ik. De kamer was vol scherpe knipgeluiden van metaal door karton, en van zacht, echoënd gerinkel als ik de schaar weglegde om de lijm of de viltstiften te pakken. Af en toe was ik genoodzaakt om diep en langzaam adem te halen en dan hoorde ik mezelf zachtjes zuchten.

Ik was nu bijna klaar met het badhuisje en de steiger. Tijdens het werk aan het badhuisje had ik de kartonnen poppen van Molly, de kinderen en mezelf neergezet op het blauwe zijdepapier dat het water moest voorstellen. Maar nu lagen ze dus weggeschoven onder een paar boeken.

Het was vreemd om Aksel zo te zien, met een onzekere blik en een aarzelende kuch in zijn stem. Hij was overduidelijk niet langer mijn verpleger, maar een vermoeide, bange man die een slaapplaats zocht. Het eerste wat ik dacht was: hij is hier niet voor mij. En ik moet het bureau zien te draaien, ik kan niet zo met mijn rug naar de deur zitten terwijl ik aan het werk ben, het is toch verschrikkelijk dat ik niet zie wie de kamer binnenkomt. Het had wel iemand met een mes in zijn hand kunnen zijn.

Kennelijk had ik grote, vragende ogen opgezet want Aksel kwam direct naar me toe, verontschuldigde zich op zijn rustige manier en legde zijn hand beschermend over mijn ogen. Ik voelde de warmte van zijn handpalm over mijn gezicht stromen en hoorde hem zeggen dat hij me niet aan het schrikken had willen maken. Ik wilde dat hij me nooit zou loslaten; mijn gezicht had de warmte van zijn hand zo nodig.

"Ik begreep van Molly dat ik hier kon blijven slapen", zei hij, en hij haalde langzaam zijn hand weg om die vervolgens op mijn schouder te leggen. "Ze belde me op om dat te zeggen."

"Natuurlijk", zei ik. Ik hield mijn ogen een paar seconden langer dicht dan nodig was. "Natuurlijk", zei ik nog een keer. "Fijn dat je bent gekomen."

Hij trok zich terug en vroeg of ik een biertje had. Hij had dorst en was moe. Ik zei hem dat hij zichzelf uit de koelkast mocht bedienen. Ik dronk nooit bier in mijn eentje.

Hij kwam terug met twee flesjes, een flessenopener en twee glazen. Hij liet zich op de bank zakken, ik reed naar hem toe en pakte het glas aan dat hij me aanreikte. Ik ben nooit erg gek op bier geweest, maar ik dronk bijna het hele glas in één klokkende beweging leeg, met mijn hoofd ver achterover. Hij deed hetzelfde. Vervolgens stak hij een sigaret op, zonder te vragen. Hij gebruikte het bierglas als asbak. We zaten elkaar aan te kijken.

"Hoe is het met Monika?" vroeg ik ten slotte.

"Ik weet het niet."

Daarna bleef hij een tijdje zwijgen. Ik zweeg met hem. Ik voelde bijna onmiddellijk hoe de alcohol mijn bloed deed suizen, dat verraste me. Hij vestigde zijn blik op het plafond waar daarnet nog de foto van het zomerhuis te zien was geweest en vervolgde: "Ze zeiden dat het nog te vroeg was om iets te kunnen zeggen, ik moet morgen met hen praten. Maar toen ik een beetje aandrong, zei de chirurg dat ze volgens hem alles hadden weggehaald. Er waren meer uitzaaiingen dan ze hadden verwacht, maar hij dacht dat ze alles hadden weggehaald."

"Zal ze ..."

"Het halen?"

"Helemaal genezen, bedoel ik."

"We moeten afwachten wat de artsen morgen zeggen. Ze slaapt nu, ze zal zich morgen behoorlijk ellendig voelen als ze wakker wordt."

"Dus je gaat morgenvroeg weer naar het ziekenhuis?"

"Natuurlijk."

"Je bent waarschijnlijk geradbraakt."

"Ja."

Ik durfde hem haast niet aan te kijken. Ik wilde niet dat mijn blik te doordringend was, en ik moest hem niet onder druk zetten door te laten blijken hoe blij ik was hem te zien.

"Wat gaat er nu met haar gebeuren?"

"Ze zal bestraald worden", zei hij. "Om helemaal zeker te zijn. Ze beginnen ermee zodra ze er sterk genoeg voor is. Ze zal nog wel een hele tijd in het ziekenhuis moeten blijven."

"Ik begrijp het."

"Ik wist niet of ik het vanavond kon opbrengen om naar huis te rijden. Daarom ben ik hierheen gekomen. Molly had me gebeld en dat voorgesteld. Ze zei dat jij het goed vond. En ik had zelf een sleutel."

Ik verslikte me bijna, maar wist het te verbergen.

"Dat spreekt vanzelf", zei ik snel. "Je bent hier altijd welkom. Wanneer je wilt en zo lang je wilt."

"Het is alleen voor vannacht. Later kan ik wel weer naar huis gaan."

"Uiteraard. Maar ik ben bang dat de bank aan de korte kant is", zei ik voorzichtig. "Neem mijn bed maar. Ik slaap wel op de bank."

"Geen sprake van, je zult op de vloer vallen en dan kun je niet meer overeind komen."

"Maar ik heb geen logeerbed", zei ik.

"Je bed is groot genoeg", zei Aksel. "Het is toch een tweepersoonsbed."

Ik viel stil. Ik begreep niet wat hij bedoelde.

"Ik heb het over slapen, Agnes. Ik ben zo moe. En ik moet vroeg op, ik wil morgenochtend in het ziekenhuis zijn als ze wakker wordt."

"Natuurlijk."

We bleven een tijdje zitten zwijgen, we keken recht voor ons uit, allebei.

"Ik zie dat je met een nieuw project bent begonnen", zei hij met een knikje naar de maquette op de werktafel.

"Ja", zei ik snel, ik was bang dat hij zou zien wat het voorstelde. "Gewoon een vingeroefening om de tijd te verdrijven. Heb je Eilif en Ine al gesproken?"

"Nog niet. Maar ik heb hun een sms gestuurd."

"Dan moet je hen meteen bellen, vind ik. Ze zitten beslist op een telefoontje van jou te wachten."

"Ik denk dat ik beter tot morgen kan wachten. Ze liggen vast al in bed."

"Niet wachten", zei ik. "Als ze al in bed liggen, zijn ze beslist nog wakker. Eilif neem het mobieltje mee naar bed."

"Hoe weet je dat?" vroeg hij. Maar daar gaf ik geen antwoord op.

"Bel maar", zei ik.

"Je hebt vast gelijk. Maar ik denk dat ik eerst even ga douchen", zei hij. "Ik moet bedenken wat ik ga zeggen. Ik mag hen niet bang maken."

"Nee", zei ik. "Je mag hen niet bang maken, maar je moet hun wel vertellen wat er aan de hand is, anders gaan ze van alles verzinnen. En dat is altijd erger."

Hij knikte, kwam moeizaam overeind en liep naar de badkamer. Hij waggelde een beetje. Hij deed de deur niet dicht, ik hoorde een flinke straal urine met een tinkelend geluid de pot raken. Daarna het schuiven van het douchegordijn en het water in de douche, voorafgegaan door het welbekende gebonk in de leidingen. Ik zat als versteend.

Een poosje later kwam hij de kamer weer binnen met mijn handdoek om zijn lichaam en de mobiel in zijn hand. Zijn haar was nat. Hij bleef in de deuropening staan en keek me ernstig aan.

"Nu bel ik", zei hij. "Ik doe wat je zegt, je hebt vast gelijk."

"Prima."

Hij liep de keuken in, maar deed opnieuw de deur niet dicht, ik kon hem door de deuropening met mijn ogen volgen. Ik denk niet dat het zijn bedoeling was, hij was alleen maar moe en in de war. Aksel is geen exhibitionist.

Ik zag hem een nummer op de mobiel intoetsen, maar hij kreeg geen contact. Ik herinnerde me opeens dat er in het zomerhuis geen bereik was en wilde dat naar hem roepen, maar ik kon me er niet toe zetten, ik was als gehypnotiseerd. Ik zag hem de nummers intoetsen en zijn best doen, terwijl de handdoek naar beneden gleed en op de vloer viel. Ik sperde mijn ogen open. Hij stond met de rug naar me toe, hij had zijn aandacht alleen maar bij het mobieltje, hij had niet door dat ik naar hem keek. Hij boog en pakte de handdoek op, maar het was lastig voor hem om die weer om zich heen te wikkelen terwijl hij met het mobieltje bezig was. Hij stond even met de handdoek te prutsen maar gaf het toen op.

Aksel heeft een bleke rug en mooie, stevige billen met een klein kuiltje aan elke kant. Dat heeft waarschijnlijk met spieren te maken, stel ik me voor. Zelf heb ik nooit van die kuiltjes opzij gehad. Ik begreep dat ik mijn zitspieren meer moest trainen en me niet alleen maar op mijn armen en benen moest concentreren. De zitspieren zijn belangrijk voor het evenwicht tijdens het zitten, dat heeft hij me uitgelegd. Zonder goede zitspieren kun je niet goed in je eentje in een kajak varen, besefte ik. Mijn dijbenen moeten ook sterk zijn. En mijn rug. En mijn buik.

Hij bleef met de rug naar me toe staan. Ik kon mijn ogen niet van hem afhouden en wenste dat hij zich zou omdraaien.

Toen legde hij de mobiel op de keukentafel neer en knoopte de handdoek weer vast, waarna hij zich naar de deuropening omkeerde. Ik draaide snel de rolstoel om, zodat hij niet zou zien dat ik hem had begluurd.

"Er is kennelijk geen bereik", zei hij. "Of ze zijn vergeten het op te laden. Ze nemen in elk geval niet op. Het moet maar tot morgen wachten. Ik wil nu graag naar bed. Ik ben bang dat ik vandaag niet zo sociaal ben. Neem me niet kwalijk."

"Dat spreekt vanzelf."

"Heb je hulp nodig om in bed te komen?"

"Nee, dank je. Ga maar vast naar bed. Ik blijf denk ik nog even op. Ik moet nog iets afmaken."

"Weet je het zeker?"

"Ja."

"Ik zet de wekker van de mobiel op halfzeven. Om zeven uur is er de overdracht en ik wil in het ziekenhuis zijn als de dagploeg begint. De vorige ploeg is mijn gezeur nu wel zat, denk ik. Waarschijnlijk vinden ze dat ik me gedraag alsof ik er werk."

"Dat jij daar de lakens uitdeelt, bedoel je", zei ik, terwijl ik naar hem glimlachte.

"Hm. Ja, misschien wel."

"Jij houdt echt van Monika, hè?"

"Ze is de moeder van mijn kinderen."

"En je houdt echt van haar."

"Ja."

"Het gaat vast goed met haar", zei ik. "Je hebt toch zelf gezegd dat ze zo sterk is als een beer?"

"Als een lynx. Ze is zo taai als wat."

"Het gaat vast goed. Jullie hebben gewoon allebei slaap nodig. Het is de laatste tijd een beetje te veel geweest voor jullie. Jij bent verpleegkundige, je weet wat nodig is. Je bent een heel goede verpleegkundige."

"Dank je wel", zei hij, en hij trok een glimlach, een kleine, vermoeide glimlach. "Weet je zeker dat je geen hulp nodig hebt?"

"Ik weet het zeker", zei ik. "Ik ben een nieuw en beter leven begonnen. Dat ben ik blijkbaar vergeten te vertellen. Ik doe nu veel meer oefeningen. Dat is ook aan jou te danken, je bent zo hard met me bezig geweest. Ik heb het de invalster proberen uit te leggen, maar ze luistert niet naar me."

Hij keek me onderzoekend aan. Ik zag dat hij werkelijk gehoord had wat ik had gezegd; het gleed niet langs hem heen, zoals bij de invalster.

"Een nieuw en beter leven", zei hij. "Dat klinkt goed. Ik hoop dat je denkt aan de ademoefeningen en het rustige tempo. Loop niet te hard van stapel."

"Ik kan nu gemakkelijk zonder hulp uit bed in mijn stoel komen."

"Ik heb het je gezegd."

"Ik weet het."

Ik wachtte even voor ik verderging: "Dus volgens mij hoeft de invalster niet meer te komen. Ik heb het haar echt proberen uit te leggen, maar volgens mij hoort ze niet wat ik zeg. Ze is er rotsvast van overtuigd dat ik ziek ben."

"Ze is nog maar net klaar met de opleiding, ze heeft nog niet zoveel ervaring met patiënten zoals jij", zei hij. "Je moet een beetje geduld met haar hebben."

"En ze moet luisteren naar wat ik zeg!"

"Natuurlijk. Ik zal met haar praten."

"Jij hebt vakantie."

Daar gaf hij geen antwoord op.

"Heb je een T-shirt dat ik vannacht kan gebruiken?" vroeg hij. "Het mijne is nogal bezweet, het is allemaal zo snel gegaan, ik heb er niet aan gedacht extra spullen mee te nemen."

"Kijk maar in de kast", zei ik. "Ik heb een heleboel grote shirts. Ze zijn eigenlijk allemaal groot. En je mag ook mijn tandenborstel gebruiken."

"Ik eet morgenvroeg wel een appel of zo. Welterusten dan. Dank je wel dat ik hier kan overnachten."

"Fijn dat je er bent", zei ik. "Je zult zien dat alles goed komt."

Door die woorden leek ik hem een garantie te geven: die man had iemand nodig die over hem waakte, over hem en zijn lot. Hij had immers kinderen. Een vader moest sterk zijn. Iemand moest ervoor zorgen dat de goede krachten de rust kregen om hun werk te kunnen doen.

Ik bleef in de verlichte kamer naar de maquette zitten kijken. Ik kon beslist niet naar bed gaan voor ik zeker wist dat het bier mijn ingewanden was gepasseerd en de uitgang had gevonden. Het was voor mij veel te lastig om midden in de nacht op te staan om te plassen. In mijn situatie moet je goed kunnen plannen.

Het was vreemd om te zitten wachten tot het bier door mijn lichaam was getrokken. Het duurde een eeuwigheid, maar eindelijk voelde ik dat het zover was. Ik reed naar de badkamer, maar stopte voor de deur en besloot te proberen uit de rolstoel overeind te komen en zelfstandig de vier stappen naar het toilet te doen. Het lukte bijna. Mijn benen zwalkten en voelden vreemd aan, maar ze werden gedicteerd door een wil die ze nog niet eerder hadden ervaren, alsof iemand de tank met een nieuwe soort brandstof had gevuld.

Toen ik eindelijk op de pot neerplofte en de boel kon laten lopen, voelde ik een wellust die ik nooit eerder had meegemaakt. Ik keek naar mijn voeten en probeerde mijn tenen te bewegen. Dat ging heel goed. Niet zo spectaculair wellicht, maar toch, ze bewogen.

Het duurde bijna een halfuur voor ik me voor de nacht had klaargemaakt. Ik waste me onder mijn oksels met het washandje en spoot een geurtje in het kuiltje van mijn hals. Maar daar kreeg ik spijt van; dat was te veel. Ik probeerde het geurtje weer weg te wassen, maar er bleef waarschijnlijk iets van hangen. Ik geurde als een tuin vol bloemen.

Toen ik uiteindelijk de slaapkamer in reed, was Aksel diep in slaap. Hij lag opgerold en levenloos aan de uiterste rand van het tweepersoonsbed met een dekbedovertrek over zich heen, ik had nog nooit een levend mens zo uitgeteld en zonder enig teken van leven zien liggen.

Voorzichtig hevelde ik mezelf van mijn stoel over naar mijn kant van het bed en spreidde het dekbed over me uit.

Hij rook lekker. Ik ook, zacht uitgedrukt. Vanaf de wand keek de goedaardige Jezus vriendelijk op ons neer. Ik meende een zacht gerinkel van de bellen van de lammetjes te kunnen horen. IJl, broos gerinkel.

Maar ik waakte niet over hem. Ik sliep die nacht heel diep. Ik begrijp niet dat ik zo diep kon slapen met Aksel naast me. Ik droomde weer over papa; dat hij iets naar me riep en dat ik voorover in een grote schacht viel, een soort liftschacht tussen de hemelen.

Toen ik wakker werd, was de plek naast me leeg. Er kwamen geen geluiden uit het appartement. De gordijnen waren open en het licht drong brutaal de kamer binnen. De teleurstelling breidde zich als een dicht moeras in me uit. Ik kon niet begrijpen dat hij was vertrokken voordat ik wakker was.

De ochtendkranten lagen naast me op bed. Het rook naar koffie. Naast de kranten lag een bericht dat Aksel op de achterkant van een rekening had geschreven. Hij had met blokletters geschreven en geen leestekens gebruikt, alsof hij een willekeurige arbeider zonder enige scholing was. Ik had zijn handschrift nog nooit eerder gezien:

IK BEN BLIJ DAT JE JE WAT BETER VOELT SUCCES MET HET ZELFSTANDIG OPSTAAN WE WAGEN HET EROP IK BEL DE INVALSTER EN ZEG DAT JE JE DE REST VAN MIJN VAKANTIE ZELF KUNT REDDEN GOED ZO MEISJE AKSEL.

II

Molly

Ik krijg mezelf in het oog. In de spiegel in de gang, of in de badkamer; 's avonds meestal in de donkere, glanzende ramen in de kamer. Ik ben altijd groter dan ik denk. Ik stel mezelf voor als kleiner dan gemiddeld, maar ik heb een gemiddelde lengte. Het is goed te zien dat ik mijn eigen haar knip. Ik lijk streng.

Soms dringt het spiegelbeeld zich te snel aan me op, dan word ik onzeker en doe een paar stappen achteruit, alsof ik niet durf. Ik denk: wie is dat? En de volgende keer dat ik de spiegel passeer, knijp ik snel mijn ogen dicht.

In de spiegel lijk ik strenger dan in werkelijkheid. Als ik mezelf zo zie, is het plotseling niet meer vanzelfsprekend dat die vrouw daar me goedgezind is.

Je moet jezelf goedgezind zijn.

Als ik erin slaag mijn ogen open te houden en ik rustig naar mezelf kan blijven kijken zonder mijn blik af te wenden, denk ik soms: die vrouw is niet zo streng als ze lijkt, ze is misschien alleen een beetje eenzaam.

Eilif en Ine moesten niets van me hebben. Ik zag het zodra ze uit de auto stapten: ik was een vreemde, iemand die hun was opgedrongen.

Aksel had hen uit de stad meegenomen. Ze hadden hun moeder naar het ziekenhuis gebracht, zij zou de dag erop worden geopereerd. Aksel is een verpleegkundige in hart en nieren, hij wilde zich ervan overtuigen dat alles in orde was wanneer hij haar achterliet. Dat ze al sliep, of haar medicijnen had gekregen, of wat er op de dag voorafgaand aan een zware kankeroperatie nog verder moest gebeuren.

Ik was door het huis heen geracet om op te ruimen, terwijl ik tegelijkertijd het eten in de keuken in de gaten hield; het borrelende water voor de pasta, de pasta die ik naast de pan had klaargelegd, de worstjes in de koekenpan.

Ik probeerde te bedenken wat er beter niet in huis kon rondslingeren wanneer er kinderen op bezoek waren. Puntige dingen, scherpe dingen. Chemicaliën. Gebrekkig aangesloten elektrische apparaten. Dat was natuurlijk voordat ik wist hoe groot en verstandig ze waren. Ine en Eilif zouden geen van beiden op het idee komen iets puntigs of scherps of chemisch in hun mond te stoppen, wat hen betreft hoef je je dáárover geen zorgen te maken.

De auto draaide het erf op toen ik de pasta in het kokende water liet glijden, alsof het was afgesproken. Ik liep naar buiten en zag Aksel met een ietwat overdreven gebaar de handrem aantrekken. Hij draaide zich om en zei iets tegen de twee kinderen op de achterbank. Geen van beiden leek te antwoorden, ze bleven stilzitten en maakten geen aanstalten om uit te stappen. Het was de eerste keer dat ik hen zag. Gewoon twee blonde hoofden, zonder gelaatstrekken. Ze waren veel groter dan ik had gedacht.

Opeens besefte ik dat ik voor hén een bedreiging vormde, niet omgekeerd. Voor hen was het precies alsof hun vader hen afzette bij een asiel, terwijl hun moeder werd geopereerd. En ik was de asielhoudster. Het was niet moeilijk te begrijpen dat ze boos op hem waren en geen zin hadden mij te ontmoeten. Waarom zouden ze in vredesnaam verlangen naar iemand die ze nooit eerder gezien, iemand over wie ze hooguit in het voorbijgaan iets hadden gehoord?

Aksel en Monika waren al een tijd gescheiden toen ik Aksel ontmoette. Ik durf te wedden dat in elk geval Ine zich niet meer kan herinneren dat haar ouders bij elkaar woonden. Maar toch zou alles nu anders worden, nu ik in beeld kwam als de vriendin van hun vader; alsof er een deur dichtsloeg, de deur die nog steeds op een kier stond en de mogelijkheid openhield dat hun ouders weer bij elkaar zouden komen.

Ik bleef buiten staan zonder iets te doen. Ik wist niet meer of ik de kookplaat onder de koekenpan had afgezet, maar ik kon me er niet toe zetten het huis weer in te gaan om het te controleren. Dat zou een vreemde indruk maken, alsof ik van gedachte was veranderd en ze niet meer wilde ontvangen.

Ik was er niet op voorbereid dat ze zo'n vijandige houding zouden aannemen. Ik dacht: ze haten me. Ik kan er niets tegen doen en Aksel is niet van plan me te helpen. Ik heb al verloren voor ik goed en wel ben begonnen.

Toch kon geen van ons terug. Langzaam kwamen ze alle drie de auto uit. Eerst Aksel, hij opende de kofferbak en tilde hun tassen uit de auto voordat hij me kwam begroeten. Hij gaf me slechts een klein kusje op mijn wang, niet op mijn mond, zoals anders. De kinderen volgden hem aarzelend.

"Nou, dit zijn dan Eilif en Ine", zei hij.

Eilif droeg een paar dozen met spelletjes, hij knikte even en keek langs me heen naar binnen. Ine staarde me slechts aan en mompelde iets wat ik niet verstond. Ze droeg een grote tas vol met barbies. Aksel noemde mijn naam en wees naar me. Daarmee was de kennismaking ten einde. Beide kinderen liepen langs ons heen het huis in.

Het was een vreemde aankomst.

Ik was inderdaad vergeten de kookplaat af te zetten toen ik de auto hoorde. De worstjes waren aan één kant zwartgeblakerd. Ik brandde me aan de loeihete koekenpan toen ik hem van de plaat wilde trekken. Ik gaf een gil en trok mijn hand terug, maar ik geloof niet dat iemand het merkte en ik kon het niet opbrengen brandzalf te halen, ik hield mijn vingers gewoon onder de koude kraan en schudde mijn hand heen en weer, zodat het leek alsof ik een waaier vasthield, terwijl ik ondertussen bedacht dat ik groente had moeten koken, dat zou een overtuigende indruk hebben gemaakt, alsof ik wist wat kinderen moesten eten. Ik had tenminste een paar radijsjes kunnen schoonmaken. Aksel is zo bewust bezig met gezond leven, hij wil vast dat zijn kinderen dingen met vezels en een krachtige, natuurlijke kleur eten. Aksel is een kleur- en vezelman.

Het werd een stille maaltijd. Na afloop bedankten de kinderen beleefd voor het eten, ze maakten de indruk opgelucht te zijn dat we klaar waren. Gelukkig bedacht ik wat Agnes me over die foto's had gevraagd. Ik vertelde dat zij een vriendin van mij en een patiënt van hun vader was. Aksel knikte afwezig. Ik zei dat ik haar hier had uitgenodigd en dat ze in een rolstoel zat. Ze had me gevraagd haar een paar foto's van het huis en de omgeving te sturen, zodat ze zich kon voorbereiden op hoe ze zich hier moest redden. Ik wees naar de trap van de veranda.

"Daar ga ik een rijplank voor haar rolstoel timmeren", zei ik.

Voor het eerst zag ik een sprankje belangstelling in hun ogen glinsteren. Misschien vonden ze het leuk dat ik kon timmeren.

"Ze zei dat ze best wil betalen voor jullie hulp als jullie de foto's willen maken", ging ik verder.

Maar toen leek Aksel wakker te worden. Hij vond dat er van betaling geen sprake kon zijn.

"Ik vind dat jullie Agnes die dienst wel gratis kunnen bewijzen", zei hij, terwijl hij hen streng aankeek.

We namen een paar foto's van elkaar. Het werd een stijve bedoening. Aksel sloeg zijn arm om me heen, maar liet me weer los zodra Eilif de foto had genomen.

Toen gingen de kinderen ervandoor. De tuin in, langs de seringen, de weg op. Wanhopig keek ik naar Aksel. De tafel maakte een rommelige, onaantrekkelijke indruk, geen van ons had het bord leeggegeten. De brandwond aan mijn vinger deed vreselijk zeer, en ik bedacht dat ik meer mijn best had moeten doen om het voor de kinderen gezellig te maken, ik had het wat moeten opfleuren.

Aksel ontmoette kort mijn blik en glimlachte. Toen stond hij opeens op van zijn stoel, hij rende de kinderen achterna en riep iets naar hen. Ze draaiden zich om en sjokten terug. Hij omhelsde ze, ik kon niet horen wat ze zeiden, maar hij legde hun waarschijnlijk uit dat hij weer naar het ziekenhuis moest. En natuurlijk dat ze zich netjes moesten gedragen.

Ik liep met hem mee naar de auto. Ik had gedacht dat hij me van alles zou vertellen waar ik aan moest denken in verband met de kinderen, maar hij zei niets, niet eens dat ik op hen moest letten als ze gingen zwemmen. Misschien ging hij ervan uit dat ik dat soort dingen wel wist. Hij was zich er misschien niet van bewust dat ik geen kinderen gewend was.

Ik zei: "Is het goed dat ik met hen ga zwemmen?"

"Natuurlijk."

"En is het goed dat ik de lintzaag gebruik als ze hier zijn?"

"Natuurlijk."

Hoe had ik hem daar bij de auto in vredesnaam moeten vertellen dat ik zwanger was? Het moment was er niet naar. Hij had het op dat moment niet kunnen verwerken. Hij wilde gewoon naar Monika toe. Ik gaf hem een kus op zijn wang, niet op zijn mond, hij leek er geen moeite mee te hebben.

De kinderen kwamen pas uren later terug. Het was al avond geworden, ik had de tafel afgeruimd en afgewassen en was in de kamer begonnen het hout voor de rolstoelrijplank met de lintzaag op maat te zagen. Na hun terugkomst waren ze in de hangmat gaan liggen, ik had hen wel op de veranda gehoord maar kon het niet opbrengen naar hen toe te gaan.

Na een poosje kwamen ze binnen. Ze doken achter mijn rug op; ik vind het altijd heel onaangenaam om op die manier verrast te worden. Ik schrok en kwam iets te snel overeind, ik zette de zaag uit. Onmiddellijk werd het stil om me heen. Ik zag er denk ik boos uit, misschien dachten ze dat ik hun aanwezigheid al was vergeten. Ik streek met een hand over mijn voorhoofd en wist niets te zeggen.

Ze draaiden zich om en liepen de kamer uit, ik hoorde hen de trap op gaan, naar de kamer waar Aksel hun bagage had neergelegd. Ik weet niet of ze meteen naar bed gingen, uit hun kamer kwam geen geluid meer. Ze praatten waarschijnlijk heel zacht, bijna fluisterend.

Ik had het gevoel dat ik niet achter hen aan kon gaan. Ik had hun niet eens hun bed kunnen wijzen zoals ik me had voorgenomen. Maar dat konden ze zelf wel vinden, voor het uitzoeken van een bed was eigenlijk geen uitleg nodig.

Ik vroeg me af of het normaal was om kinderen van hun leeftijd welterusten te gaan zeggen, te controleren of ze hun tanden hadden gepoetst en dergelijke. Maar ik besloot het niet te doen. Ik vond niet dat ik het recht had me daarmee te bemoeien.

Het duurde niet zo lang of ik was weer helemaal in mijn werk verdiept. Alsof ik hun aanwezigheid nu bijna echt was vergeten; dat ik me verbeeldde dat er op de logeerkamer helemaal geen kinderen lagen die niet van mij waren.

Mijn hoofd was leeg, ik bewoog alleen maar, tilde mijn armen op, pakte de planken en duwde ze tegen het jankende zaagblad aan.

Na een tijdje lag de vloer rond de zaag vol met zaagsel. Ik kon mijn eigen voetsporen zien, het leek wel alsof er een heel leger door het lichte houtstof was gemarcheerd. Ik dacht: wat is dit? Zo zag het er in oma's tijd nooit uit, moet ik niet stofzuigen, opruimen?

Maar ik ben nu eenmaal liever aan het timmeren dan aan het schoonmaken. Ik timmerde urenlang door en vergat het stofzuigen. De tijd vergat ik ook, ik timmerde door tot mijn rug stijf was en mijn armen zwaar aanvoelden. Toen ik klaar was, was het in de tuin donker geworden.

Ik pakte de digitale camera. Ik nam met de flits een foto van de gereedgekomen rijplank. Hij leek als een waterval van de brede verandatrap de tuin in te stromen. Hij was mooi, precies zoals de bedoeling was, hoewel ik oorspronkelijk iets anders in mijn hoofd had gehad. Zo gaat het vaak. Ik begrijp pas hoe ik het me heb voorgesteld als ik het uiteindelijke resultaat zie. Daarom lijken mijn modellen daar meestal nauwelijks op. Of omgekeerd. Dat leidt tot frustratie bij de mensen die in de schouwburg met mijn modellen moeten werken.

Naast de rijplank was er nog voldoende ruimte over om op de trap te kunnen lopen.

De foto van de rolstoelrijplank was misschien wel de eerste foto die ik met die camera nam. Ik had er met Kerstmis twee gekocht, een voor Agnes en een voor mezelf. Ik was er nog niet helemaal aan gewend, als ik foto's neem, ga ik ze vervolgens verder bewerken in de doka, niet op een monitor. Ik hou van de naar binnen gerichte concentratie die je in een doka ervaart, en ik hou van het mechanische knopje op een gewone camera: de metalen klik en de holle klank van het geluid. Ik vind het prettig dat je met wat oefening aan de klik kunt horen hoe lang de sluitertijd is, hoe die klinkt, langgerekt, hol.

Het lijkt een beetje op het geluid van een klak met je tong om het geluid van galopperende paarden na te doen. Zoals je deed toen je een kind was.

Ik had van Agnes begrepen dat het voor haar belangrijk was zo snel mogelijk hierheen te komen. Haar stem had over de telefoon een autoritaire klank gehad, ze wilde dat ik aan de slag ging met die rijplank en er haar meteen een foto van zou sturen. Ze heeft een sterke wil, soms voel ik wat ze wil zonder dat ze iets zegt.

Ik had geen rolstoel tot mijn beschikking om de rijplank te testen, maar in het gereedschapshok stond oma's kruiwagen. Het was er nu pikkedonker. Ik herinnerde me opeens weer dat ik als kind op een warme, zonovergoten dag het donkere hok binnenkwam. Dat ik half-verblind bleef staan om mijn ogen aan de duisternis te laten wennen, dat ik nauwelijks meer dan de omtrek kon zien van de voorwerpen die daar hun vaste plaats hadden: de zeis, de bijl, de snoeischaar, het breekijzer, de hak. De grote ijzeren schop met roestplekken en de kleine, scherpe, lichtmetalen schep. De zware, roestige grote broer en het lichte, glanzende kleine broertje.

Naast de grote broer hing oma's oude reddingvest.

Ik hoefde alleen mijn armen maar uit te strekken om al oma's spullen te kunnen aanraken. Maar ik deed het niet, ik kromde mijn rug en pakte de handvatten van de kruiwagen vast, trok hem achteruit het hok uit en duwde hem over het grasveld naar het huis, naar de veranda. Ik zette vaart en reed de rijplank op. Die leek prima te functioneren, hij was niet te steil en kraakte niet; hij boog ook niet door.

Ik ging in een stoel zitten en dacht: ik wacht nog even met verven. Eerst maar eens zien hoe lang Agnes denkt te blijven. Misschien verandert ze wel van gedachte, dan kan ik de rijplank voor iets anders gebruiken, misschien in een decor verwerken, je weet nooit wat je allemaal nodig hebt. Het hout is in elk geval van de schouwburg.

Ik liet de kruiwagen op de veranda staan en ging naar binnen, deed het licht aan en startte de computer. Opnieuw zag ik het zaagsel met al die voetstappen erin, maar ook nu ging ik niet op zoek naar de stofzuiger.

Ik ga in het zomerhuis aan een nieuwe tijd beginnen. Ik probeer al het oude in me aan de kant te zetten en het nieuwe binnen te laten. Maar ik weet niet goed hoe je dat doet.

Er waren verschillende mailtjes van de schouwburg binnengekomen. In het bleke, blauwige licht van het scherm las ik ze snel door zonder te antwoorden. Ik kan niet goed met gezeur omgaan; ik raak er alleen maar van in de war. Moet je soms terugzeuren? Waarom lossen mensen hun problemen niet zelf op als ze het zelf eigenlijk prima kunnen?

Geen mail van Aksel. Het was lang geleden dat hij achter een pc had gezeten. Hij had andere dingen aan zijn hoofd. En geen mail van Agnes. Ik kon me voorstellen dat het voor haar moeilijk was geweest om over de telefoon van mijn zwangerschap te horen. Ik had moeten wachten tot ze op bezoek was gekomen, net zoals ik wilde wachten met het aan Aksel te vertellen tot hij bij me was en we tijd voor onszelf hadden. Ik had het hun natuurlijk tegelijk kunnen vertellen, probeerde ik mezelf wijs te maken. Maar ik begreep dat dat niet goed zou zijn. Het was Aksels kind, niet dat van Agnes.

Ik klikte op het icoontje met de witte brief en envelop in de linkerhoek van het scherm en tikte Agnes' mailadres in op het blanco veld dat zich voor mij opende. In het veld daaronder tikte ik: *Zie eens. Hij is klaar. Ik kom morgen om een uur of elf. Zorg dat je klaarstaat.* Ik voegde foto's van de rijplank toe als bijlage en drukte op Verzenden. Het knopje lichtte rood op, het kleine, digitale zandlopertje dat nooit helemaal vol of leeg raakt, verscheen eventjes op het scherm met zijn langzaam stromende inhoud. Ik dacht: nu stopt de tijd, terwijl het zand maar door blijft stromen zonder dat iets vol of leeg raakt, en mijn bericht aan Agnes vliegt in een boog door de lucht, vanuit mijn huis helemaal naar haar appartement in de stad. Alles is in beweging.

Toen ik overeind kwam na de monitor te hebben uitgeschakeld, werd ik duizelig; ik verloor een ogenblik mijn evenwicht en moest bij de wand steun zoeken, diep inademen en vervolgens met kleine stootjes uitademen. Mijn hoofd suisde, ik voelde een nieuwe golf van misselijkheid vanuit mijn maag opborrelen. Ik wist nog net de veranda te bereiken, ik boog me over het hekwerk heen en kotste halfverteerde pasta en stukjes worst over de rozen heen. Het stonk zurig uit mijn mond.

Pas toen mijn maag weer tot rust was gekomen en ik me goed genoeg voelde om de voordeur en de deur van de veranda op het nachtslot te draaien en ik langzaam naar boven liep om naar bed te gaan, bedacht ik opeens dat het werk met de lintzaag in de kamer en later al dat gehamer op de veranda de kinderen tot diep in de nacht uit hun slaap moesten hebben gehouden. Misschien waren ze bang geworden door het geluid, bang of boos. Maar ze waren niet naar beneden gekomen om me te vragen ermee op te houden. Waarschijnlijk waren ze uiteindelijk in slaap gevallen.

De volgende ochtend stond ik vroeg op. Het was alsof ik bijna niet weg was geweest, alsof ik de hele nacht mijn ogen open had gehad. Ik hoorde niets in de logeerkamer, de kinderen sliepen zeker nog. Ik kreeg het gevoel dat er tijdens de nacht iets belangrijks was gebeurd. Vol verwachting stapte ik de frisse buitenlucht in en liep met lange passen om het huis heen om de rijplank te kunnen bekijken.

Bij daglicht leek hij anders, alsof hij al helemaal gewend was; hij was tot rust gekomen. De tuin en de veranda hadden hem zo te zien vriendelijk in hun midden verwelkomd. Ik zette er een voet op, deed een paar stappen naar voren en controleerde het doorbuigen; het was nog steeds in orde. De kruiwagen stond ook nog op de veranda.

Ik liep naar de keuken om koffie te zetten, ik ging aan de keukentafel zitten en keek naar buiten, naar de oprit en naar de weg die naar Håvards huis liep. Het huis is van hieruit niet te zien, het ligt verscholen achter de bomen, je ziet hoogstens wat rooksignalen als hij kranten verbrandt.

Die ochtend wist ik dat hij daar woonde. Agnes had het me verteld, ze had een bericht op mijn antwoordapparaat ingesproken. Haar stem had een hysterische klank, heel anders dan normaal. Ik schrok ervan. Het was niet wat ze zei, maar de manier waarop ze het zei die me zorgen baarde. Ik dacht aan haar ziekte. Ik wist wel dat die in sommige gevallen ook de persoonlijkheid aantastte.

Ik voelde dat ik tijd nodig had om na te denken. Er was iets met haar aan de hand, iets wat ik niet begreep.

Agnes is een observant. Ze is net een detective die op de vreemdste plaatsen informatie verzamelt en daarmee een nieuw, verrassend plaatje vormt. Maar toch slaat ze niet altijd de spijker op zijn kop. Ze denkt te veel. Ze moet er eens wat vaker uit, andere mensen ontmoeten, aan het echte leven deelnemen. Ik probeer haar te helpen, maar dat valt niet altijd mee. Ze heeft moeite met het echte leven, geloof ik. Soms lijkt het alsof ze daar niets van wil weten.

Ik denk veel aan Håvard. Ik heb altijd geweten dat hij ooit weer in mijn leven zou opduiken; dat het slechts een kwestie van tijd was. Dat ik gewoon mijn armen maar hoefde uit te strekken om hem weer te zien, alsof hij achter een gordijn verscholen zat.

Dat hij zijn kind niet had misbruikt, wist ik wel, daar was ik jaren geleden al achter gekomen. Maar het verbaasde me dat Agnes dat niet wist. Ik dacht: heb ik haar echt niet verteld dat die geruchten over hem verzonnen waren? Dat kan niet waar zijn. Ik vertel Agnes toch altijd alles?

Ik maakte me niet alleen zorgen over de hysterie in de stem van Agnes toen ze gilde dat Håvard mijn buurman was, ik was ook nogal ontdaan doordat ik niet wist wat ik met de kinderen aan moest tijdens deze logeerpartij. Hoe ik met hen moest omgaan. Ik vond dat het mijn taak was ervoor te zorgen dat ze me aardig vonden. Ik had een tv nodig, een videospeler, een paar films. Maar dat was niet genoeg! Ik moest iets beters zien te verzinnen, iets heel bijzonders. Iets wat ze zich zouden blijven herinneren.

Arme kinderen, zei ik tegen mezelf. Ze moeten hier toch iets te doen hebben. Ik heb nu geen tijd om aan Håvard te denken.

Na een poosje hoorde ik iemand de trap af komen. Het was Eilif. Hij liep heel zachtjes, misschien om me niet aan het schrikken te maken, maar ik hoorde hem toch. Hij zei niets toen hij de keuken binnenkwam, hij bleef aan het andere eind van de tafel staan en keek me aan. Zijn gezicht was anders dan de dag ervoor; ik herkende het niet, het was alsof hij had gedroomd en er met zijn gedachten nog niet bij was. Hij glimlachte niet. Ik kreeg het gevoel dat ook bij hem de gedachte was opgekomen dat voortaan alles anders was.

Ik groette vriendelijk en liet hem merken dat ik blij was hem zo vroeg op te zien. Hij trok een stoel onder de tafel vandaan en ging zitten. Hij had zich kennelijk al gewassen en zijn haar ingesmeerd met de taaie, glanzende haargel die ik al had zien staan toen ik de vorige avond moe en stijf mijn tanden had gepoetst. Ik herkende de geur, ik had de tube opengedraaid, er een beetje uit geknepen en eraan geroken. Ik had me afgevraagd waar je dat glanzende spul voor zou kunnen gebruiken, me voorgesteld wat voor effect het gaf als je het in een dikke laag tussen twee platen plexiglas smeerde en een beetje ging experimenteren met licht, projecties op de achterwand en een bepaalde ritmische beweging. Een langzaam jazzritme, bijvoorbeeld. Maar dan moest je wel heel veel tubes gebruiken, had ik gedacht.

Eilif had zorgvuldig allemaal kleine stekeltjes in zijn blonde haar aangebracht. Hij was waarschijnlijk een beetje ijdel, in tegenstelling tot zijn vader, die er zich niet bewust van lijkt te zijn dat hij ook nog een uiterlijk heeft. Ik vond het fijn dat Eilif niet precies op zijn vader leek.

De huid onder zijn haar was zichtbaar. Het was duidelijk te zien dat hij vlak voor de vakantie nog naar de kapper was gestuurd. Misschien had zijn moeder gevonden dat het tijd was voor de kapper. Op zijn hoofd was vlak onder de haargrens nog steeds een lichtere strook huid te zien die helemaal rondom liep. Ik begreep dat dat de oude haargrens was geweest, en bovendien dat hij niet elke dag gel gebruikte, dat zijn haar normaal gesproken niet rechtop stond.

Het was alsof zijn haar de zee was die zich een stukje had teruggetrokken en op het strand een streep had achtergelaten. De zon heeft nog geen vat gehad op die streep, dacht ik. De huid is daar nog een beetje kwetsbaar. Maar daar is wat aan te doen. Een paar dagen in de frisse buitenlucht bij het zomerhuis en veel zwemmen, dan zie je het verschil niet meer.

Hij was op een nonchalante, zorgeloze manier met zichzelf en zijn lichaam bezig, in dat opzicht leek hij op zijn vader. Het ontroerde me, maar ik liet het niet merken. Ik wilde hem niet in verlegenheid brengen, of hem afschrikken. Ik was zo blij dat hij naar beneden was gekomen, dat hij bij me wilde zijn.

Ik stond op en schonk een glas melk in dat ik voor hem neerzette. Hij keek niet op en raakte het glas niet aan, ik vroeg me opeens af of hij wel van melk hield. Ik herinner me dat ik dacht dat ik niet moest vergeten Agnes te vragen of ze volgens haar van me verwachtten dat ik cacaopoeder kocht om in hun melk te doen. Ik ging ervan uit dat zij dat soort dingen wist.

We bleven een tijdje zwijgend zitten. Toen vroeg ik hem of hij goed had geslapen en hij knikte. Ik vroeg of ik een boterham voor hem moest smeren en hij zei dat hij dat zelf wel kon. Maar hij kwam niet overeind.

Ik vroeg wat Ine en hij de vorige middag hadden gedaan, terwijl ik aan het timmeren was. En hij begon op een beetje plechtige manier te vertellen over de oude man die ze in het buurhuis hadden ontmoet, over de foto's die ze van hem hadden gemaakt en die ze met de mobiel naar Agnes hadden gestuurd. Hij haalde die uit de zak van zijn capuchontrui, klikte een foto aan en reikte me het toestel aan, terwijl hij zijn andere hand naar mijn aansteker uitstak, die op tafel lag en die ik met nagellak had versierd. Hij bekeek die zorgvuldig, maar gaf er geen commentaar op.

Daar zaten we dan, allebei met een voorwerp in de hand dat we aandachtig bestudeerden. Ik keek een tijdje naar het lichtgevende schermpje, knikte en probeerde op een goedkeurende manier te glimlachen, zodat hij zou begrijpen dat ook ik nog wist wat er de vorige dag tussen ons was voorgevallen, dat hij en ik dezelfde ideeën hadden over dat gedoe met die foto's, als iets waar we aan mee moesten doen omdat we ons daar nu eenmaal toe verplicht voelden. Dat we aan dezelfde kant stonden. De eerste foto was die van Aksel en mij samen op de veranda. Het geheel maakte een vreemde, stijve indruk, het was zo duidelijk dat Aksel met zijn gedachten elders was. Eilif toonde me op welk knopje ik moest drukken om de andere foto's te kunnen zien, en ik zag de foto's van Ine en hem bij de hangmat, daarna die van de tuin, van de grindweg, van een poes die zijn staart als een wimpel omhooghield.

En opeens had ik de foto van Håvard in mijn hand. Ik wist al dat hij het moest zijn, ik had het bericht op het antwoordapparaat immers gehoord. Toch stokte mijn adem even toen ik hem in beeld kreeg. Even een kleine pauze, waarna er weer iets opgestart moest worden, net als bij de computer. Reset.

Lang geleden heb ik op een gegeven moment besloten hem niet langer Strøm te noemen maar voortaan Håvard te zeggen. Strøm is een idiote naam; hij koketteert ermee, hij verbergt zich erachter om te voorkomen dat iemand ontdekt wie hij eigenlijk is. Ik zie geen reden om de naam die zijn moeder hem ooit gegeven heeft, niet te gebruiken. De naam die ze ongetwijfeld tegen hem fluisterde toen hij vier weken oud met een stoffen luier om en een gehaakt broekje aan lag te brullen en van geen ophouden wist; krampjes. Ik heb die foto van hem dikwijls gezien. Hij gebruikte hem veel voor het biografische gedeelte van de catalogi van zijn tentoonstellingen; een heel klein fotootje, altijd helemaal aan het eind. Hij is te zelfingenomen om te beseffen dat hij zich op die manier laat kennen, en eigenlijk maakt dat hem in mijn ogen sympathiek. Het geeft aan dat hij niet berekenend is. Hij wil gewoon dat iedereen kan zien dat hij nog steeds een krijsende baby met krampjes is. Zelfingenomen en vaak ten einde raad, maar niet berekenend. Iemand die zit te wachten totdat iemand hem komt troosten, een warme hand op zijn buik legt en de pijn wegneemt.

"Ssjt, Håvard, ssjt", fluisterde zijn moeder tegen hem. "Stil maar. Ssjt, ssjt."

Ik stond op van tafel en liep naar de koelkast. Ik pakte kaas en jam. Ik zette alles voor Eilif neer, sneed brood, zei dat het verstandig was om te ontbijten. Hij keek me recht aan en zei dat de chirurgen over precies twintig minuten met de operatie van Monika zouden beginnen. Ik wierp een blik op mijn horloge en knikte ernstig.

"Ben je bang?" vroeg ik.

"Een beetje", zei hij.

"Kan ik me voorstellen", zei ik. "Je weet niet goed wat je moet doen."

Op dat moment, totaal onverwacht, brak er een kleine, onzekere glimlach door op zijn gezicht. Niet die van een kind, het was de glimlach van een bijna volwassen man die me aankeek en begreep hoe moeilijk het voor mij was; dat het voor mij bijna even moeilijk was als voor hem. Ik zag dat hij nu helemaal wakker was en dat hij een beslissing had genomen: het beste in hem had besloten zich te vermannen en mij tegemoet te komen. Hij wilde het me gemakkelijk maken. Dat was edelmoedig van hem, hij hoefde het niet te doen, hij kon zich ook totaal laten opslokken door het verlangen naar zijn moeder en het daarbij houden.

"Papa belt vast zodra hij iets weet", zei ik.

"Denk je?"

"Ja, natuurlijk."

"Maar ik heb hier geen bereik. Misschien kan hij ons hier niet te pakken krijgen."

"Heb je het in de tuin geprobeerd?"

"Op een paar plaatsen. Niet overal."

"Kom, dan gaan we het uitzoeken", zei ik. Ik pakte mijn eigen mobiel en liep naar buiten. Eilif legde de aansteker neer en volgde me.

Zonder iets te zeggen liepen we systematisch de tuin door terwijl we aan de hand van de streepjes op het display van onze mobiels controleerden hoe goed het bereik was: ik stapte achter in de tuin rond, hij controleerde het bij de appelbomen.

Na een poosje kwamen we elkaar tegen bij het tuinhuisje. Daar hadden beide telefoons bereik. We knikten ernstig naar elkaar, toen betraden we het tuinhuisje en gingen we tussen de kussens in op het bankje zitten.

"Wat is het hier leuk", zei Eilif, terwijl hij goedkeurend om zich heen keek.

"Ja, daar had mijn oma wel kijk op, die oma over wie ik je gisteren verteld heb", zei ik. "Als kind speelde ik hier veel. Ze heeft het zelf ontworpen, toen ze nog vrij jong was, geloof ik. Ze hield van bijzondere dingen."

Eilif knikte.

"Apart dak", zei hij. "Het lijkt op een ui."

"Ja, het is een uivormige koepel. Vroeger zag je die veel op kerken. Mijn oma was een bijzonder iemand. Eigenlijk had ze architect moeten worden. Ze was ook toneelspeelster toen ze jong was."

"Mooie kussens."

"Ze had iets met kussens", zei ik. "Kussens en kleedjes."

"En met kleuren blijkbaar", zei hij. "Ik denk dat ik hier blijf wachten tot papa belt." Hij keek weer op zijn horloge. "Nu beginnen ze te opereren."

"Het helpt vast als je aan haar denkt", zei ik. "Wil je dat ik je gezelschap hou?"

Hij schudde zijn hoofd.

"Dan breng ik je hier je ontbijt", zei ik. "Dit is een leuke plek om te eten. Oma en ik deden dat 's zomers vaak toen ik zo oud was als jij."

Maar ik bleef zitten.

"Ik ken de man die jullie gisteren hebben ontmoet", zei ik aarzelend, terwijl ik knikte naar zijn mobiel waarop ik de foto van Håvard had gezien. "Hij was vroeger mijn leraar."

"Strøm?"

"Hij vindt het prettig dat mensen hem Strøm noemen, maar ik noem hem Håvard, om hem een beetje te plagen. Hij was een heel goede leraar."

"Ja, hij zei dat hij iemand had gekend die Molly heette."

"Heeft hij dat gezegd?"

"Ja."

"Heeft hij nog meer gezegd?"

"Hij zei dat je het waarschijnlijk niet zo leuk zou vinden om te horen dat hij daar woonde."

"Ach, nee toch? Waarom niet?"

"Dat zei hij niet. Maar hij heeft me beloofd dat hij me leert piano-spelen", zei Eilif.

"Echt? Wat aardig", zei ik. "Ik weet nog dat hij goed kon spelen, ook al was hij er niet zoveel mee bezig toen ik hem kende."

"Hij vertelde dat hij je had leren fotograferen", zei Eilif. "En dat je goed kon tekenen."

"Heeft hij dat gezegd?"

Eilif knikte.

"Waarom wil je piano leren spelen?" vroeg ik.

"Mama heeft gezegd dat ze altijd graag een piano had willen heb-ben. En dat ze mij had leren spelen, als we er een hadden gehad."

"Dus jouw mama kan pianospelen?"

"Ja. Maar ze doet het bijna nooit, omdat we thuis geen piano heb-ben. We hebben er geen plaats voor."

"En nu wil je haar verrassen door les te nemen zonder dat ze het weet?"

"Zoiets."

Ik keek hem blij verrast aan. Wat een woordenstroom opeens! Ik hoopte dat hij verder met me wilde praten, ik vond het fijn zijn stem te horen.

"Wat een fantastisch idee", zei ik, een beetje gehaast. "Wat een ver-rassing zal dat voor haar zijn. Wat voor muziek vindt ze mooi?"

"Eén liedje is genoeg", zei hij. "Maar ik weet niet hoe het heet."

Hij floot een stukje.

"O, dat", zei ik. "Ja, dat ken ik, dat is een liedje van Bellman. Dat is echt een leuk liedje voor de zomer."

Vervolgens zong ik het eerste regels van *Hier in Haga's groene dreven* voor hem. Meer herinnerde ik me niet, de tekst was tamelijk ingewikkeld.

"Denk je dat het waar is wat Strøm zegt, dat hij het me kan leren?" vroeg Eilif.

"Vast wel, als je tenminste goed oefent", zei ik. "Je moet hem vragen of hij je de akkoorden wil leren."

"Wat zijn dat?"

"De grepen. Dat gaat sneller dan noten. Strøm is daar goed in. Hij was vroeger een heel goede jazzpianist."

"Het belangrijkste is dat het niet zo lang duurt om het te leren."

Toen werd het opnieuw stil. Eilif keek naar zijn telefoon. Ik begreep dat hij alleen wilde zijn om zich op zijn moeder te kunnen concentreren. Hij moest nu even met rust gelaten worden. Ik kon maar moeilijk weggaan.

Ten slotte bedacht ik dat ik de ochtendkrant kon gaan halen. En hem zijn ontbijt kon brengen.

Bij de brievenbus stond ik na te denken. Ik moest wennen aan het idee dat Håvard vlak naast me woonde. Dat hij het over me had gehad. Ik voelde dat ik er nog niet aan toe was hem te ontmoeten. Ik moest het maar op zijn beloop laten. Ik wist opeens niet meer wat hij voor me betekende. Ik wilde aan Eilif denken. Aan Eilifs toenadering tot mij.

Plotseling kreeg ik een idee: oma's piano! Ik kon die naar het zomerhuis laten brengen, net als zij 's zomers altijd deed. Dan kon Eilif oefenen. Dat zou een mooie manier zijn om hem iets te doen te geven wat hij niet zou vergeten. En dan hoefde hij ook niet meer naar Håvard toe om piano te spelen.

Ik was blij dat ik iets had bedacht. Met grote stappen liep ik terug naar de keuken om Eilif zijn ontbijt te brengen. Ik pakte een schoon glas en schonk het vol sinaasappelsap. De melk goot ik weg in de gootsteen.

Toen ik weer bij hem kwam met het dienblad met de krant en zijn ontbijt, was er al een hele tijd verstreken; vijftien minuten misschien wel. Maar hij zat er nog net zo bij als toen ik was weggegaan. Hij maakte een rustige, wakkere indruk. Dat effect heeft het tuinhuisje soms op mensen. Alsof ze de dingen beter gaan begrijpen. Alsof iets zich aan hen heeft geopenbaard.

Ik zette het dienblad voor hem neer. Ik had het zelf gemaakt in de periode dat ik gefascineerd was door het design uit de jaren twintig. Hij bedankte me snel en verlegen, hij raakte de krant niet aan.

"Wat moet ik tegen Ine zeggen als ze wakker wordt?" vroeg ik. "Ze zal ook vast aan de operatie van je moeder denken."

"Stuur haar maar hierheen", zei hij. "Dan zijn we er allebei als papa belt."

Hij liet niet merken of hij wilde dat ik er ook bij was. Dat gaf niet.

Ik trok me terug in het huis. Ik voelde me een stuk opgeluchter; mijn botten leken wel gewichtloos en de huid die mijn vederlichte ingewanden bedekte, was zo dun als papier. Ik was doorgelicht, als na een röntgenfoto.

Ik moest iets nuttigs gaan doen, vond ik. Iets voor iedereen. Ik pakte de stofzuiger en ging naar de kamer om het zaagsel rond de lintzaag weg te zuigen. Het was alsof er gedurende de nacht nog meer voetsporen bij waren gekomen. Ik kon me niet herinneren dat het er zoveel waren, ik deed de stekker in het stopcontact en liet het mondstuk de voetsporen opslurpen. Ik verwijderde al mijn sporen. Het was een raar idee. Ik hou me meestal meer bezig met sporen te maken dan ze te verwijderen.

Het liedje dat Eilif wilde leren had zich al in mijn hoofd vastgebeten. Het was een vrolijk zomerdeuntje, het paste precies bij vandaag. Ik floot de melodie, terwijl ik probeerde me alle woorden van het eerste couplet te herinneren, het was een lastige tekst.

Ik was al een hele tijd bezig toen ik merkte dat er iemand achter me stond. Ik hield abrupt op met fluiten en zette de stofzuiger met mijn voet uit. Opeens was het helemaal stil. Ik draaide me om. Ine stond in de kamer.

Ze droeg nog steeds een nachthemd en in de rok daarvan had ze allemaal barbies verzameld. Ze keek me boos aan.

"Waarom maak je zoveel herrie?" vroeg ze. "Gisteravond maakte je ook al zo'n lawaai, we konden er niet van slapen. Waar is Eilif?"

"Ach, neem me niet kwalijk, Ine", zei ik verward. "Daar heb ik helemaal niet aan gedacht."

"Waar is Eilif?"

"Hij zit in het tuinhuisje, daar heeft de mobiel wel bereik. Hij wacht op een telefoontje van papa, hoe de operatie van mama is gegaan."

"Dan ga ik daar ook heen!"

"Moet je je niet eerst aankleden?" vroeg ik. "En ontbijten? Zo'n haast heeft het niet, een operatie duurt lang en ze zijn nog maar net begonnen."

"Geen honger", zei Ine kortaf, en ze liep de veranda op.

Ik zag haar boos en met blote benen in haar nachtpon over de rolstoelrijplank lopen, over het gras naar het tuinhuisje toe. Ik voelde me een stuntel.

Ik hield me een hele tijd met stofzuigen en schoonmaken bezig voor ik naar hen toe durfde te gaan. Toen ik eindelijk richting tuinhuisje liep, was de ochtend al een eind gevorderd. Ik nam oma's plaid mee, die op de bank lag. Ik bleef buiten eventjes staan met de zachte wol over mijn arm, zodat ze me zouden opmerken voordat ik naar binnen ging.

Ze zaten dicht tegen elkaar aan op de bank. Ine zat er verkleumd bij in haar dunne nachtpon, ze had haar voeten onder de benen van haar broer gestoken. Ze zaten over de mobiel heen gebogen, Eilif was kennelijk met een sms'je bezig.

"Hallo", groette ik, terwijl ik hun domein betrad. "Hoe gaat het? Hebben jullie al iets van papa gehoord?"

"Hij heeft nog niet gebeld", zei Eilif, zonder op te kijken.

"Nee?"

"Maar hij heeft een sms'je gestuurd."

Ine keek naar mij en naar de plaid. Ik zag dat ze er graag onder wilde kruipen, maar dat ze niet wilde dat ik hem over haar heen zou leggen.

"Hoe is de operatie gegaan?" vroeg ik, terwijl ik een stap naar voren zette en de plaid naast haar neerlegde, waarna ik tussen de kussens aan het uiteinde van de bank ging zitten, zo ver mogelijk van hen vandaan.

"Hij schreef dat het goed was gegaan", zei Eilif. "Mama is nog niet uit de narcose ontwaakt. Maar ze hebben haar weer dichtgenaaid en zo."

"Met een naald", voegde Ine eraan toe.

"Papa blijft vandaag en vanavond bij haar", zei Eilif. "Hij blijft in de stad slapen. Bij die vriendin van jou, denk ik. Die in die rolstoel, naar wie we de foto's hebben gestuurd."

"Uitstekend", zei ik, terwijl ik mijn keel schraapte. "Wat fijn om te horen dat het goed met jullie mama gaat. Ik was zo benieuwd."

Ze richtten allebei tegelijk hun blik op me. Ze leken verbaasd te zijn, alsof het volstrekt onwaarschijnlijk was dat ik benieuwd was naar iets wat met hun moeder te maken had.

"Ik heb een idee", zei ik, terwijl ik als het ware meeging met de beweging die mijn woorden hadden doen ontstaan. "Eilif, ik stel voor dat je een sms naar papa stuurt dat hij, als mama uit de narcose is ontwaakt, tegen haar moet zeggen dat ze snel weer op de been moet zien te komen, omdat jij een verrassing voor haar hebt." Ik gaf hem een knipoog. "Ik heb van mijn oma een piano geërfd. Ik kan ervoor zorgen dat mensen van de schouwburg hem hiernaartoe brengen, dan kun je mooi oefenen terwijl je hier bent. We kunnen hem in het tuinhuisje zetten, dacht ik. Daar kan hij net staan, denken jullie niet?"

Ik zag hoe beide kinderen de ruimte met hun ogen maten. Ze keken met een kennersblik, dat zag je meteen. Het was ook duidelijk dat ze tot dezelfde conclusie kwamen als ik: in het tuinhuisje was plaats voor de piano.

"En als Håvard je het liedje heeft leren spelen dat mama zo leuk vindt, kunnen we haar hiervandaan met de mobiel bellen", ging ik verder. "Dan kun jij het voor haar spelen. Op die manier hoort ze het in het ziekenhuis. Wat zeg je ervan? Je weet toch dat er hier bereik is."

"Gaaf", zei Eilif.

"En ik dan?" zei Ine.

"Hoe bedoel je?"

"Wat ga ik doen?"

Daar had ik niet aan gedacht. Ik was nog niet gewend aan kinderen; ik wist niet dat je hen altijd gelijk moet behandelen als ze met meer dan één zijn. Eilif kende ik, dat gevoel had ik die ochtend, Ine nog niet. Zij en ik hadden op dat moment nog niet echt kennisgemaakt.

"Voor jou heb ik nog grotere plannen", zei ik, terwijl ik stellig en geheimzinnig probeerde over te komen en ondertussen koortsachtig nadacht. "Ik moet alleen de details nog een beetje beter uitwerken."

Gelukkig had de leugen het gewenste effect. Ine strekte een arm uit naar de plaid die ik naast haar had neergelegd en trok hem over zich heen. Ik zag haar een zucht van genot slaken toen ze het zachte flanel tegen haar huid voelde. Ze zonk als het ware terug in zichzelf.

Oma had altijd van die mooie plaids gehad. Voor haar was een plaid een kunstvorm, iedereen die haar woning betrad kreeg vroeg of laat een plaid om zich heen. Haar plaids moesten warm en licht zijn, en ze waren er in allerlei kleuren. Ze mochten absoluut niet kriebelen. Soms waren ze gevoerd met zachte flanel, net als deze, een witte.

Ik schonk oma een dankbare gedachte toen ik zag hoe Ine zich onmiddellijk in de plaid ingroef. Ze trok haar voeten onder zich en dekte alle openingen af tot we alleen haar ogen nog zagen. Eilif glimlachte naar me; hij zag hetzelfde als ik. Toen boog hij zich weer over zijn mobiel en ging door met het intoetsen van zijn sms.

Hij vond het een goed idee van mij! dacht ik opgewonden. En voor Ine bedenk ik ook wel wat.

Toen ik weer naar het huis was teruggegaan, stelde ik me half verdekt op achter een gordijn, zodat ik hen in de gaten kon houden. Ze konden me vanuit het tuinhuisje niet zien en ik zag hen alleen weerspiegeld in de ramen.

Na een tijdje zag ik Ine aan komen trippelen met de plaid als een toga om zich heen gewikkeld. Ik ging snel bij het raam vandaan. Ik hoorde haar de rijplank op trippelen, ze liep over de veranda, kwam het huis in via de andere kamer en stampte de trap op. Even later hoorde ik haar weer naar beneden snellen, deze keer met lange, besliste passen. Door een kier in de deur zag ik dat ze zich had aangekleed, ze verdween weer de tuin in. Daar stond haar broer op haar te wachten. Samen verdwenen ze achter de seringen op weg naar het huis van Håvard. Ik begreep het wel dat ze liever bij hem wilden zijn dan bij mij. Ze vonden hem aardig. Mij niet, nog niet. Eilif misschien wel, waagde ik te denken. Misschien vond Eilif me een beetje aardig. Of hij zou me aardig gaan vinden. Als hij tenminste tijd genoeg had om aan me te wennen.

Het is ook niet zo raar dat ze Håvard aardiger vinden, zei ik tegen mezelf. Je bent toch zelf ook voor zijn charmes bezweken. Je hebt hem toch ook Strøm genoemd, zoals hij zich nu door hen laat noemen. Je hebt toch zelf ook gedacht dat je iets van hem kon leren, dat hij de enige was die het je kon leren. Maar dat is nu allemaal verleden tijd.

Het was moeilijk voor te stellen dat Håvard oud was geworden.

Ik dacht: hoe ziet hij er nu uit als hij zich beweegt? Krijgt hij nog steeds zo'n vreemde, bijna onzichtbare tic wanneer hij iets ziet wat hij niet eerder heeft gezien? Alsof hij een elektrische schok krijgt?

Ja, natuurlijk

En ik had gelijk. Als hij iets ziet wat hij niet eerder heeft gezien, lijkt het net alsof hij contact maakt met iets wat elektrisch geladen is.

Het was vroeg op de dag, maar ik voelde me merkwaardig vermoeid. Alsof ik een grote, zware taak had verricht, als het doorzagen van hard materiaal. Maar ik was nog niet klaar. Ik moest naar de stad om Agnes op te halen. Eigenlijk was het goed dat Håvard in de buurt was om een oogje in het zeil te houden.

Dat is ook weer zoiets waar je met kinderen aan moet wennen: dat je er altijd voor moet zorgen dat er iemand op hen past.

Ik kan me trouwens niet herinneren dat er iemand op mij paste toen ik een kind was. Maar dat klopt natuurlijk niet. Misschien wilde ik wel dat er niemand op me paste. Ik weet het niet meer zo goed. Misschien stak ik mijn kop wel in het zand.

Ik was misselijk. Er was bijna geen verkeer op de weg, het was nog steeds betrekkelijk vroeg. Ik reed harder dan de maximumsnelheid, maar ik weet waar de kastjes staan. Ik minderde vaart en zwaaide naar de camera, zoals ik altijd doe. De autoradio stond op vol volume, maar ik was al bijna halverwege voordat de muziek tot me doordrong, zich een weg door de misselijkheid baande en de duisternis die daarachter lag wist te bereiken.

Ik was op weg naar Agnes. Maar ergens onderweg veranderde iets in mij van gedachte. Ik vermoedde dat het misschien beter was te wachten; misschien was ik bang dat Aksel bij haar zou zijn als ik kwam.

Ik haalde een hand door mijn haar, en herhaalde dat, steeds weer, ik probeerde mijn gedachten te ordenen. Ik kneep mijn ogen dicht en sperde ze weer open. Ik was die ochtend niet bepaald een oplettende chauffeur.

Ik besefte dat het nog te vroeg was om Agnes nu al naar het zomerhuis te brengen. Ik kende Eilif en Ine zelf nog niet eens; ik had nog wat tijd nodig voor mezelf voor ik hen met haar liet kennismaken. Ik dacht: ze heeft soms een behoorlijk dwingende persoonlijkheid. Dat heeft ook zijn uitwerking op de kinderen. Ze kan hen snel aan haar kant weten te krijgen, iets met hen gaan doen. Ik moet hen eerst wat meer aan mij laten wennen, zodat ze me aardig gaan vinden, anders ben ik hen al kwijt voordat ik goed en wel ben begonnen. En ik moet ook iets voor Ine verzinnen. Iets wat indruk maakt.

Dus sloeg ik een andere weg in toen ik in het centrum was aangekomen. Ik reed niet naar de buurt waar Agnes woonde en waar ook het ziekenhuis stond; ik sloeg al vrij snel af en reed naar oma's appartement. De sleutel zat aan mijn sleutelbos. Het was alsof ik pas op dat moment begreep waar ik die voor nodig had.

Ik ging naar binnen en bleef een hele tijd op een van oma's rode leunstoelen zitten. Ik zat voortdurend naar haar spullen te kijken. Ze was er niet meer. Haar spullen waren haar kwijt; ze waren leeg en zonder gloed. Het maakte me verdrietig en sprakeloos.

Zelfs de piano maakte een doodse indruk. Hij heeft een andere omgeving nodig, dacht ik. Ik ga naar de schouwburg en dan vraag ik de jongens daar of ze me kunnen helpen. Dat lukt vast wel.

Ik nam oma's tv en videospeler mee en een zak met videocassettes. Ik droeg alles de trap af. Ik moest een paar keer lopen. Het was weliswaar niet zo'n grote tv, maar hij had een onhandig formaat.

Ik reed naar de schouwburg. Ik knikte kort naar de receptioniste en sloop de gangen door, ik hoopte dat niemand me zou zien; ik had geen zin in een ontmoeting met Jan of met iemand anders die me zou vragen hoe het met het werk ging. Daar viel op dat moment niet zoveel over te vertellen.

Onopgemerkt liep ik naar de foyer, waar de jongens zaten die aan de decors werkten. Ze waren blij me te zien, geloof ik, ook al is het niet hun gewoonte dat te laten blijken. Ze mogen me. Ze vroegen niet hoe het met het werk ging, ze boden me alleen een sigaret aan. Ik sprak met hen af dat ze me zouden helpen om de piano uit oma's appartement naar het zomerhuis te brengen. Ze leken het niet erg druk te hebben. Misschien hadden ze zomervakantie, maar brachten ze die liever door in de foyer.

Op de terugweg stopte ik bij een benzinepomp om te tanken en een paar films voor de kinderen te kopen. Ik had een vlugge blik op de video's van oma geworpen, het waren een paar Shakespeareverfilmingen en een aantal zwart-witfilms uit de jaren zestig. Niet echt iets voor kinderen, waarschijnlijk.

Toen ik thuiskwam, waren Eilif en Ine nog steeds niet terug van Håvard. Ik hoop maar dat hij goed op hen let, dacht ik. En dat hij zo slim is om hun wat te eten te geven. Voor zover ik me kon herinneren, nam hij het niet zo nauw met de maaltijden.

En ik had gelijk; hij was vergeten hun iets te eten te geven. Toen ze eindelijk opdoken, leken ze blij me te zien, maar ze waren allebei uitgehongerd. Ik maakte een omelet voor hen, ik maakte met het stanleymes een paar radijsjes schoon en bewerkte ze zo kunstig mogelijk, zodat ze op rozen leken. Ik legde de rozen op hun bord. Ik zag dat het indruk maakte. Misschien hadden ze nog nooit iemand gezien die rozen van radijsjes kon maken.

Na de maaltijd ging ik met hen zwemmen. We waren alle drie een beetje verlegen. Ze kleedden zich om in het badhuisje terwijl ik buiten bleef wachten, daarna kleedde ik me om. Plotseling zag ik hoe oud en stijf mijn badpak was, er zat geen model meer in. Ze vonden me er vast heel vreemd uitzien. Ouderwets. Een oude tante.

De rest van de avond liet ik hen naar de video's kijken die ik had gekocht. Dat vertelde ik Agnes aan de telefoon. Ik had de indruk dat ze het maar niets vond.

Over het bericht dat ze op mijn antwoordapparaat had achtergelaten, werd met geen woord gerept. Ook niet dat Aksel bij haar wilde overnachten als hij uit het ziekenhuis terugkwam.

Maar de volgende dag kon ik het niet langer uitstellen. Ik reed opnieuw naar de stad om haar te halen.

Toen ik binnenkwam, zat ze in haar rolstoel, klaar voor vertrek. Ik ging ervan uit dat Aksel weer naar het ziekenhuis was gegaan, hij was in elk geval niet in haar appartement. Hij kwam niet ter sprake.

Agnes droeg een nieuwe, lichte jas die ik niet eerder had gezien. Een mooi, elegant model, dat vast niet goedkoop was geweest. Ze was duidelijk nerveus, ze maakte een vreemde indruk.

Ze had haar spullen in een grote tas gepakt. Die stond naast haar. De werktafel had ze met een laken afgedekt, er lag iets groots en bobbeligs onder. Ik vroeg niet wat het was, iets zei me dat ik dat beter niet kon doen. Maar toen ik haar naar de auto had gereden, haar voorin had gezet en de rolstoel had ingeklapt en in de kofferbak gelegd, zei ik dat ik nog even naar de wc moest. Ze gaf me de sleutel en ik ging haar appartement weer binnen.

Ik tilde het laken voorzichtig op en keek wat eronder lag.

Ze had een maquette van het zomerhuis gemaakt. Het was prachtig uitgevoerd. Ze is heel precies, hoewel ze haar handen niet altijd onder controle heeft.

Maar ik begreep niet goed waarom ze hem gemaakt had. Ik dacht: het idee is vaag, Agnes. Het is belangrijk om van een duidelijk idee uit te gaan als je iets maakt. Je moet weten wat je doel is. Dat is belangrijk voor je aanpak. Anders wordt het een rotzooi.

Haar maquette leek ook eigenlijk niet op het zomerhuis. Ik begreep dat ze een oude foto als uitgangspunt had genomen, ze had hem met plakband naast de maquette op de werktafel bevestigd. Die foto had ik haar jaren geleden gestuurd, toen ik net mijn eerste Nikon had en de doka van de fotoclub op de universiteit praktisch als mijn huis beschouwde. De foto was gemaakt voordat oma de aanbouw had laten maken. Het ziet er nu heel anders uit. Door de aanbouw is de voorkant helemaal van karakter veranderd.

Naast de maquette lag een stapel zelfgemaakte kartonnen poppen. Ze waren vrij klein en de armen en benen konden bewegen; ze had splitpennen gebruikt. Ik keek er nauwelijks naar, ik moest weer vlug naar de auto terug, maar in een opwelling stak ik ze in mijn tas. Misschien kwamen ze nog wel van pas bij het *Droomspel*, dacht ik. Ze zijn eigenlijk best mooi. Misschien iets voor een schimmenspel? Dat was geen gek idee, dat zou ik Jan eens moeten voorleggen. Hij is tenslotte de regisseur, hij weet hoe je een nieuw idee moet koesteren zonder het in de kiem te smoren. Hij kan op de goede toon zeggen: dat is een goede invalshoek. Werk het maar uit en kijk eens hoe het uitpakt.

En natuurlijk zal ik er niets mee doen zonder het eerst aan Agnes te hebben voorgelegd, sprak ik met mezelf af. Dat is logisch.

Ik zag de twee grote, zelfgemaakte zwarte kartonnen vogels pas toen ik het laken weer over de maquette heen legde en wilde vertrekken. Ik werd er bang van. Ik liet ze liggen.

De oude foto die naast de maquette op het tafelblad was vastgeplakt, deed me denken aan de eerste zomer na mama's overlijden. Die zomer begon oma met de verbouw van het zomerhuis. Alsof ze haar leven een andere structuur moest geven. Alsof ze weer opnieuw moest beginnen. Het had ons allebei even hard aangegrepen en het was net alsof alleen wij tweeën begrepen hoe het met de ander was gesteld. Wij waren de enigen die elkaar konden helpen.

Ik hielp oma met de tekeningen van de aanbouw. Ze was er vast van overtuigd dat ik een goede architect zou zijn, dus moest ik dat worden. Je werd wat oma in je zag. Zo simpel was het. Misschien dacht ze dat ik haar talent had geërfd.

Die zomer was ik bijna helemaal vergeten.

Rond die tijd werd Agnes ziek. Het was niet raar dat ze de aanbouw van oma niet had gezien. Toch vond ik het triest dat ze er met haar maquette zo naast zat, al dat werk dat ze erin had gestoken.

Maar ik kon er natuurlijk niet met haar over praten. Ik had de maquette en de foto niet mogen zien. Ik begon te vermoeden dat ze geheimen voor me had.

Eigenlijk laat Agnes me bijna nooit zien waar ze zich thuis mee bezighoudt. Als ik op bezoek ben, doet ze vaak alsof ze de hele dag tv heeft gekeken. Ik begrijp best dat dat niet waar is. Ze houdt zich met iets heel anders bezig.

En ik begrijp ook dat ik haar het beste een beetje met rust kan laten. Ze kan er niet tegen als ze merkt dat je medelijden met haar hebt. Dat je je alleen voor haar interesseert omdat ze die gluiperige ziekte heeft.

Ik deed de deur achter me op slot, liep naar beneden en ging achter het stuur zitten. Glimlachend richtte ik me tot Agnes.

"Fijn dat je komt", zei ik. "Ik heb je echt nodig in het zomerhuis."

Ik legde mijn hand in haar nek en we bleven even met de voorhoofden tegen elkaar aan zitten. Onze voorhoofden begroetten elkaar.

Tijdens de autorit was ze merkwaardig gespannen. Ze keek naar me als ze dacht dat ik het niet in de gaten had. Waarschijnlijk wilde ze weten of het al aan me te zien was dat ik zwanger was, alsof ze verwacht had dat ik met een dikke buik zou verschijnen.

Ze vroeg me met die luide, ietwat snerpende stem, die ik herkende van het bericht op het antwoordapparaat, waar de kinderen die ochtend waren. Ik antwoordde dat ze waarschijnlijk bij iemand waren die zij jaren geleden had ontmoet.

"Strøm?" vroeg ze.

Ik knikte.

Ze begon zo ongecontroleerd te trillen dat ik de auto bij een bushalte aan de kant moest zetten en mijn armen om haar heen sloeg. Het stond me opeens weer glashelder voor de geest dat ik haar inderdaad nooit had verteld dat ik Håvard tijdens zijn tentoonstelling in Berlijn had opgezocht. Die keer dat ik hem geconfronteerd had met de geruchten dat hij zijn dochter zou hebben aangerand. Agnes geloofde nog steeds dat dat incestverhaal waar was.

Ik weet niet hoe het kan dat ik het haar niet heb verteld. Misschien wilde ik niet dat ze zou weten dat het hele verhaal over die dochter verzonnen was. Misschien wilde ik dat ze zich niet langer zo met hem bezighield. Dat ze eens aan iets anders moest gaan denken. Misschien wilde ik haar bij hem uit de buurt houden.

Het duurde een hele tijd voor ze weer voldoende was gekalmeerd om naar me te kunnen luisteren.

"Hij is geen pedofiel, Agnes", fluisterde ik met mijn gezicht in haar haren, terwijl ik tegelijkertijd haar rug streelde. Ik had haar veiligheidsgordel losgemaakt om haar goed te kunnen vasthouden. "Dat had die vrouw gewoon verzonnen om mij bij hem weg te houden. Die zangeres op het damestoilet. Weet je nog dat ik je dat vertelde? Hij had ooit iets met haar gehad. Ik denk dat ze hem voor zichzelf wilde hebben. Ze was gewoon jaloers. Ze verspreidde allemaal praatjes over hem."

Agnes gaf me geen antwoord. Maar geleidelijk aan leek ze te ontspannen. Ze kwam tot rust en haar ademhaling werd regelmatiger. Ten slotte kon ik haar veiligheidsgordel weer vastmaken en verder rijden.

We kwamen bij het huis aan, het baadde in het licht van de ochtendzon.

"We zijn er", zei ik. "Fijn dat je er bent."

Agnes keek alleen maar. Ik begreep dat het er heel anders uitzag dan ze zich had voorgesteld.

Het eerste wat ze zei was: "Het is gegroeid."

"Ja", zei ik, terwijl ik zachtjes kuchte. "Er is aan de zuidkant een nieuwe vleugel bij gekomen, vind je het niet apart? Een aanbouw, oma heeft die jaren geleden laten bouwen. Ik heb die ontworpen. Nadat mama was overleden. Toen jij zo ziek was. Hoe vind je het?"

Ik vroeg haar om in de auto te wachten en haalde de rolstoel uit de kofferbak. Dat gaf haar wat tijd om aan de nieuwe aanblik van het huis te wennen voordat ze in de stoel ging zitten en ik haar naar de veranda duwde, waar de rijplank op haar lag te wachten.

Ze zag bleek.

"Daar zie je het tuinhuisje", zei ik, terwijl ik naar de stralende uivormige koepel wees. "En nu moet je eens zien!"

Ik zette vaart en duwde haar over de rijplank de veranda op.

De rijplank boog inderdaad niet te ver door.

Toen we de kamer binnenkwamen, keek ze strak naar de lintzaag, ze wees en zei: "Die moet weg."

Het leek wel alsof ze in shock was.

Dat de kinderen er niet waren om haar te begroeten, maakte de situatie er niet beter op. Ze kwamen pas laat in de middag uit de richting van Håvards huis aangeslenterd. Toen had ik Agnes inmiddels in de woonkamer geïnstalleerd en waren we het erover eens geworden dat ze prima op de bank kon slapen. Ze was ook naar de badkamer gegaan om te kijken of er naast de wc inderdaad geen plaats was voor de rolstoel. Ik zag dat ze op dat moment besloot dat ze het zonder rolstoel zou klaarspelen. Soms is ze griezelig gemakkelijk te doorzien. Ze spant haar spieren op een bepaalde manier aan en haar ogen krijgen een verbeten uitdrukking.

Opeens stonden de kinderen in de deuropening. Er ging een schok door Agnes heen. De aanblik van de kinderen bezorgde haar haast een nieuwe shock.

Ik weet niet precies wat ze zich had voorgesteld. Dat ze kleiner waren, misschien, of groter. Ze zat maar naar hun ogen te staren, alsof ze nooit eerder echte ogen had gezien. Ik moest denken aan de kartonnen poppen die ik uit haar huis had meegenomen. Opeens besefte ik dat die poppen ons moesten voorstellen: de kinderen, Aksel, Agnes en mezelf. Ik had ze nog niet uit mijn tas gehaald, instinctief had ik geweten dat ik die poppen uit haar buurt moest houden. Ik begon er spijt van te krijgen dat ik ze had meegenomen. Die beslissing had ik te snel genomen.

Later begreep ik wel dat ze Eilif en Ine voor haar komst alleen op foto's had gezien, en op die foto's droegen ze allebei een zonnebril. Ze had geen idee hoe hun ogen er in werkelijkheid uitzagen. Het was niet vreemd dat ze zo zat te staren.

"Daar zijn jullie", zei ik tegen de kinderen. Het leek opeens alsof we elkaar al een eeuwigheid kenden. "Kom binnen, dit is mijn vriendin Agnes."

Toen Agnes en ik in de vierde klas zaten, mocht ik een keer bij haar logeren. Haar ouders waren er niet. Haar moeder had een prijs gewonnen en haar vader was meegegaan om te midden van het publiek voor haar te kunnen applaudisseren. Ik stelde me voor hoe hij gegeneerd om zich heen keek en hulpeloos glimlachte, zoals altijd wanneer hij zich in een groot gezelschap bevond. Voor zover ik wist, gingen ze nooit samen ergens naartoe. De vader van Agnes was het liefste thuis.

We mochten een taart bakken. Het aanrecht plakte aan alle kanten en de vloer zat onder het meel, we hadden erdoorheen gelopen en nu zat het overal. We hadden dikke pret. Ik had de taart versierd met bloemen uit een boeket dat in de hal op tafel stond. Het boeket zag er daarna ieltjes uit en misschien vond Agnes het niet zo leuk, maar ze zei er niets van.

We zetten de taart op een grote glazen schaal met een voet en ik droeg hem de kamer in. Agnes liep vlak achter me, ze had zilveren taartvorkjes uit het buffet gehaald. We hoefden geen bordjes, we wilden de taart zo van de schaal eten.

Ik herinner me hoe we met die bloeiende taart langzaam door de grote kamers liepen. Langs alle wanden stond een boekenkast. Overal lagen stapels boeken en manuscripten van haar moeder, op de vloer en op de tafels, het viel niet mee een plekje te vinden om de taart neer te zetten. Buiten was het donker en er hingen geen gordijnen. De hoge ramen met de witte kozijnen waren zwarte, glanzende oppervlakken. Ik bleef staan en spiegelde me in een ervan. Ik zag mijn magere lichaam; een tengere gestalte achter een grote taart vol bloemen. Toen zag ik Agnes achter me opduiken, ze bleef vlak achter me staan. Ze ademde in mijn nek.

Ze wees naar het raam, naar ons spiegelbeeld. Ze zei dat er mensen in dat raam woonden. Het leek misschien wel het spiegelbeeld van haar en mij, maar dat was niet zo. Wat we zagen waren onze spiegel-zusters. Ze leken slechts oppervlakkig op ons, ze leidden een heel ander leven dan wij. Soms als het donker was, kwamen onze spiegel-zusters uit hun schuilplaats in het raam om ons te bekijken. Ze heet-ten anders dan wij. Ze waren nieuwsgierig naar wat wij aan het doen waren. Zoals ik misschien zag, hadden zij ook een taart bij zich, maar die van hen was niet met bloemen versierd, want waar zij zich bevon-den waren geen bloemen, zei ze.

Toen pakte ze me bij mijn schouder vast en trok me bij het raam vandaan, voor ik de kans kreeg om de taart in het raam beter te bekij-ken om te zien of er bloemen op zaten. We mochten niet te lang naar onze spiegelzusters kijken, ze konden schrikken en dan lieten ze zich niet meer zien, zei ze. Ze zouden denken dat wij hun iets wilden aan-doen. Of nog erger: ze zouden ons iets aandoen.

Ik werd opeens bang. We maakten een plekje vrij op de salontafel en gingen zitten om taart te eten, maar ik had geen zin meer, ik voelde me niet lekker.

Nog lang daarna zorgde ik ervoor dat alle gordijnen bij mij thuis dichtgingen voordat het donker werd; ik durfde niet uit te zoeken wat zich daar in het raam allemaal nog meer afspeelde. Ik durfde er niet eens aan te denken. Als ik dat wel deed, was het net alsof ik slaperig werd, alsof ik elk moment kon flauwvallen, in iets zachts en donkers wegzinken. Ik begreep dat het belangrijk was om wakker te blijven.

Na mijn verhuizing naar het zomerhuis is die oude angst weer een beetje teruggekomen. Maar er is wel iets veranderd, denk ik. Het is niet alleen angst, maar ook nieuwsgierigheid, geloof ik. Misschien heeft Agnes wel gelijk dat er zich in de ramen een verborgen wereld bevindt. Dat er mensen wonen, in een soort dorp, mensen die tevre-den zijn met hun leven; ze weten verder nergens van. Die dorpsbewo-ners komen alleen tevoorschijn wanneer het hun zelf goeddunkt. De tijd moet er rijp voor zijn.

Toch is het niet precies zoals Agnes vertelde toen we klein waren, heb ik bedacht. Ik ben namelijk zelf ook een van de dorpsbewoners. Ik woon zelf in het raam, ik verschijn zelf af en toe in de spiegel, wan-neer de tijd er rijp voor is en ik eventjes naar buiten kijk. Het is niet mijn zuster die ik dan zie, ik ben het zelf. Zo dadelijk keer ik weer terug naar mijn dagelijkse bezigheden: water halen uit de put, erwten doppen aan een grote stenen tafel, iets over het eten roepen naar kin-deren die over het plein naar een akker hollen.

Ik stel me voor dat ik er niet streng uitzie wanneer ik met dergelij-ke dingen bezig ben en ook niet eenzaam; die indruk wek ik alleen als ik daar zelf voor kies. Maar de Molly die niet streng en eenzaam is, zal nooit onverwacht in de spiegel opduiken. Ze is alleen haar gewone zelf wanneer ze niet naar buiten kijkt, wanneer ze genoeg heeft aan zichzelf en het dorpsleven. De Molly die niet streng en eenzaam is, blijft voor mij verborgen. Maar niet voor zichzelf.

Het is heel ingewikkeld om zo te denken. Het klopt niet helemaal. Als ik zo een tijdje heb zitten denken, moet ik op een gegeven moment tegen mezelf zeggen: hou ermee op. Agnes houdt zich met dat soort dingen bezig, jij niet. Jij bent een doener. Jij staat met beide benen op de grond. Jij bent net als oma.

Ik was van plan Aksel van het kind te vertellen zodra hij na Monika's operatie op bezoek kwam, maar ook toen deed zich geen geschikte gelegenheid voor. Ik wilde een beetje rust om ons heen. Hij moest de tijd krijgen het te laten bezinken; opnieuw vader worden, dat moet voor een man toch iets bijzonders zijn. We moesten kunnen luisteren naar wat de ander te zeggen had, alle opties openhouden. We moesten het over Eilif en Ine hebben, hoe zij het zouden opnemen. Ik moest erop voorbereid zijn dat hij Monika zou noemen, dat we ook met haar gevoelens rekening moesten houden. Ik dacht dat ik aan alles gedacht had. Maar niets werd wat ik me ervan had voorgesteld.

Hij kwam 's avonds laat van het ziekenhuis vandaan. Ik wist mijn gezicht in een passende uitdrukking te plooien, met een vriendelijke, neutrale glimlach. Mijn lichaam roerde zich op plaatsen die ik lange tijd niet had gevoeld en mijn hart was nog steeds een los reserveonderdeel.

Agnes, de kinderen en ik zaten op de veranda toen hij arriveerde. De kinderen veerden zo abrupt op dat hun stoelen hard over de vloer van de veranda schraapten, ze holden hem tegemoet. Ine bereikte hem het eerst; ze sprong met een enorme vaart naar hem op, sloeg haar armen om zijn nek en haar benen om zijn middel. Hij draaide een paar keer met haar rond, toen stak hij een arm uit naar Eilif, trok hem tegen zich aan en woelde hem door de haren. Hij mompelde iets tegen hen. Het was vast een groet van Monika, het was niet de bedoeling dat Agnes en ik het zouden horen.

Toen liet hij Ine los en liep naar mijn stoel, nog steeds met zijn arm om Eilif heen geslagen. Hij boog voorover en kuste me op mijn voorhoofd. Eilif moest ook vooroverbuigen, dat was nogal komisch. Ik dacht: Aksel toch. Laat de jongen er nu buiten. Toen liet hij Eilif ook los en bleef voor de rolstoel van Agnes staan. Hij schonk haar een warme glimlach, je kon het moeilijk anders opvatten dan dat hij blij was haar te zien.

"Hallo daar", zei hij. "Dus jij bent ook aan de zomervakantie begonnen? Goed zo. Ik heb iets voor je meegenomen. Het ligt in de auto. Kom op, kinderen."

Eilif en Ine liepen achter hem aan, ze sprongen om hem heen en maakten een opgewonden indruk.

Agnes en ik bleven de paar minuten dat ze weg waren zwijgend zitten. Ik voelde dat er al een verandering was opgetreden.

Toen ze terugkwamen, droegen de kinderen ieder een kruk waarmee ze heen en weer zwaaiden. Ine had ontdekt hoe je die als polsstok kon gebruiken, al springend stak ze het grasveld over en maakte natuurlijk lelijke gaten in het gazon, maar haar vader was niet iemand die daar iets van zei.

"Krukken?" zei Agnes.

"Wat dacht je dan?" zei Aksel lachend. "Jij zou toch die rolstoel uit? Dan heb je krukken nodig."

De kinderen legden de krukken in haar schoot. Ze stonden vol verwachting naar haar te kijken, alsof ze wilden dat zij hun ter plekke een demonstratie zou geven. Maar Agnes bleef zitten, met haar blik omlaag gericht.

"Val Agnes nu niet lastig", zei Aksel. "Jullie begrijpen toch wel dat ze eerst een tijdje moet oefenen."

Hij ging aan tafel zitten en vertelde hoe het met Monika in het ziekenhuis ging. Deze keer vertelde hij het op een manier waaruit bleek dat ook Agnes en ik het mochten horen, het was niet alleen op de kinderen gericht. Het ging goed met Monika, zei Aksel. Ze lag nog wel op de intensive care, maar ze zouden haar binnenkort naar een andere afdeling brengen. De kinderen keken hem aan terwijl hij sprak. Ze zogen zijn woorden op, maar ze stelden geen vragen.

Aksel kreeg niet de gelegenheid lang te blijven zitten, Eilif wilde met hem naar de tuin. Ik bleef op de veranda staan en zag hen naar het tuinhuisje gaan. Ze leken sprekend op elkaar, ook van achteren. Het was alsof ik hen zo eerder had gezien. Aksel had Ine op zijn schouders genomen; haar magere beentjes bungelden los langs zijn lichaam en ze zwaaide overmoedig heen en weer, zodat hij bijna zijn evenwicht verloor. Hij greep haar bij haar bovenbenen vast en sprong op en neer, alsof hij haar van zich af wilde schudden. Ine gierde het uit van de pret en klampte zich aan zijn hoofd vast zodat hij niets meer kon zien en tegen een boom botste. Ze vielen op de grond en bleven als een krabbelende bult in het gras liggen. Eilif lachte luid en wierp zich op hen, ze bleven een hele poos liggen terwijl ze elkaar kietelden.

Ze daar zo te zien gaf mij een enorme kracht. Zo moet een vader zijn! dacht ik. Zo! Botsen! Omvallen! Lachen!

Ik draaide me om en glimlachte naar Agnes.

"Wat zijn ze leuk met elkaar, hè?" zei ik.

Maar Agnes keek naar de grond.

Ik begreep dat Aksel wilde blijven overnachten. En ik dacht dat het hoog tijd werd hem van het kind te vertellen. Ik had het Agnes al door de telefoon verteld, hij moest het ook te horen krijgen, en op een betere manier dan Agnes. Hij was immers de vader.

Maar die nacht wist Agnes uit haar rolstoel te komen en ging ze de krukken gebruiken. Wat een wilskracht zal ze daarvoor nodig hebben gehad.

Ik geloof dat ze die geput had uit haar ontzetting over het feit dat Aksel en ik de nacht samen op mijn kamer zouden doorbrengen. Ze zat aan de keukentafel naar ons te loeren terwijl we aan het afwassen en opruimen waren. Toen we welterusten hadden gezegd en aanstalten maakten om naar mijn slaapkamer te gaan, zei ze dat ze nog even wilde opblijven. Ze wilde op de veranda met de krukken oefenen, zei ze. Aksel knikte bemoedigend naar haar, dat soort dingen hoort een verpleegkundige natuurlijk graag.

We gingen naar mijn kamer, zij stampte rond op de veranda onder het raam en maakte een hels kabaal. Ze struikelde en viel, krabbelde weer overeind en vloekte erop los.

Aksel stond onzeker achter het gordijn van het slaapkamerraam naar haar te kijken. Ik denk dat hij niet begreep wat zich daar op de veranda afspeelde. Hoe kon hij ook weten dat ze alle middelen die tot haar beschikking stonden zou gebruiken om te voorkomen dat ik hem zou vertellen wat ik op mijn hart had?

"Kijk haar nou toch", zei hij. "Ze heeft behoorlijk wat kracht in haar armen, vind je niet? Wel iets om trots op te zijn. Maar ze overdrijft. Ik heb al geprobeerd haar te vertellen dat ze niet zo fanatiek bezig moet zijn."

Ik had zo met haar te doen. En met hem. Het is ellendig als je ziet dat iemand iets niet begrijpt. Je zegt dan tegen jezelf: "Jij zou de waarheid niet aankunnen."

Soms denk ik dat ik te gecompliceerd ben voor Aksel.

Hij sliep die nacht diep, hij raakte me niet aan. Ik begreep dat hij moe was, dat zijn hoofd vol zorgen zat vanwege Monika. Hij was één groot hoofd, er was die nacht geen ruimte voor zijn lichaam. Ik kon het niet opbrengen hem van het kind te vertellen. Ik huilde zo zacht als ik kon.

De volgende ochtend vertrok hij weer vroeg naar Monika in het ziekenhuis. Ik zag dat hij al met zijn gedachten bij haar was.

Ik vertrouwde erop dat hij goed voor haar zou zorgen. Als je zo bang bent als hij was, ben je heel zorgvuldig. Dan vergeet je niet om de medicijnen goed te doseren. En ook niet om iemand geruststellend over de wang te aaien.

Het werd een vreemde dag. Eilif en Ine waren tegelijk met Aksel opgestaan en hadden hem uitgezwaaid, ze maakten een verslagen indruk toen ze weer in de keuken verschenen. Ik dacht: nu moet je iets verzinnen, Molly. Nu moet jij het initiatief nemen. Zorgen dat ze weer vrolijk worden.

Ik durfde niet de woonkamer binnen te gaan waar Agnes sliep. Ik had al even gekeken, ze lag op apegapen op de bank, met al haar kleren aan en met een wijnfles en een glas vol vetvlekken op de salontafel naast haar. Het leek alsof ze de hele nacht had zitten drinken, nadat ze die luidruchtige pogingen om op krukken te lopen onder mijn slaapkamerraam had gestaakt. Het was te veel voor haar geweest.

Ik sloot voorzichtig de deur van de woonkamer en zei tegen de kinderen dat we haar beter met rust konden laten. Eilif knikte en zei snel dat hij naar Strøm wilde om piano te spelen. Ine wilde met hem mee, ze wilde naar de kat. Ze wilde natuurlijk niet alleen bij mij achterblijven.

Uit beleefdheid namen ze een muizenhapje als ontbijt, waarna ze met een kort, strak knikje door de keukendeur verdwenen. Ik bracht het niet op hen tegen te houden. Ze waren nog steeds liever bij Håvard dan bij mij.

Ik ruimde de ontbijtboel af, veegde de tafel en de banken schoon en ging aan het werk.

Ik haalde de kartonnen poppen tevoorschijn die ik uit het huis van Agnes had meegenomen, en legde ze voor me op tafel. Ik bestudeerde ze. Het klopte dat die poppen ons moesten voorstellen: Agnes zelf, Aksel, de kinderen en mij. Ik zag dat ze haar best had gedaan op de details; de goed uitgewerkte kleur op de pet van Eilif en de nuances in het haar van Ine. Ze waren echt prachtig. Ik zou ze zó kunnen gebruiken in het Droomspel. Ine als Victoria, Eilif als de Advocaat, Aksel als de Officier. Ik als de Dichter. En Agnes als ... Agnes.

Voorzichtig tilde ik een pop op en draaide de plantenstokjes waar de armen en benen aan vastgemaakt zaten, langzaam rond. Het was niet moeilijk te zien dat de constructie zwakke punten had, ik kon de poppen met geen mogelijkheid de vloeiende, etherische bewegingen laten maken waar de choreograaf van de schouwburg iets mee zou kunnen. Ik bedacht hoe ik de constructie kon verbeteren, hoe ik de figuren groter en duidelijker kon maken, nadrukkelijker als het ware, en hoe ik de gelaatsuitdrukkingen theatraler kon maken. Ik pakte mijn stanleymes, een potlood en een stuk karton en ging aan de slag. Ik heb een pop nodig die de moeder in het stuk voorstelt, dacht ik. Die begrijpt dat ze stervende is.

Er waren zeker een paar uren voorbijgegaan voordat ik in de woonkamer beweging hoorde. Agnes werd met een luid gekreun wakker, ik hoorde haar hulpeloze bewegingen en de krukken die op de vloer vielen terwijl ze zich probeerde op te richten.

Na een poosje ging ik naar haar toe, het was duidelijk dat ze hulp nodig had. In de deuropening stond ik naar haar te kijken.

"Goedemorgen", zei ik voorzichtig. "Goed geslapen?"

"Godverdomme", zei Agnes. Ze maakte geen vrolijke indruk.

"Heb je hulp nodig?"

"Absoluut niet."

"Weet je zeker dat ik de rolstoel niet moet halen?"

"Heel zeker."

"Kun je zelf op krukken naar de badkamer komen?"

"Natuurlijk."

De daaropvolgende scène laat zich moeilijk beschrijven. Agnes was wanhopig, verbeten en had klaarblijkelijk last van een fikse kater, maar ze weigerde hulp. Ik trok me terug in een stoel in een hoek van de kamer en keek aandachtig naar haar, klaar om in actie te komen zodra ze om hulp zou vragen. Ze siste naar me dat ik niet zo naar haar moest zitten staren alsof ze een vis in een aquarium was. Ik begreep de wenk en ging naar de keuken, waar ik hoorde hoe ze zich op de een of andere manier met haar krukken in de badkamer wist te manoeuvreren. Waarschijnlijk viel ze een aantal keren, ik hoorde een paar keer een luide bons, maar ten slotte klonk het geruis van water dat aangaf dat ze de wc had doorgespoeld, en daarna het geluid van stromend water in de wastafel, het duurde een hele tijd. Op de begane grond is geen douche; de badkamer met douche ligt naast mijn kamer op de eerste verdieping, en om zelfstandig de trap op te komen was voor haar op dat moment natuurlijk een onoverkomelijk probleem.

Ten slotte kwam ze de keuken in. Ze zag bleek, het leek alsof ze haar gezicht had geboend tot het glom, en ze liet zich op een stoel neervallen. Ik schoof de koffiekan en een kop naar haar toe en ze schonk zich gretig in.

"Waar zijn de kinderen?" vroeg ze.

"Bij Strøm."

"Dat meen je niet! Niet alweer!"

"Jawel."

"Besef jij wel bij wie ze eigenlijk op bezoek zijn?"

"Maar Agnes", zei ik. "Ik heb je toch verteld dat die geruchten over die incest gewoon verzonnen waren? Ben je dat vergeten?"

"Heb je Strøm onlangs nog ontmoet?"

"Nee."

"Hoe weet je dan zo zeker dat hij niet gevaarlijk is?"

"Ik ken hem", zei ik. "Bovendien heb ik de foto gezien die Eilif heeft genomen. Hij is oud geworden."

Soms denk ik weleens dat Agnes meer met Håvard bezig was dan ik toen we jong waren. Nu herinnerde ik me weer hoe opgewonden ze destijds was wanneer we het over hem hadden. Ik had de indruk dat ze het voortdurend over hem wilde hebben. De paar keren dat ze bij mij thuis op bezoek kwam, leek het alsof ze alleen maar was gekomen om mij over hem te horen vertellen. Ik was uiteraard ook vol van hem, maar niet op die manier, geloof ik. Ik was verliefd, maar zij was als bezeten.

"Luister, Agnes", zei ik. "Probeer kalm te blijven. Ik heb je onderweg in de auto al verteld hoe het zat. Weet je nog? Toen ik in Berlijn woonde, wist ik al dat Håvard zijn kind niets had aangedaan. Die dingen zijn al jaren geleden tussen ons uitgepraat."

Ze gaf geen antwoord.

"Wil je dat ik het je nog een keer vertel?"

Ze knikte zwijgend.

"Oké", zei ik, ik legde mijn beide handen tussen ons op tafel. "Dan vertel ik het nog een keer. Weet je nog dat ik op een gegeven moment helemaal wanhopig was en het uitmaakte met hem? Toen we negentien waren?"

"Natuurlijk. Ik moest jou toch opvangen?" zei ze grimmig.

"Welnu, het duurde een aantal jaren voor ik voldoende moed verzameld had om te onderzoeken of wat die vrouw toen op het damestoilet had gezegd, waar was. Ik woonde toen in Berlijn, weet je nog, en ik wist dat hij daar een tentoonstelling had. Ik had het in de krant gelezen. Dus ging ik erheen en bekeek de foto's. Hij was kennelijk met een nieuw project begonnen; het waren scènes van het leven in een grote stad, nachtvlinders, vrachtwagenchauffeurs, zwervers, prostituees en dikke mannen op een benzinestation. Ik vond de tentoonstelling iets sentimenteels uitstralen wat me niet beviel."

"Jij was ook altijd zo kritisch over hem."

"Maar technisch was hij geweldig, zoals altijd, dat moest ik toegeven, en niemand kon beweren dat hij geen goed oog had."

"Hij was toch ook degene die jou heeft leren kijken, zoals je zelf altijd zo vlijtig hebt beweerd", zei Agnes.

"De galerie was bijna onmogelijk te vinden", onderbrak ik haar. "Het was een kille, grijze dag, ik was met de fiets van de andere kant van de stad gekomen. Ik was vergeten wanten aan te doen, mijn vingers waren bevroren. Ik fietste wat af in de wijk waar de galerie volgens het adres en de kaart moest zijn, maar nergens was een bordje te bekennen en niemand kon me vertellen waar het was. Iedereen die ik vroeg leek bijna beledigd te zijn dat ik om de weg durfde te vragen.

Ten slotte moest ik de galerie bellen en de vrouw die opnam vragen of ze me de weg kon vertellen. Zelfs zij aarzelde toe te geven dat de galerie bestond en dat je er echt kon komen. Maar uiteindelijk bleek ik er vlakbij te zitten, slechts een paar meter ervandaan. Ik zette mijn fiets weg op een donkere, fabriekachtige binnenplaats en drukte op de intercom. Toen werd ik binnengelaten."

Ik pauzeerde even.

"Ga door", zei Agnes. Ik zag dat het verhaal haar begon te interesseren. Ze heeft altijd een behoorlijk groot voorstellingsvermogen gehad.

"De galerie bestond uit maar één vertrek", vervolgde ik terwijl ik bedacht dat ik het heel duidelijk moest vertellen, zodat het werkelijk voor haar werd. "Het was een reusachtige ruimte, als een witgeschilderde fabriekshal, en het was er hoog als in een kerk, met ramen in het plafond. Ik begreep niet dat er op een bovenverdieping zo'n groot vertrek kon zijn. Ik kreeg het gevoel dat de ruimte groeide, terwijl ik erdoorheen liep; ze breidde zich naar alle kanten uit.

De vrouw die de telefoon had opgenomen en ik waren de enige aanwezigen. Schijnbaar was ik de enige die het had kunnen vinden. De vrouw maakte de indruk er te wonen, alsof ze zich van geen andere wereld bewust was.

Ik liep langzaam van foto naar foto en hoorde het geluid van mijn eigen joggingschoenen op de betonnen vloer, als van een sponzige zuignap, terwijl ik mijn handen warmde in de mouwen van mijn vest en uit de foto's probeerde op te maken wat voor persoon Håvard uiteindelijk was geworden nadat ik bij hem was weggegaan."

"Waarom noem je hem Håvard?" vroeg Agnes.

"Zo heet hij."

"Je wilde hem opnieuw dopen. Je wilde hem voor jezelf hebben. Je wilde zijn moeder zijn."

"Luister nou wat ik zeg", zei ik. "Onderbreek me niet."

"Ga door."

"Het was zo raar om al zijn oude en nieuwe foto's in één vertrek bij elkaar te zien. Ik kreeg het gevoel dat de tentoonstelling speciaal voor mij was gemaakt. Waarschijnlijk was ik de enige die er ooit de weg naartoe zou vinden. En Håvard had echt zijn best gedaan om me de indruk te geven dat hij een grotestadsmens was geworden, dat was gemakkelijk uit die foto's op te maken. Maar ik zag meer dan hij me had willen tonen; verschillende foto's straalden iets van verzoening uit. Tegelijk moest ik toegeven dat hij zijn motieven indringender was gaan benaderen. Het viel me ook op dat hij bijna geen foto's meer maakte van jonge vrouwen, waar hij vroeger zo beroemd mee was geworden."

"Hij had een periode waarin hij veel foto's van jou maakte."

"Maar op deze foto's stonden bijna uitsluitend mannen, vooral oude, invalide mannen. Ik dacht: zij snakken naar troost, en de fotograaf geeft hun die."

"Wat maak je er een uitgebreid verhaal van", zei Agnes.

"Niet onderbreken, zei ik toch."

Ze sloeg haar hand voor haar mond en probeerde onschuldig te kijken.

"Ik bleef een hele tijd in de galerie. Ten slotte was het bijna sluitingstijd, ik zag de vrouw met wie ik aan de telefoon had gesproken, op haar horloge kijken. Ik ging naar haar toe en wist haar zover te krijgen mij te vertellen in welk hotel de kunstenaar logeerde, en ook om een grote envelop voor mij te pakken. Ze gehoorzaamde zonder protest, alsof ze vond dat iemand die ondanks al die hindernissen de galerie had weten te vinden, een onderscheiding verdiende.

Vervolgens nam ik een catalogus en schreef er een boodschap in. Er stond een foto van hem in waarop hij tegen een houten hek aan leunt. Ik wist wie die foto had genomen, het was een vrouw met wie hij lang voor mij iets had gehad, ze is later een tamelijk bekende fotograaf in Zweden geworden, ik heb artikelen over haar gelezen van recensenten die ik respecteer."

"Met welke vrouwelijke fotograaf heeft hij niet iets gehad!" zei Agnes.

"Probeer nou toch kalm te blijven", zei ik. "Ik gaf hem op die foto een snor en duivelshoorntjes, kleurde zijn tanden zwart en zette er mijn telefoonnummer bij. Ik was ervan overtuigd dat hij zou begrijpen wie de afzender was en dat hij zou bellen. Daarna fietste ik terug naar mijn atelier en verdiepte me weer in mijn werk."

"Ja, dat is echt iets voor jou", zei Agnes.

"Er gingen een paar dagen voorbij voor ik iets van hem hoorde", ging ik verder. "Hij belde. Zijn stem klonk aarzelend en hij stotterde in het Duits, hij vroeg met wie hij sprak, hij maakte een enorm nerveuze indruk. Ik lachte in de hoorn en zei in het Noors dat hij dat toch wel moest begrijpen. Ik hoorde dat hij opgelucht was om in zijn eigen taal te kunnen praten.

Hij zei dat hij al zo'n vermoeden had gehad dat ik hem die catalogus had gestuurd. We spraken af om elkaar de volgende dag in de galerie te ontmoeten. Hij zou de dag daarop alweer teruggaan naar Noorwegen. Ik zei dat het bijna onmogelijk was de galerie te vinden en hij zei dat de tentoonstelling maar heel weinig publiek had getrokken. Ik antwoordde dat er maar één bezoeker was geweest. Toen lachte hij. Maar de recensies in de kranten waren positief."

"Heb je ze bewaard?" vroeg Agnes.

"Nee", zei ik. "Je weet best dat ik dat soort dingen niet bewaar. Ik ben nu niet bepaald een archivaris."

"Nee, bepaald niet, nee", zei Agnes.

"Toen ik voor de tweede keer in de galerie kwam, was de vrouw er niet", ging ik verder. "Håvard zag ik ook niet, maar ik voelde gewoon dat hij er was. Ik zei niets, liep de zaal in en begon langs de rijen met foto's te lopen. Ik deed alsof ik elke foto grondig bestudeerde. Na een poosje merkte ik dat hij achter me liep. Ik bleef staan bij een foto en keek er lange tijd naar. Hij zei ook niets. Ik weet niet of hij nerveus was, of nieuwsgierig naar wat ik kwam doen. Toen draaide ik me langzaam naar hem om. 'Dag, Håvard', zei ik."

"Dat zei je alleen om hem te provoceren. Hij wil Strøm genoemd worden."

"Misschien wel."

"Wat was zijn antwoord?"

"Ik weet het niet meer. Maar ik weet nog wel dat we naast elkaar op de vloer in die enorme ruimte zaten, tegen de wand aan geleund. Boven ons hingen zijn foto's. Het was alsof we een gesprek voortzetten dat abrupt was geëindigd toen ik hem verliet."

"En of ik me dat nog kan herinneren!"

"Hij vroeg waar ik me op dat moment mee bezighield", ging ik verder. "En het was heel gemakkelijk om het hem te vertellen, ik wist opeens weer hoe het voelde om niet zoveel woorden te hoeven gebruiken wanneer je het over belangrijke dingen hebt. Ik vond niet dat ik hem iets moest bewijzen en ik kon me heel gemakkelijk voor hem openstellen, direct zijn. Toen heb ik hem ernaar gevraagd."

"Naar de incest?"

"Ja. Over wat die dronken ex van hem destijds op het damestoilet had gezegd."

"Hoe reageerde hij?"

"Nou, hij keek me recht aan en zei dat wat ze verteld had gelogen was, maar dat zij niet de enige was die die geruchten had gehoord. Ze waren oorspronkelijk door zijn ex-vrouw verspreid. Hij had niets gedaan om de geruchten tegen te spreken. Hij voelde zich schuldig, ook al had hij niets misdaan."

"Je maakt een grapje."

"Nee, dat zei hij."

"Wat vreemd dat hij dat dacht."

"Hij legde uit dat hij zich in zoverre had misdragen dat hij zijn dochter in de steek had gelaten."

"Dat mag je inderdaad wel zeggen".

"Ja, maar niet zoals jij denkt. Hij had haar en haar moeder verlaten toen ze nog klein was, en hij had het contact laten verwateren. Geen verjaardagen onthouden, niet gebeld, haar niet voor een vakantie uitgenodigd, dingen die andere vaders nog wel doen. Toen hij begreep dat zijn vrouw incestverhalen over hem was gaan vertellen, had hij niets gedaan om het tegen te gaan. Hij had haar op een bepaalde manier gelijk gegeven. Hij had de schuld op zich genomen en op die manier zichzelf het stempel van incestpleger gegeven. En zijn vrouw had de voogdij over de dochter gekregen, zoals ze had gewild."

Agnes bleef een tijdje zwijgend en in gedachten zitten. Het was alsof ze zichzelf probeerde los te trekken uit het verhaal dat ik haar had verteld.

"En die onzin geloofde jij", zei ze uiteindelijk.

"Ja."

"En je vindt het niet ongelooflijk naïef van jezelf?"

"Nee. Ik weet dat hij de waarheid sprak."

"Hoe kun je dat nu weten?"

"Ik ken hem heel goed, Agnes. Ooit waren we minnaars. We kenden elkaar door en door. Ik geloof dat dat nog steeds het geval is. Mensen als wij kunnen elkaar niet voor de gek houden."

Maar het was net alsof Agnes die laatste opmerking van mij niet kon verdragen. Ik hoorde hoe ze zich weer in zichzelf opsloot; voor haar gezicht ging het doek neer.

Ik weet niet precies wat ze daarna nog zei. Iets over dat ze begreep dat ze Strøm en mij niet meer kon vertrouwen, dat ze de zaak in eigen hand moest nemen. Dat ze er onmiddellijk heen moest, dat het duidelijk was dat ik er niet over dacht om ook maar iets te doen om Eilif en Ine te beschermen tegen een pedofiel die bijna voor incest was veroordeeld. Dat een dergelijke naïviteit verboden moest zijn.

Ze deed haar uiterste best uit haar stoel te komen en naar de krukken te grijpen, zag ik.

Ik besefte dat ik haar niet kon bereiken. Ze kon de werkelijkheid domweg niet aan, ook al deed ik mijn best om het haar uit te leggen op een manier die ze kon begrijpen. Misschien was ze uiteindelijk in haar eigen verzinsels verstrikt geraakt, of waar ze zich thuis ook maar mee bezighield.

Ik benadrukte zo rustig mogelijk dat ze beter de rolstoel dan de krukken kon gebruiken als ze van plan was naar Håvard te gaan. Het was een heel eind naar zijn huis. Ik wees naar de bomen aan het eind van de weg en bood aan haar erheen te duwen. Maar daar wilde ze absoluut niet van horen.

"Heb je ook tekenspullen?" vroeg ze.

"Wat bedoel je?"

"Wat maakt het uit wat ik bedoel? Heb je ook tekenspullen?"

"Ja, natuurlijk. Zal ik ze pakken?"

"Ja. En zit niet zo te loeren."

Slechts een paar minuten later zag ik haar door het keukenraam in haar rolstoel naar Håvard toe rijden. Echt snel ging het niet. Ze droeg de vingerloze leren beschermingshandschoenen om een betere grip op de wielen te hebben.

Op haar schoot had ze mijn tekenbord, een blok met tekenpapier van goede kwaliteit en een etui met potloden en koolstiften.

Ze had een enorme kracht in haar bovenlichaam als ze de wielen van de rolstoel in beweging bracht. Ze was net een machine.

Ik geloof dat ik op dat ogenblik echt besefte dat ik zwanger was. Er leek een schok door mijn lichaam te gaan, alsof ik begreep dat er geen weg terug was.

Ik liep onrustig door het huis en voelde dat alles aan het veranderen was, zowel om me heen als in me. Ik had niet langer de controle, ik was bezig Agnes te verliezen en ik dacht dat ze Aksel en de kinderen met zich mee zou trekken. Dat iets anders bezig was mij over te nemen. Iets.

Dit kind eiste dat ik een besluit zou nemen; ik moest erachter zien te komen of het zou leven of sterven. Of het door mocht gaan met in mij groeien en per dag steeds meer plaats opeisen, of dat het uitgestoten zou worden en terug moest naar de plaats waar het vandaan kwam.

Het was raar om me zo bang en tegelijk niet in staat tot handelen te voelen.

Ik liep naar de woonkamer. Door de open verandadeur zag ik oma opeens zitten. Ze zat in de rieten stoel op de veranda. Aanvankelijk begreep ik niet wie het was; ze was veel jonger dan ik me kon herinneren. Ze was een lange vrouw van mijn eigen leeftijd, met donker haar dat in een knotje achter op haar hoofd zat vastgemaakt, een smalle, mooie hals en met de zichtbare schaduw van een snorretje boven haar bovenlip. Ze droeg een lichte jurk en schoenen met hoge hakken. Ze keek niet naar mij, ze keek uit over de tuin met het ene been over het andere geslagen, met haar tenen wipte ze een schoen op en neer.

Het was alsof ze me tijd wilde geven om te beseffen wie ze was. Toen ik het eindelijk begreep, draaide ze zich langzaam naar mij om en glimlachte. Het was die lieve omaglimlach die naar buiten en niet naar binnen was gericht. Geen twijfel mogelijk, er trok een gloed over haar gezicht.

"Ach oma", zei ik. Ze gaf geen antwoord, maar draaide haar hoofd weer naar de tuin en knikte gesloten en een tikje afwezig. Ze wilde me geloof ik laten zien hoe mooi alles was op deze zomerse dag. Dat alles in bloei stond, dat de tuin elk moment kon openbarsten.

"Oma", zei ik opnieuw, nu iets zachter. "Ik ben zwanger. En Agnes gaat me verlaten. Ik weet niet wat ik moet doen."

Oma leek niet verrast te zijn. Misschien hoorde ze niet wat ik zei. Misschien kon ze niet praten. Ze bleef naar de seringen zitten staren. Ik wilde dat ze iets zou doen waardoor ik vanbinnen warm en rustig werd, maar zo ging het niet. Ik begreep dat ze het had gehoord, maar dat ze me geen antwoord zou geven, dat ik het zelf zou moeten bedenken. Maar ik begreep ook dat ze niet van plan was me in de steek te laten.

Toen ik opnieuw naar de veranda keek, was ze weg. Maar zowel in het huis als op de veranda en in de tuin heerste een vredige sfeer. Ik vond niet dat ik even mocht gaan liggen terwijl oma's glimlach in alle kamers was en tussen de seringen heen en weer wiegde; een lichte, witte nevel. Niets bewoog en toch was het alsof de tuin zweefde.

Ik liep naar de boekenkast en pakte er een oud fotoalbum uit. Het zat vol met foto's van mensen die in het zomerhuis op bezoek waren geweest, zowel in mijn eigen tijd als daarvoor. Er zaten veel foto's van mij in. Op foto's zie ik er altijd streng of boos uit, zelfs op kinderfoto's.

Ik bladerde terug naar een van de eerste pagina's in het album. Daar zag ik een foto van oma in dezelfde jurk als die ik net had gezien in de stoel op de veranda. Ze moest op die foto veel jonger zijn geweest dan ik nu, ze stond naast een oude kinderwagen, zo'n lage, ouderwetse met kleine wieltjes.

Waarschijnlijk lag mama in die kinderwagen. Mama als baby; misschien pasgeboren.

Op dat moment wist ik hoe ik het Groeiende Kasteel uit het *Droomspel* moest maken: ik kan er een schimmenspel voor maken, dacht ik. En ik kan het kasteel van glas maken.

Plexiglas was waarschijnlijk het simpelste, dat kon ik met de lintzaag bewerken. Ik zou licht gebruiken en het kasteel op een blanco achtergrond projecteren. Zo zou het net lijken alsof het groeide. Met licht en schaduw kon ik allerlei effecten bereiken, dacht ik. En ik kon het idee met die poppen van Agnes verder uitwerken. Ik kon de portierster laten lijken op oma, zoals ik haar net had gezien. En de deur waar iedereen het in het stuk over heeft en waarvan niemand weet wat erachter zit, zou ik van spiegelglas maken. Ik moest alleen nog bedenken hoe ik die in combinatie met het licht op het toneel kon plaatsen zonder dat het publiek zichzelf zou zien.

In de deur moest een luik zitten waar daglicht doorheen kon sijpelen.

Ik dacht dat het te gecompliceerd zou worden om het luik zelf te maken; dat was niet iets wat ik met de lintzaag op eigen houtje kon maken.

Ik moest op zoek naar een glazenmaker.

Agnes en de kinderen kwamen pas aan het einde van de middag terug van Håvard. Eilif duwde haar, Ine liep naast de rolstoel en hield haar hand vast, ze hadden elkaar kennelijk goed leren kennen. Agnes had mijn tekenspullen op schoot liggen, maar het was niet goed te zien of ze die gebruikt had. Toen ze mij in het oog kregen, leken ze verrast te zijn, alsof ze bijna waren vergeten dat ik bestond. Ze waren niet onvriendelijk, maar ze vertelden niet wat ze hadden gedaan.

Voor het eerst bekroop me de gedachte dat Agnes me misschien niet altijd goedgezind was. Dat ze misschien … jaloers was. Of zoiets.

Tijdens het eten vertelde Ine enthousiast dat ze een nieuwe barbie wilde kopen zodra ze weer in de stad was. Het bleek dat Agnes haar en haar broer een klein vermogen had betaald voor de foto's die ze voor haar met het mobieltje hadden gemaakt. Nu zaten ze allebei goed in de slappe was. Ik gaf er toen geen commentaar op, ik glimlachte alleen en zei dat ik het fijn voor haar vond.

Maar nadat de kinderen die avond naar bed waren gegaan, hadden Agnes en ik voor het eerst serieus ruzie. Het begon ermee dat ik haar erop attent maakte dat Aksel het naar eigen zeggen niet prettig vond dat zijn kinderen van een vreemde geld kregen.

"Wat bedoel je met 'een vreemde'?" vroeg Agnes. "Ik ben geen vreemde voor hen. We kennen elkaar nu. Bovendien heeft Aksel tegen mij niet gezegd dat ze geen geld mogen aannemen."

"Hij heeft het met jou natuurlijk ook niet over de opvoeding van zijn kinderen", zei ik.

"Wat weet jij daar nou van?"

"Ik vind dat het de indruk wekt dat jij hen wilt kopen."

"Ze kopen? Omdat ik me aan de afspraak heb gehouden dat ik hun zou betalen als ze voor mij een klusje wilden doen? Ik begrijp het niet."

"Nee, dat blijkt."

"Je gedraagt je alsof je hun moeder bent. Maar dat ben je niet, voor zover ik weet", zei Agnes snibbig.

Zo begon het. Naarmate het later werd, werd het alleen maar erger. We slaagden er niet meer in onze stemmen gedempt te houden, we riepen dingen tegen elkaar die ik niet voor mogelijk had gehouden tussen twee mensen die zo op elkaar gesteld zijn. Agnes zag er bleek en verbeten uit. Ze beschuldigde mij ervan haar ideeën te stelen, al die jaren van haar geprofiteerd te hebben. Ze had zich door mij laten gebruiken en ik was egoïstisch en zelfingenomen, en dacht alleen maar aan mijn eigen projecten. Ik besteedde geen enkele aandacht aan andere mensen, vond ze.

"En wat denk je wel niet dat je zelf bent?" schreeuwde ik terug. "Hoe noem je het als je jezelf in een appartement opsluit om lekker de hele dag over je eigen ongeluk te kunnen piekeren? Daarmee lever je ook niet echt een bijdrage aan de samenleving!"

"Jij hebt er geen idee van wat ik doe om een bijdrage aan de samenleving te leveren", zei Agnes bits.

"Heb jij dan in je volwassen leven ook maar één keer geprobeerd om echt werk te vinden? Iets te ontdekken over het echte leven?"

Daarop brandde ze los: "Wat weet jij er verdomme nou van waar ik me thuis mee bezighoud?" schreeuwde ze. Ze zag nu krijtwit. "Jij bent er toch nooit! En je belt ook nooit!"

"Goed, vertel het me dan maar", zei ik, terwijl ik probeerde zo rustig mogelijk te praten. "Vertel me dan waar je je mee bezighoudt wat jou zo verdomd bijzonder maakt. Vertel me dan wat ik allemaal mis."

Agnes zweeg. Ik zag dat ze nu echt kwaad was. Maar ik kon me niet beheersen, het moest eruit: "Vertel me dan met wat voor gewichtigs je bezig bent!"

"Hou je bek!" riep Agnes. "Hou verdomme je bek! Je hebt geen idee waar je het over hebt! Waar ik me thuis mee bezighoud, is belangrijker voor de wereld dan jij ooit zult kunnen bereiken met die zelfingenomen theatervoorstellingen van je."

"O, is dat zo? Vertel het me dan maar. Ik ben een en al oor."

"*Ik breng het lot in kaart*", zei Agnes zacht en afgemeten.

Dat was een vreemde manier van uitdrukken.

"Aha", was alles wat ik wist uit te brengen. "Jij brengt het lot in kaart. Dat is me nogal wat. Niet gek dat je het zo druk hebt."

Toen was ze met haar krukken al op weg naar de deur. Ze draaide zich om terwijl ze de deur doorging en ze zei dat ze weer naar Håvard terug wilde. Terwijl ze langs de lintzaag strompelde, drukte ze de knop in zodat de zaag begon te janken. Ze liet haar krukken op de vloer vallen, boog zich voorover en pakte een plaat plexiglas. Woedend en verbeten hield ze die tegen de zaag aan. Het geluid ging door merg en been.

"Prima!" zei ik. "Zie maar of je nog meer kunt vernielen voor je weggaat. En ga vooral weer naar Håvard toe. Jullie zijn geknipt voor elkaar."

Ze gaf geen antwoord.

Die nacht kwam Ine mijn slaapkamer binnen. Als een tenger, bang wezentje stond ze in de deuropening. Ze raakte de grond bijna niet aan. Het past haar om op midzomerdag jarig te zijn, dacht ik, zo'n licht meisje; ze heeft iets groots en opens over zich.

Ze was waarschijnlijk wakker geworden van de ruzie en het lawaai van de lintzaag.

Maar dat is al uren geleden, dacht ik. Zou ze al die tijd wakker hebben gelegen?

"Ine toch, ben jij het?" vroeg ik voorzichtig, terwijl ik overeind kwam. "Het is al heel laat, ben je nog wakker? Ben je soms bang?"

"Er is hier zoveel lawaai", zei ze. "Ik kan niet slapen als er zoveel lawaai is. Waar is Agnes?"

"Agnes is eventjes naar Strøm toe", zei ik. "Ik geloof dat ze hem ergens over wilde spreken. Misschien blijft ze daar vannacht wel slapen."

"Haten jullie elkaar?"

"Nee, dat is niet zo", zei ik snel. "Agnes en ik zijn heel erg goede vriendinnen. We kennen elkaar zo goed dat we af en toe een beetje ruzie moeten maken, zodat we weer weten wat het verschil tussen ons is."

Ine glimlachte niet, maar ze leek te begrijpen wat ik bedoelde.

"Ik mis papa", zei ze. "Ik wil dat papa gauw hier komt."

"Papa is in de stad om op mama in het ziekenhuis te passen", zei ik. "Mama heeft hem ook nodig, weet je. Ik denk dat zij hem nu nog meer nodig heeft dan jij."

"Hij is mijn papa", zei Ine. "Niet de jouwe."

"Natuurlijk is hij jouw papa", zei ik. "Ik had een andere papa toen ik klein was."

"Waar is hij nu?"

"Hij woont in de stad. Hij is oud."

"Is hij lief?"

"Ja."

"Mis je hem?"

Ik aarzelde.

"Ja", zei ik.

"Ik wil mama ook", zei Ine. Ik kon aan haar stem horen dat ze bang was, maar dat ze probeerde zich goed te houden en te doen alsof ze boos was.

"Kom eens bij me", zei ik. "Je mag best bij me komen liggen. Heb je het koud?"

"Een beetje", zei Ine, maar ze kwam niet helemaal naar het bed toe, ze ging op een stoel zitten. Ze trok haar voeten onder zich en sloeg haar armen om haar benen, alsof ze zichzelf in een knoop opsloot. Ze was zo klein.

"Waar is Henry?" vroeg ze.

"Ik denk dat hij op jacht is", zei ik. "Hij is een nachtdier, weet je."

"Waarom kan hij niet hier zijn?"

"Misschien komt hij vannacht wel aanlopen", zei ik. "Soms doet hij dat. Ik geloof dat hij doorkrijgt dat Eilif en jij hier wonen."

"We wonen hier niet! We wonen in de stad, bij mama."

"Logeren, bedoel ik. Hij krijgt door dat jullie hier in het zomerhuis logeren. Daarom komt hij", zei ik. "Slaapt Eilif?"

"Ja. Ik wilde bij hem in bed liggen, maar hij woelt zo erg", zei ze. "Hij is heel druk als hij slaapt."

Ze bleef een tijdje stil, ik begreep dat ze iets op haar hart had.

"Vind je misschien dat hij overdag ook erg druk is?" vroeg ik.

"Ja!" zei ze heftig. "Hij is alleen maar bezig met die piano van Strøm! Hij kan nergens anders over praten. En er is niemand die denkt dat ik misschien ook graag piano wil spelen. Ik wil mama ook laten zien dat ik kan spelen!" Nu huilde ze een beetje.

"Dat begrijp ik best", zei ik.

"Het is alleen maar Eilif, Eilif, Eilif! Dat is het enige wat jullie zeggen."

Ik moest onwillekeurig glimlachen, maar ik geloof niet dat ze het met dat slechte licht kon zien.

"Wil je dat ik het licht aandoe?" vroeg ik.

Ze schudde het hoofd.

"Zal ik je eens wat vertellen?" zei ik. "Wanneer Agnes en ik met elkaar praten als jullie naar bed zijn, hebben we het bijna alleen maar over jou. Ine, Ine, Ine, zeggen we dan."

"Dat doen jullie niet", zei ze. "Jullie maken alleen maar ruzie."

"We hebben maar heel weinig ruzie", zei ik. "En als we het over jou hebben, maken we zeker geen ruzie. Dan krijgen we juist een goed humeur."

"Ja?" Ze snikte en ging een beetje rechterop zitten.

"Absoluut."

"En dan? Wat zeggen jullie nog meer?"

"We zeggen hoe gezellig het is dat je hier bent, hoe fijn het is dat we jou deze zomer de hele dag om ons heen mogen hebben. Hoe treurig het in het zomerhuis was geweest als jij er niet was. En hoe fijn het voor je is als je mama weer beter is en jullie weer bij elkaar kunnen zijn."

"Maar mama wordt niet snel genoeg beter om mee naar Italië te gaan", zei Ine. "En dan kan ik deze zomer niet leren zwemmen. Mama heeft me beloofd dat ze het me zou leren."

Dat bracht me op een idee.

"Ik heb een idee", zei ik. "Misschien kan ik je wel leren zwemmen. In het geheim."

Ine keek me aan. Ze leek een beetje op te fleuren.

"Wil je dat?" vroeg ze.

"Natuurlijk wil ik dat", zei ik. "We kunnen bij het badhuis gaan oefenen wanneer niemand ons ziet. Wanneer Eilif op de piano oefent. We kunnen morgen al beginnen."

Ine bleef een tijdje stil. Toen glimlachte ze voorzichtig in zichzelf, alsof ze zich al in het water zag.

Ik werd zo blij. Ik begreep dat we volgens haar een plan hadden.

"Stel je voor hoe verrast iedereen zal zijn", zei ik. "Ik wed dat je de zwemslagen heel snel onder de knie hebt. En reken maar dat ze mama zullen bellen om het haar te vertellen!"

"En reken maar dat ze blij zal zijn", zei Ine.

Toen kwam ze naar me toe en kroop bij me in bed. Ik tilde het lichte zomerdekbed voor haar op en ze ging tegen me aan liggen. Ik voelde hoe koud ze was.

Het is zo vreemd om een kind tegen je aan te voelen liggen. Ik kon me niet herinneren ooit iets dergelijks gevoeld te hebben. Ze had een klein, ietwat knokig lichaam, maar op een bepaalde manier ook zacht. Ze rook naar tandpasta.

"Voel je je al wat beter?" vroeg ik. "Denk je dat je een beetje kunt slapen? Het is midden in de nacht. Iedereen slaapt."

"Agnes en Strøm niet", zei ze.

"Nee, zij misschien niet", zei ik. "Maar de rest wel."

"Ik wil mama", herhaalde ze met een zacht stemmetje. "Wanneer komt mama weer thuis? Hoe lang moeten we hier nog blijven?"

"Niet zo lang meer", zei ik. "En vergeet niet dat papa de hele tijd bij mama is. Hij past op haar, net zoals hij op jou past als jij ziek bent."

"Slaapt hij ook in het ziekenhuis?"

"Ik geloof dat hij in het appartement van Agnes slaapt, ze woont vlak naast het ziekenhuis. Ze heeft gezegd dat hij het mag gebruiken zolang mama in het ziekenhuis ligt. Ze heeft hem vast een sleutel gegeven."

"En dan kan hij meteen naar mama toe zodra ze wakker wordt?"

"Absoluut", zei ik, en ik deed mijn best om rustig en overtuigend te klinken. "Als ze 's nachts wakker wordt en wil dat hij bij haar is, bellen ze hem op en dan komt hij er direct aan. Hij heeft toch een mobiel?"

"Hoe lang duurt dat?"

"Op zijn hoogst een minuut. Beslist niet meer. Het appartement van Agnes ligt ernaast."

"Maar stel dat mama bang wordt", zei Ine, terwijl ze weer in huilen uitbarstte. Ik streelde haar over haar rug. Onder haar nachtpon kon ik al haar rugwervels voelen. Ik had ze kunnen tellen.

"Dat gaat wel goed", zei ik zacht. "Dat gaat echt wel goed. Als mama bang wordt, komt papa er meteen aan om op haar te passen. Hij is verpleegkundige, weet je. Hij weet wat je moet doen als iemand eenzaam en bang is. Hij kan haar troosten en haar hand vasthouden en iets te drinken geven en ..."

"Sprookjes vertellen", zei Ine.

"Ja, precies. Sprookjes vertellen of een verhaal dat mama graag wil horen ..."

"Wat dan?"

"Tja. Een mooi verhaal, waar je gezond en vrolijk van wordt."

"Wat dan?"

"Er zijn zoveel verhalen die je kunt vertellen als iemand bang en zielig is", zei ik. Mijn hersenen werkten verwoed om een verhaal te vinden dat ik haar kon vertellen, maar ik kon niets verzinnen. Ik besefte dat het heel lang geleden was dat iemand me een verhaal had verteld dat geschikt was voor kinderen.

We zwegen allebei een tijdje. Ik voelde dat ze een paar keer diep ademhaalde. Ze ontspande zich wat meer.

"Weet je wat?" fluisterde ik ten slotte. "Ik denk dat ik weet hoe je je nu voelt, Ine. Ik was vroeger ook een keer erg bang dat ik mijn mama zou verliezen. Ik was zo bang dat ik me geen raad wist. Ik wist niet waar ik heen moest."

"Was ze ziek?" vroeg Ine.

"Ja."

"Lag ze in het ziekenhuis?"

"Ja."

"Werd ze geopereerd?"

"Ja."

"Maar je papa dan?" fluisterde Ine. "Was hij er dan niet?"

"Hij is niet als jouw papa", antwoordde ik. "Hij is heel anders. Hij wist niet wat hij moest doen om me te troosten. Hij had genoeg met zichzelf te stellen, hij was ook bang. Ik denk dat hij haar nog erger miste dan ik."

Ik was verbaasd over mijn woorden. Zo had ik het nog niet eerder bekeken.

Opnieuw zwegen we allebei een poosje. Ik merkte dat Ine nadacht over wat ik had gezegd en dat ze daardoor Aksel nog meer was gaan missen, maar dat ze daar tegen mij niets over wilde loslaten. Opeens had ik het gevoel dat ik haar goed kende, dat ik haar als een open boek kon lezen.

Nu hebben zij en ik elkaar ook leren kennen, dacht ik. Het duurt niet zo lang om een kind te leren kennen als je aanvankelijk misschien denkt.

En toen trok er iets bij het raam mijn aandacht. Ik draaide mijn hoofd ernaartoe. Daar lagen de poppen voor het schimmenspel waar ik aan was begonnen. Ik voelde een steek van vreugde.

Natuurlijk, dacht ik. Daar liggen ze. Dat is het verhaal.

En toen ging ik vertellen. Ik vertelde Ine het verhaal zo goed ik kon, het verhaal waarvoor ik de decors probeerde te maken. Ik vertelde haar het *Droomspel*.

"Er was eens in een oude stad een grote schouwburg", begon ik. Ine keek me met donkere ogen aan, die ogen zeiden: ik luister.

"Het was een oude, populaire schouwburg en de mensen uit de stad gingen er al generaties lang naartoe. Er werden verdrietige en vrolijke toneelstukken opgevoerd, stukken voor volwassenen, voor kinderen en voor oude mensen. Er werkten allerlei verschillende mensen bij de schouwburg. Sommigen maakten de decors, anderen bedienden de schijnwerpers en weer anderen verkochten de kaartjes. Maar het meest populair waren de toneelspelers, en vooral de grote ster, Victoria. Zij was de mooiste van allemaal, met haar lange, blonde haar dat ze met de krultang bewerkte zodat het in pijpenkrullen langs haar rug golfde. En ze droeg kleine, lichtrode zijden schoentjes, en haar taille was zo smal dat een volwassen man die met zijn handen bijna helemaal kon omspannen. Victoria had veel aanbidders, en een van hen was het fanatiekst."

"Wat zijn aanbidders?"

"Aanbidders zijn mannen die graag verkering willen met een vrouw. De fanatiekste aanbidder was de officier. Het was een knappe jongeman, gekleed in een uniform met schouderkwasten.

Elke avond na de voorstelling stond de officier met een boeket rode rozen te wachten om Victoria zijn liefde te verklaren. Hij was heel erg verliefd. Maar elke avond werd hij tegengehouden door de portierster die bij de ingang zat om ervoor te zorgen dat er geen vreemden de schouwburg binnenkwamen. De portierster was een oude, vriendelijke vrouw die een groot kleed aan het haken was met allemaal sterren erop, en de mensen die al langer bij de schouwburg werkten vertelden dat het sterrenkleed alle zorgen bevatte die de portierster van andere medewerkers te horen had gekregen gedurende de lange tijd dat zij bij de schouwbrug werkte. Iedereen die daar werkte had wel een verdrietig geheim en dat hadden ze allemaal aan de portierster verteld.

Maar de officier gaf niet op. Hij hield van Victoria en elke avond stond hij er weer om haar de bloemen te geven en zijn eeuwige trouw te zweren. En elke keer dat hij niet naar binnen mocht, was hij weer even teleurgesteld, ook al probeerde hij het zo goed mogelijk te verbergen. De portierster troostte hem vriendelijk en voorzichtig, en zonder dat hij het wist, verwerkte ze ook al zijn teleurstellingen en verdriet in het grote sterrenkleed.

Nu was het zo dat er in die schouwburg een grote deur zat die nog nooit open was geweest. De deur was van spiegelglas gemaakt en daarachter zou een geheim liggen, dat zei men tenminste. Velen hadden zich in de loop van de tijd afgevraagd wat dat geheim was, maar niemand had de deur ooit open gezien. Elke avond dat de officier voor de schouwburg op Victoria stond te wachten, dacht hij na over wat er achter die deur kon zitten. Hij vroeg het aan voorbijgangers, maar niemand kon hem antwoord geven. De portierster wist ook niet wat er achter die deur zat en de officier kreeg steeds meer zin om die deur open te maken. Als hij aan die deur dacht, leek hij Victoria zelfs even te zijn vergeten.

Het toeval wilde dat er in dat deel van de wereld een godendochter was die uit de hemel was afgedaald om op aarde tussen de mensen te gaan wonen. Ze had op een avond buiten met de bliksem gespeeld, met grote snelheid door het heelal gesuisd en veel plezier gehad over haar snelheid. En ze was wat te ver afgedwaald. Nu riep haar vader haar, bang dat hij zijn dochter nooit meer zou zien: 'Dochter, dochter, waar ben je?'

'Hier, vader, hier', antwoordde de dochter.

'Pas op kind, je bent verdwaald', riep haar vader bang. 'Je zinkt ... wat is er gebeurd?'

'Ik ben alleen de bliksem maar gevolgd en ik gebruikte een wolk als voertuig', riep de dochter terug. 'Maar de wolk begon te zinken en nu gaat de reis naar beneden, steeds verder omlaag. Vertel me, vader, waar kom ik terecht? Waarom kan ik hier zo moeilijk ademen?'

'Dat komt omdat je mijn wereld hebt verlaten en in de andere wereld terecht bent gekomen', riep haar vader. 'Je bent de Morgenster gepasseerd en nu ben je in de buurt van het zwaartekrachtveld van de aarde. Pas op dochter, je zult op de aarde vallen! Pas op!'

'Niet bang zijn, pappie', riep de dochter terug. 'Ik wil weleens gaan proberen hoe het is om hier te leven. Wie wonen hier eigenlijk?'

'Dat zijn de mensen', zei haar vader.

'Maar ik vind het hier zo donker', zei de dochter. 'Vertel eens, schijnt de zon hier nooit? En wat hoor ik toch voor geluid?'

'De zon schijnt weleens, maar niet altijd', zei haar vader. 'Nu is het donker omdat het nacht is, maar overdag schijnt de zon. En wat je hoort zijn de mensen, die praten, huilen en klagen.'

'Waarom doen ze dat?'

'Misschien omdat er vroeger iets met hun planeet is gebeurd, ik weet het niet, ik begrijp het ook niet.'

'O, nu kan ik wat zien!' riep de dochter blij. 'Ik zie groene bossen, blauw water en witte bergen en gele akkers. Ik hoor gedreun en gebulder. Wat is het hier mooi! Hier wil ik blijven! Mag het, pappie? Een paar dagen maar! Eventjes maar!'

'Ik weet niet of het je zal bevallen, liefje', antwoordde de vader boven in de hemel. 'Er heerst veel verdriet en geweeklaag onder de mensen, ik denk niet dat het iets voor jou is.'

'O, jawel hoor, absoluut!' zei de dochter. 'Je oordeelt te streng over de mensen, pappie. Nu hoor ik gelach en gezang en iemand speelt piano, en ik zie mensen zwemmen en een kampvuur aansteken ...'

En toen viel de godendochter verder omlaag, de zwaartekracht kreeg vat op haar en haar vader kon haar niet langer tegenhouden. Toen gaf hij haar zijn zegen en voegde eraan toe dat ze, als ze met alle geweld wilde weten hoe het was om een mens te zijn, dan maar een tijdje moest proberen daar te wonen. Maar ze moest hem wel roepen als ze naar haar zin genoeg had geleerd en weer terug naar de hemel wilde. Hij zou een oogje in het zeil houden.

En dus landde de godendochter met een bons op de aarde. Toen ze haar ogen opendeed, zag ze dat ze in een tuin terecht was gekomen. In de tuin lag een groot kasteel met een bloembol als koepel en rondom het kasteel groeiden de meest fantastische bloemen. Er waren enorme stokrozen in volle bloei, ze waren wit, roze, purperrood, zwavelgeel en violet, en er waren rozen en blauwe monnikskappen. En het kasteel was een heel raar kasteel, het leek op geen enkel ander kasteel op aarde, maar dat wist de godendochter niet, want ze was er nooit eerder geweest.

Dat kasteel groeide als een plant; aan de zonkant was er net een nieuwe vleugel bij gekomen, een deftige aanbouw.

De dochter krabbelde een beetje versuft overeind, klopte haar jurk af en voelde of ze zich tijdens de val ook bezeerd had. Maar haar vader had blijkbaar voor een zachte landing gezorgd, want ze was nog heel.

Toen ze wat zorgvuldiger om zich heen keek, zag ze een man op haar afkomen. Het was de glazenmaker. Hij leek ergens in verdiept te zijn en hij wist natuurlijk niet dat ze een godendochter was die hier nooit eerder was geweest.

'Goedemorgen, Agnes', zei hij, en hij knikte haar toe. Toen begreep ze dat ze een mens was geworden en dat ze Agnes heette."

Ine onderbrak me: "Heette ze echt Agnes?" vroeg ze aarzelend.

"Ja, ze heette Agnes, dat staat vast", zei ik.

"Maar was ze dan niet de Agnes die wij kennen? Zat ze niet in een rolstoel?"

"Nee, het was niet de Agnes die wij kennen", zei ik. "Dit was een godendochter. En ze zat beslist niet in een rolstoel. In het verhaal komt helemaal geen rolstoel voor."

Ze leek tevreden te zijn met dat antwoord.

"Ga door", zei ze.

En ik ging door:

"'Wat is het kasteel gegroeid sinds vorig jaar!' zei Agnes blij tegen de glazenmaker.

'Dat is toch vreemd', mompelde de glazenmaker in zichzelf. 'Ik heb nog nooit gehoord van een kasteel dat kan groeien.' Maar tegen Agnes zei hij: 'Ja, het is inderdaad twee el gegroeid, maar dat komt omdat ze het mest hebben gegeven ... en als je goed kijkt, kun je zien dat er net een piano in het tuinhuisje bij is gekomen.'

En dat was ook zo.

'Wie woont er in het kasteel?' wilde Agnes weten.

De glazenmaker fronste zijn wenkbrauwen en leek diep na te denken.

'Dat heb ik vroeger wel geweten', zei hij. 'Maar nu ben ik het vergeten.'

'Ik geloof dat er iemand gevangenzit', riep Agnes opgewonden. 'Ik weet het zeker! Ik weet het gewoon!'

'Zit daar iemand gevangen? Nee, dat kan ik me niet voorstellen', zei de glazenmaker.

'Jawel hoor!' riep ze. 'Ik voel het gewoon! Er zit een vrouw gevangen en ze wacht tot iemand haar komt bevrijden! Laten we haar gaan zoeken!'

'Tja, als jij het zegt', zei de glazenmaker. 'Dan moeten we naar binnen. Maar is het wel veilig, denk je?'

'Dat kun je nooit zeker weten', zei Agnes opgewekt. 'Kom, dan gaan we binnen kijken!'"

"En toen?" zei Ine gespannen. Ze was nu lekker warm geworden. Onze ademhaling had zich in elkaar gevlochten; het was alsof ik die kon zien, een langzaam opgaande zuil die van ons wegdreef en opsteeg naar het plafond. Ik draaide mijn hoofd weg van haar en keek weer naar het raam.

"Zeg dan! Wat gebeurde er toen?" ging ze door, terwijl ze ongeduldig mijn gezicht vastpakte en naar zich toe draaide. "Gingen ze het kasteel in?"

"Ja, ze gingen het kasteel in", zei ik langzaam.

"En toen?"

"Ja, hoe was het ook alweer?" zei ik. "Ik ben het geloof ik vergeten."

"Er zat toch iemand gevangen?" zei Ine.

"Ja, je hebt gelijk", zei ik. "Waarschijnlijk zat er iemand gevangen."

"Zeg dat nou niet op die manier! Vertel nou gewoon hoe het verderging", fluisterde ze mismoedig. Haar stem klonk moe; langzaam en zwak.

"Nee, het is te laat", zei ik. "Het is midden in de nacht, Ine. Het is een geweldig lang verhaal. Ik denk dat we nu beter kunnen gaan slapen. De rest komt een andere keer."

Vreemd genoeg viel ze in slaap. Ze was natuurlijk bekaf.

Maar zelf kon ik de slaap niet vatten. Ik bleef de hele tijd naar het raam liggen staren, tot het licht werd. Ik dacht aan wat ik had verteld.

Ik wachtte op Agnes' terugkeer van Håvard.

In het grijze ochtendlicht moet ik toch in slaap zijn gevallen, want toen ik weer wakker werd, was Ine verdwenen. Ze was kennelijk eerder wakker geworden dan ik en was naar Agnes in de woonkamer toe gegaan. Agnes was zeker op de een of andere manier in de loop van de nacht van Håvard teruggekeerd. Ine en zij waren al op; ik hoorde hun stemmen vanuit de woonkamer.

Nog steeds voelde ik de druk van Ines lichaam.

De ochtend die me toen te wachten stond. Hoe zou ik die moeten beschrijven? De geluiden. Al het licht. Het gevoel dat oma hier net geweest was, dat ze iets van me wilde.

Ik was naar iets op zoek en het moest dringend worden gevonden.

Ze had het voor me klaargelegd.

"Ben jij het, oma?" fluisterde ik. "Ik heb geloof ik hulp nodig. Ik begrijp niet wat je bedoelt."

Ik stond op, liep naar de keuken en bleef daar een tijdje bezig. Eilif was alweer naar Håvard gegaan om piano te spelen. Ik zette koffie, schonk twee glazen jus in en smeerde kadetjes. Ter versiering legde ik er wat peterselie bij. Vervolgens kwam ik met het ontbijt op een blad de kamer in waar Agnes en Ine zaten.

"Goedemorgen, dames!" zei ik zo vrolijk mogelijk. Ze keken verrast op, alsof ze helemaal waren vergeten dat ik er was. Ik kreeg het gevoel dat ik iets belangrijks had onderbroken, iets van hen tweeën.

Ine had alle barbies mee naar beneden genomen en ze op de bank en de tafel neergelegd. Agnes en zij spraken zacht, hun hoofden naar elkaar toe gebogen; ze waren ieder een pop aan het aankleden. Ze hadden de barbieschoentjes in een sierlijke rij langs de rand van de tafel neergezet, het waren zulke kleine schoentjes dat je ze zo van de tafel kon blazen. Maar ik blies niet, ik liep gewoon met het hooggeheven blad naar ze toe en vroeg waar ze het ontbijt wilden hebben. Agnes wees naar de vloer bij haar voeten; daar kon ik het neerzetten.

Ik zette het blad neer, maar ik wilde niet weggaan, ik wilde bij hun spel betrokken worden. Maar wat moest ik zeggen? Ik durfde niet te vragen wat Agnes de afgelopen nacht bij Håvard had uitgespookt. Het was alsof de afgelopen nacht niet had bestaan. Hij was uitgevlakt.

Ten slotte schraapte ik mijn keel en stelde de vraag anders: "Wat hebben Eilif en jullie gistermiddag eigenlijk bij Håvard gedaan? Jullie bleven zo lang weg."

"Bij Strøm, bedoel je?" zei Agnes onschuldig.

"Ja, Strøm. Jullie zijn er bijna de hele dag gebleven."

Agnes verwees de vraag door: "Hoe vond je het gisteren bij Strøm, Ine?" Agnes gaf een knikje in mijn richting.

"Leuk!" zei Ine. "Maar ik geloof niet dat hij het leuk vond dat wij hem natekenden!"

Meer kwam ik niet te weten en ik liep ruggelings de kamer uit.

"Dank je wel, hoor!" riep Agnes me na. "Fijn om een ontbijt geserveerd te krijgen. Dat wordt smullen geblazen voor Ine en mij. Wil je zelf ook wat?"

Ik ging terug naar mijn kamer en bleef daar een flink aantal uren. Ik wist niet hoe ik het moest aanpakken. In mij was iets bezig vorm aan te nemen en het enige wat ik kon doen was werken.

De dag verstreek. Het was alsof ik mezelf verloor. Ik werkte met de schaduwpoppen en met het Groeiende Kasteel. Doordat ik het vannacht aan Ine had verteld, was ik helemaal in de stemming gekomen.

Ik moet de mensen van de schouwburg snel iets laten zien, dacht ik. Het mag niet allemaal alleen maar in mijn hoofd zitten.

Ik begon aan een maquette.

Onder het werk dacht ik aan Aksel. De laatste keer dat hij bij mij was blijven slapen, had ik vanaf het bed naar hem liggen kijken in afwachting van het moment dat hij in bed zou stappen. Hij had bij het raam gestaan en naar de veranda gekeken, naar Agnes die daar met haar krukken had rondgestrompeld. Buiten, achter hem, had ik de lege, lichte zomerhemel gezien.

Daar liep alles gewoon door: nergens een houvast, slechts een lichte nevel, geen wolken, niets waar je je aan vast kon klampen, alleen een krachteloos geruis.

Ik begreep dat als ik Aksel toen had verteld dat ik zwanger was, hij vanaf zijn plek voor het raam waar hij in de lege hemel leek op te lossen, zou hebben gezegd: "Maar, Molly, ik wil geen nieuw kind. De kinderen die ik wil, heb ik al."

Uiteindelijk moest ik mijn moed bij elkaar rapen en me weer beneden bij de anderen voegen. Toen was het al avond.

Agnes had alles onder controle. Ze hompelde op haar krukken in de keuken rond en was bezig de kinderen eten te geven. Toen ik in de deuropening verscheen, keek ze me met die welbekende onderzoekende blik aan, alsof ze net langs me heen keek en op de omtrekken focuste.

Maar ze zei niets. Ze trok een stoel voor me bij, ik ging zitten en zat vanaf het eind van de tafel zwijgend naar hen te kijken.

Eilif en Ine negeerden me. Ze waren er kennelijk aan gewend geraakt dan Agnes er was; ze hadden haar al mijn plaats gegeven. Het kwetste me meer dan ik wilde toegeven. Ik kreeg het gevoel dat de kinderen aan haar kant stonden, tegenover mij.

Na een poosje knikte Agnes me vriendelijk toe, alsof ze me wilde laten zien dat ik er goed aan had gedaan beneden te komen en dat ik het gewoon moest zeggen als ik iets op mijn hart had; dat ze openstond voor elke suggestie van mijn kant. Open als een wit doek, zei ze altijd van zichzelf. Maar ik vertrouwde haar niet.

Ze wierp me af en toe een blik toe terwijl ze met de kinderen bezig was. Ik zag dat ze haar best deed niet te omslachtig met de krukken bezig te zijn en ze had het na zo'n korte tijd echt goed onder de knie gekregen. Aksel moest goed werk met haar hebben verricht. Ze kon nu zonder problemen de badkamer in en uit en de keuken was een peulenschil.

Ik moest mijn best doen haar niet aan te staren. Ze was als een magneet voor mijn blik, tegen mijn wil werd die naar haar toe getrokken, en ik wilde dat ze iets tegen me zei, dat ze mij een interpretatie gaf van mezelf. Soms doet ze dat.

"Wat ben je nu verdrietig", zegt ze weleens als we elkaar bellen. Of: "Het is niet moeilijk te horen dat je gelukkig bent, Molly."

Als ze zo praat, provoceert ze me, maar tegelijk kalmeert het me. Maar deze keer liet ze het interpreteren aan mij over. Ik dacht: nu ben ik echt heel verdrietig. Nu moet er gauw iemand komen om me te troosten.

Door de deuropening zag ik dat de barbies in de woonkamer waren opgeruimd. De doos met De jacht op de verdwenen diamant lag op tafel. Ze hadden zeker voor het eten met zijn drieën een spelletje gedaan.

Ine verbrak de stilte: "Maar als mama nu eens niet thuiskomt", zei ze opeens. Haar tekst was met een schaar uitgeknipt en in de lucht gegooid. Nu dwarrelde die langzaam naar de grond en niemand zei wat.

Eilif en Agnes keken elkaar aan, alsof ze Ines ouders waren: lief en vol aandacht.

"Als ze in het ziekenhuis doodgaat", ging Ine door, nu wat harder. "Stel je voor dat ze doodgaat."

"Wat zeg je nou toch", zei ik. Ik schrok van mijn eigen stem, ik had hem niet meer gebruikt sinds ik hun het ontbijt had gebracht.

Ik hoorde aan mijn stem hoe belangrijk het voor me was om deel uit te maken van wat Agnes en de kinderen samen hadden; het was alsof zij drieën de enige gemeenschap waren die er bestond. De enige plek waar plaats voor mij was.

"Natuurlijk gaat mama niet dood", zei ik. "Mama wordt juist weer beter. Dat hoorde je papa toch zelf zeggen toen hij hier was."

Alle drie keken ze me verrast aan, alsof ze me nu pas echt zagen, nu ik mijn mond had opengedaan.

"Maar misschien is ze bang en eenzaam!" zei Ine. "Nu, op dit moment! Misschien denkt ze aan ons en wil ze dat we komen, dat we op haar komen passen. Als ze nou zo bang wordt dat ze doodgaat!"

Ik begreep dat dit mijn laatste kans was. Ik richtte mijn blik op Agnes en keek haar indringend aan om haar duidelijk te maken dat ik op dit moment de controle overnam; nu had ze maar te luisteren.

"Ine", zei ik voorzichtig. "Het kan best zijn dat je mama bang is. Maar ze gaat niet dood."

"Dat kun jij toch niet weten!"

"Kom eens even", zei ik. "Kom eens bij me."

Tot mijn verbazing kwam ze naar me toe, hoewel ik toch aan de andere kant van de tafel zat dan Agnes. Ik spreidde mijn knieën en ze nam plaats. Ze was heel smal; ik wist het nog van de vorige nacht. Ik voelde de botten van haar bekken tegen mijn handpalmen prikken. Ik dacht: nu ziet Agnes ons. Ze ziet Ines blonde haren en mijn donkere. Ze denkt dat we net moeder en dochter zijn. Nu voltrekt zich bij haar een verandering. Nu begrijpt ze dat ik het kind dat ik draag zal houden, dat ik over een paar maanden moeder ben van Aksels kind. Van een kind als Ine.

"Mama gaat niet dood", zei ik met vaste stem terwijl ik Ine in de ogen keek.

"Dat kun jij toch niet weten."

"Jawel."

"Dat zeg je maar", zei Ine boos terwijl ze zich uit mijn greep losmaakte. "Dat zeg je maar zodat ik ophoud met zeuren. Je geeft niks om mama."

"Geef ik niks om mama?"

"Nee. Je wilt gewoon dat ze doodgaat, dan kun jij met papa trouwen."

Ik zag Agnes aan de andere kant van de tafel haar ogen opensperren. Opeens voelde ik iets zwarts in mijn hoofd, als een kleine explosie die een duidelijk afgebakende zwarte stip achterliet.

"Ine toch", zei ik, "wat zeg je nou?"

"Je wilt gewoon dat mama doodgaat", herhaalde ze. Ze liep naar haar broer en drukte zich tegen hem aan. "Je geeft niks om haar, je kent haar niet eens. Het is je om papa te doen. Agnes zegt dat ook. Ze zegt dat jij wilt dat papa en jij een kind krijgen. Ik weet het best, ik heb jullie vannacht wel horen ruziemaken. Je probeert papa zover te krijgen dat hij een kind bij jou maakt. Maar je krijgt hem niet zover."

"Wat heb jij in godsnaam tegen die kinderen gezegd!" schreeuwde ik tegen Agnes. Maar zij wierp me alleen een strenge blik toe, de blik van een moeder naar haar kind alsof ze wilde zeggen: niet zo'n toon aanslaan waar de kinderen bij zijn.

Eilif sloeg zijn armen beschermend om zijn zus heen. Hij vond het niet fijn dat ik schreeuwde en boos was. Hij keek Agnes en mij even onderzoekend aan. Op dat moment leek hij ongewoon volwassen, alsof hij zich probeerde te onttrekken aan wat er plaatsvond, alsof hij de situatie wilde inschatten zonder zijn gevoel erbij te betrekken, om die naar zijn eigen maatstaven te beoordelen. Op dat moment leek hij sterk op zijn vader.

"Ine", zei hij. "Stil maar. Laat Molly uitpraten."

Ik keek hem verbluft aan. Agnes ook. We begrepen allebei dat hij mij echt een kans wilde geven. Hij stond nu aan mijn kant.

Het was geen verbeelding geweest, die band die ik de ochtend voor Agnes' komst met hem had gevoeld.

Opnieuw schraapte ik mijn keel, nadrukkelijk. Ik begreep dat ik de kans die hij me had gegeven, goed moest gebruiken.

"Ik wil helemaal niet dat je mama doodgaat", zei ik met gedempte stem. "Ik wil graag de vriendin van je papa zijn. Maar dat is iets anders. Papa en ik gaan niet trouwen."

"Beloof je dat?" vroeg Ine.

"Ja."

"En jullie krijgen ook geen kinderen samen?"

Ik was even stil.

"Dat kan ik nu nog niet zeggen, Ine", zei ik. "Maar ik weet heel zeker dat we niet gaan trouwen."

"Dus dat beloof je?" zei Ine weer.

"Dat beloof ik", zei ik. "Ik denk niet dat papa opnieuw wil trouwen en ik heb ook niet zo'n zin om te trouwen. Ik geloof niet dat trouwen bij mij past."

"Nee, je hebt er niks aan", zei Ine. "Iedereen die trouwt, gaat weer scheiden. Je hebt er niks aan."

Ik keek Ine aan met de liefste blik die ik had. Maar vanuit mijn ooghoek zag ik dat Agnes moeizaam van haar stoel overeind kwam en met haar krukken naar de woonkamer hompelde. Ik weet niet wat er met haar aan de hand was. Ik denk dat ze merkte dat er een verandering op til was.

Nu stonden de kinderen en ik aan dezelfde kant, tegenover haar. Ze kon er niet tegen.

En ik besefte dat ik degene was die een eind aan deze waanzin moest zien te maken.

"Kom", zei ik tegen Eilif en Ine. "Ik vind niet dat we Agnes alleen moeten laten. Ik denk dat we met haar moeten praten. Over mama's."

We volgden Agnes de woonkamer in. Ze was er niet, ze was met haar krukken verder gestommeld, de veranda op. Ze stond bij de hangmat en probeerde erin te klimmen. Dat was niet zo eenvoudig voor haar, ze kon haar evenwicht niet goed bewaren; ze leek wel in gevecht met de grote lap stof die ongecontroleerd heen en weer zwaaide.

"Wacht even", zei ik. "Wacht, dan helpen we je."

Samen met de kinderen lukte het om haar de hangmat in te hijsen. Het was voor haar de eerste keer. Ze was opeens net een klein meisje; een klein, zwak meisje met een enorme wilskracht in een grote, langzaam heen en weer zwaaiende lap. Na enige aarzeling kroop Ine bij haar en sloeg haar armen om haar heen.

Ik liep naar binnen, haalde oma's paarse plaid en legde die over hen heen. Eilif en ik namen plaats in de rieten stoelen en gaven de hangmat om de beurt een klein duwtje, alsof het een wieg was. Zo bleven we met zijn allen een hele tijd zitten. De rust daalde langzaam op ons neer. Het voelde goed.

"Ik heb iets bedacht", zei ik langzaam, met kalme, zachte stem.

Ik merkte dat de anderen luisterden, ook de twee in de hangmat. "Soms is het net alsof je je midden in het lot bevindt", ging ik verder. "Alsof dat voortdurend om je heen wervelt."

Ik zag Agnes' hoofd boven de rand van de hangmat uit komen. Ze keek me aan.

"Waarom zeg je dat?" vroeg ze met zwakke stem.

"Ik heb er een tijdje over nagedacht", zei ik, zonder me door haar blik te laten tegenhouden. Ik bleef de hangmat wiegen. Ik duwde haar van me af, naar me toe. Van me af, naar me toe. "Ik weet dat er hier in huis iemand is die bezig is iets belangrijks te ontdekken over het lot", zei ik. "Dat heeft ze me verteld."

"Wie dan?" vroeg Agnes.

"Wat is dat, het lot?" vroeg Ine, ook zij stak haar hoofd boven de rand uit. Eilif zei niets, maar hij keek me aandachtig aan en had het wiegen aan mij overgelaten.

"Het lot is dat wat bepaalt wat er gaat gebeuren", legde ik Ine uit. "Het lot is een verhaal dat iets met ons wil. Dat grote plannen met ons heeft en dat ons in de gaten houdt en ziet hoe we ermee omgaan. Ik ken iemand die enorm veel weet over het lot."

"Wie dan?" vroeg Ine. Het hoofd van Agnes was weer in de duisternis van de hangmat verdwenen.

"Die malle die daar naast je ligt", zei ik.

"Agnes?"

"Mmm."

"Weet jij waar Molly het over heeft, Agnes?" vroeg Ine.

"Een beetje misschien", zei Agnes van onder oma's plaid vandaan.

"Als je zoveel weet van het lot, dan weet je vast wat er met mama gaat gebeuren", zei Eilif. Agnes gaf geen antwoord.

"Ik denk dat Agnes dat inderdaad weet", zei ik. "Ze heeft dingen die met het lot te maken hebben jarenlang bestudeerd, dat vertelde ze me laatst. Ze heeft heel veel vergelijkingsmateriaal."

"Wat is vergelijkingsmateriaal?" vroeg Ine.

"Dat je heel veel dingen hebt gezien die lijken op wat je aan het onderzoeken bent", zei ik. Dat je genoeg gezien en onderzocht hebt om een conclusie te trekken."

"Wat is een conclusie? Je praat zo moeilijk."

"Een conclusie is een uitkomst", zei Eilif.

"Ik denk dat Agnes jullie graag wil vertellen wat ze heeft uitgevonden", zei ik. "Of niet, Agnes?"

Agnes stak haar hoofd weer boven de plaid. Ik dwong haar mij aan te kijken. Ik seinde: laat me nu niet in de steek.

Jij en ik zijn één.

We hebben alles met elkaar gedeeld.

Laat die kinderen niet vallen. We mogen niet om hen vechten, dit is groter dan wij tweeën, groter dan wat op dit moment tussen ons in staat.

Het bleef lang stil terwijl we elkaar aankeken. Ik geloof dat Eilif en Ine allebei beseften dat er tussen ons iets te gebeuren stond.

"Waarom zegt Agnes niks?" vroeg Ine.

"Sst", zei Eilif.

Toen begon Agnes eindelijk te praten. Ze hees zichzelf overeind zodat ze wat rechterop in de hangmat kwam te liggen en ze sloeg de paarse plaid aan de kant. Ine ging ook rechtop zitten en leunde tegen haar arm aan. Niet aanhalig, eerder afwachtend.

"Ja", zei ze. "Wat Molly zegt, is waar. Voor een deel tenminste. Ik heb het lot jarenlang bestudeerd. Het is bijna het enige waar ik me thuis mee bezig heb gehouden, ik had er tijd genoeg voor. En ik heb geleerd dat ik ervan uit kan gaan dat iets waar is als ik het voel. Dat het lot zo wordt als ik het voel."

"Ik weet dat je gaat zeggen dat mama weer beter wordt", zei Eilif sceptisch.

"Je hebt zoals altijd gelijk, Eilif", zei Agnes. "Ik voel gewoon dat mama weer beter wordt."

"Weet je dat heel zeker?"

"Heel zeker."

"Gegarandeerd?"

"Gegarandeerd."

"En je vergist je nooit?"

"Nooit."

Opgelucht haalde ik adem.

Agnes en ik stonden weer aan dezelfde kant. Agnes, de kinderen en ik. Allemaal in hetzelfde team. Wat een opluchting. Opeens kreeg ik een ingeving.

"En ik weet nog iets wat gegarandeerd zeker is", zei ik, terwijl ik Agnes recht in de ogen keek.

"Wat dan?" vroeg Ine.

"Moeders gaan nooit dood", zei ik.

"Wel waar", zei Eilif.

"Niet helemaal", zei ik. "Dat is onmogelijk, dat gaat in tegen de wetten van het lot."

"Hoe kun je dat zeggen?" vroeg Eilif.

"Zelfs als jullie mama op dit moment zou doodgaan, en daar is echt absoluut geen sprake van", ging ik verder, "dan zou ze toch nooit, nooit haar kinderen verlaten. Jullie zijn immers een deel van haar. Jullie zijn in haar buik ontstaan. Zij heeft jullie levend gemaakt. Ooit waren jullie één met je mama. Dat kwam door het lot, dat wilde dat het zo zou zijn, anders was het niet gebeurd."

"Hoe weet je dat?" vroeg Eilif.

"Zulke dingen ga je pas begrijpen als je ouder wordt", zei ik. "Van tevoren bestond er een groot verhaal over het lot waar jullie mama en jullie, haar kinderen, perfect in pasten."

Terwijl ik dat zei, keek ik naar Agnes. Ze schoof onrustig in de hangmat heen en weer, haalde haar arm onder Ines nek vandaan en bedekte haar ogen met haar onderarm, als een bescherming tegen de zon die er niet was.

"Ik snap niet waar jullie het over hebben", zei Ine.

"Sst", zei Eilif.

"Eilif en jij zijn uit mama's lichaam gekomen", zei ik. "Jullie zaten in haar buik. Als ze er haar hand op legde, kon ze daarbinnen iets voelen bewegen. Wat was ze verbaasd! Ze begreep dat ze iemands mama zou worden. Ine, het enige wat je hoeft te begrijpen is het fijne gevoel dat je krijgt als je aan haar denkt en beseft dat zij jouw mama is."

"Mama", zei Ine met een iel stemmetje.

"Precies", zei ik. "Je mama kan nooit verdwijnen, want er zit een klein beetje van haar in jou, net als toen jij een klein deeltje van haar was."

"Zit mama hierin?" vroeg Ine, terwijl ze haar hand op haar buik legde.

"Ja, daar, of misschien meer daar", zei ik, terwijl ik haar hand voorzichtig op haar smalle borst legde.

"Hier?"

"Precies."

"Zeker weten?"

"Gegarandeerd", zei ik. "Je denkt toch niet dat ik dit allemaal verzin?"

"Ik weet het niet", zei Ine.

"Nou, ik verzin niets, ik vertel je gewoon hoe het is", zei ik. "Het gevoel dat je mama er altijd zal zijn, je zult haar nooit verliezen. Wanneer je een volwassen vrouw bent geworden zoals Agnes en ik, dan zul je dat gevoel nog steeds hebben. Dat je mama er is, dat ze een deel van je is. Dat ze op je past. Je als het ware omhult."

"Wat betekent dat?"

"Dat ze de hele tijd om je heen is, overal", zei ik. "En als mama doodgaat, pas over heel veel jaren, dan blijf je dat gevoel houden dat ze je omhult. Daarom kan ze nooit helemaal doodgaan."

"Nooit?"

"Nooit."

"Maar wat is ze dan als ze dood is?" vroeg Ine.

Ik aarzelde.

"Dan is ze ... een klein, bijzonder ding", zei ik.

"Een klein ding? Je maakt een grapje."

"Nee hoor, absoluut niet", zei ik. "Dan is je mama een klein, bijzonder ding. Een kleine ..."

Weer aarzelde ik. "Een kleine noot", zei ik ten slotte met vaste stem.

"Een noot?" vroeg Ine sceptisch.

"Een noot", zei ik. Ik ging het nu bijna zelf geloven. "Niet zo'n grote, maar wel met een prachtige vorm."

"Wat voor noot dan?" mengde Eilif zich nu ook in het gesprek. Zijn stem klonk argwanender, kinderlijker, maar hij leek nu wel geïnteresseerd. Hij had zich laten meesleuren in het verhaal, net als ikzelf. Ik had nog nooit zo gesproken. Ik weet niet waar ik de woorden vandaan haalde.

"Tja, dat is een beetje moeilijk te zeggen", zei ik. "Misschien een hazelnoot."

"Een hazelnoot? Dat is onzin."

"Nee, dat is geen onzin", zei ik. "Jullie weten toch wel hoe een hazelnoot eruitziet?"

"Klein en rond en hard", zei Ine.

"Precies", zei ik. "Maar het belangrijkste is dat er in de harde dop een zachte kern zit. Als je die in de grond stopt, groeit er een nieuwe boom uit. Het is een wonder!"

Eilif glimlachte. Ik denk dat hij het misschien wel lief van me vond dat ik zo mijn best deed.

"De nieuwe boom wordt nooit precies hetzelfde als de boom waar de noot vanaf is gekomen", vervolgde ik. "Het wordt een unieke boom. Maar toch begrijp je dat die uit de mamaboom is ontstaan. Er is altijd een overeenkomst."

Toen begon Ine te giechelen.

"Mama wordt toch geen hazelnoot als ze dood is", zei ze.

"Nee?" zei ik.

"Nee, ze wordt een amandel."

"Een amandel", zei ik. "Een amandel is ook mooi."

"Een amandel", zei Ine weer. "Een witte. Zo eentje die we met Kerstmis in de rijstepap verstoppen. Een witte, dan kun je hem niet zien. Niemand weet waar de amandel zit, maar hij is er wel! Vorig jaar vond ik de amandel en toen won ik de prijs."

"Kijk eens aan", zei ik.

"Misschien moeten we mama uitkleden, dan wordt ze helemaal wit en dan verstoppen we haar in de pap!" zei Ine. "Dan ligt ze lekker warm en zacht. En aan het eind vinden we haar."

"Geweldig idee", zei Eilif droog. "Wat zeg je toch een verstandige dingen, Ine." Hij keek naar Agnes en zij sloeg glimlachend en een beetje demonstratief haar ogen ten hemel. Het was bedoeld als een heimelijke blik van verstandhouding tussen hen beiden. Misschien dacht ze dat ik het niet zou merken.

Opeens kwam ze zo heftig overeind dat de hangmat omkieperde. Agnes en Ine vielen op de grond. Ine kwam op Agnes terecht en deed zich geen pijn, maar Agnes bezeerde zich, ze kreunde zachtjes, als een klein kind.

Ine stond op en samen met mij boog ze zich over Agnes, we sloegen een arm om haar heen, probeerden haar overeind te krijgen, maar we moesten het opgeven. Agnes was plotseling krachteloos geworden onder onze handen; een lappenpop.

Daar zaten we dan met zijn drieën op de veranda. Eilif stond een eindje van ons af naar ons te kijken en wist zich geen raad.

"Heb je je pijn gedaan?" vroeg Ine bezorgd. Agnes kreunde als antwoord.

"Ik haal de rolstoel", zei Eilif.

"Goed", zei ik. "Dit heeft geen zin meer. Er moet iets gebeuren. Morgen gaan we naar de stad om de piano te halen."

En dat gebeurde. De tijd was er rijp voor, allang. Oma's piano hoorde gewoon in het zomerhuis, ik had alleen niet begrepen dat ik ervoor moest zorgen dat hij er kwam. Bovendien was het hoog tijd dat wij er met zijn vieren op uit gingen. Er hing opeens een landerige stemming in het zomerhuis. Ik voelde me als verlamd.

Tijdens de autorit naar de stad werd er niet veel gezegd. Maar de sfeer was vrolijker dan de dag ervoor, alsof er een onweer was afgedreven. Agnes zat naast me op de plaats van de bijrijder en staarde door het zijraam naar buiten. Nu en dan wierp ik een snelle blik op haar en ik merkte dat de kinderen dat ook deden.

Af en toe wat emoties uiten kan geen kwaad, dacht ik. Ze zijn er toch, en dan kun je maar beter zorgen dat je ze kwijtraakt. Dat is beter voor de stemming.

Maar ik was er niet helemaal van overtuigd. Dat verlammende gevoel was er nog steeds.

Ik had van tevoren gebeld en een afspraak gemaakt met de mannen in de schouwburg hoe laat we in oma's appartement zouden zijn. Het was net alsof ze de hele tijd in de foyer op mijn telefoontje hadden zitten wachten. Alsof ze er alleen voor mij waren.

Het was wel duidelijk dat ze eerder een piano hadden verhuisd. Ze leken meer op verhuizers dan op medewerkers van de schouwburg. Ze waren met zijn drieën; forse kerels, en alle drie hadden ze een baard. Ze hadden grote, stevige knuisten en spraken voornamelijk woorden van een of twee lettergrepen, toch spraken ze met een bijzonder, swingend ritme.

Ik stond op de bovenste traptrede bij oma's huis naar hun spraakritme te luisteren en stelde me voor dat ik oma was. Ik was op de zolder geweest om vijf draagriemen te halen die daar speciaal voor dit doel hingen en ik had erop gestaan dat ze de piano met kussens en plaids inpakten, zodat er geen krassen op konden komen, net zoals oma altijd deed.

Eilif nam als een volwassen vent deel aan de verhuizing en Ine huppelde opgewonden in het rond, als een eekhoorntje. Ik zag dat de kinderen de mannen aardig vonden, ze namen hun manier van praten over; ze mompelden kernachtige woorden van één lettergreep tegen elkaar en leken in hun schik te zijn.

Agnes zat in haar rolstoel beneden om de deur open te houden als ze aan de laatste etappe met de piano toe waren. Ze maakte een veel kalmere indruk, ze deed geen poging om mijn werk te saboteren. Waarschijnlijk had ze diep en lang geslapen, ondanks haar blauwe plekken van de val uit de hangmat. Je moet er gewoon een nachtje over slapen, dat heb ik van oma geleerd.

De mannen vroegen geen enkele keer hoe het kon dat zij in hun werktijd voor de scenograaf een piano moesten verhuizen van een appartement in de stad naar een zomerhuis op tientallen kilometers afstand. Ik vroeg me af of ze misschien hetzelfde respect voor me voelden als de mensen destijds voor oma hadden. Een soort respect waarbij het verboden was vraagtekens te zetten bij wat ze had besloten. Je deed gewoon wat ze zei; het leek nooit op een bevel.

In mijn kleine, rommelige auto had ik een tas met borrelglazen en een fles gedestilleerd die ik in de bar van het zomerhuis had gevonden. Ik was van plan het net als oma te doen en een toost uit te brengen wanneer de piano onder aan de trap was beland. Maar ik had er niet aan gedacht dat twee van de aanwezigen nog moesten rijden, en verder waren er twee kinderen bij die geen alcohol dronken en twee volwassen mannen die niet onder werktijd mochten drinken. Dat betekende dat alleen Agnes overbleef, en zij had voorlopig genoeg alcohol gehad.

Dom van me.

Ik was blij dat ik de spullen niet in een mandje had gedaan; dat zou wat al te opvallend zijn geweest. Ik liet de tas in de kofferbak liggen, ik liet hem niet aan de anderen zien.

De vrachtauto met het logo van de schouwburg volgde ons de hele weg naar het zomerhuis als een vertrouwde schaduw. Ik reed voorop om de weg te wijzen. Agnes zat zwijgend naast me en draaide aan de knop van de radio, ze veranderde voortdurend van zender, ze wilde alleen het nieuws horen.

Af en toe keek ik in de spiegel en glimlachte naar Eilif op de achterbank. Hij ontmoette mijn blik en beantwoordde mijn glimlach. Ine mocht met de mannen van de schouwburg mee; ze zat in de cabine van de vrachtwagen tussen hen in en zwaaide enthousiast naar haar broer wanneer die zich omdraaide om naar haar te wuiven. Ik knipperde nu en dan met de lichten om haar te laten zien dat ook ik blij was. Zelfs Agnes draaide zich nu en dan om. We waren alle drie blij om Ine. Zij was onze gezamenlijke interesse.

Toen we aankwamen, waren de mannen wel wat verbaasd dat de piano naar het tuinhuisje moest. Maar ze zeiden niets. Ik kon hun natuurlijk niet over de details van mijn plan inlichten, dat het tuinhuisje de enige plek was waar een mobiele telefoon bereik had, en dat Eilif anders niet voor zijn moeder in het ziekenhuis kon spelen.

Zodra de piano op zijn plaats stond, nam Eilif plaats en speelde de eerste maten van *Hier in Haga's groene dreven*. Het klonk nergens naar.

"Hm", zei ik. "Die moet nodig worden gestemd. Een piano kan er niet zo goed tegen om verplaatst te worden. Dat weet ik nog van oma. Ze had een vaste pianostemmer die ze altijd belde."

"Dat geeft niet", zei Eilif. "Ik kan zolang wel bij Strøm oefenen."

"Weet je het zeker?"

"Ja, tuurlijk. Het is ook handiger, hij moet er immers bij zijn om me te laten zien hoe het moet. Met de noten en zo."

"Ja, logisch", zei ik. "Met de noten en zo. Je leraar moet er natuurlijk bij zijn."

"In elk geval in het begin", zei Eilif.

"In elk geval in het begin", zei ik.

Even later vertrok hij in de richting van Håvards huis.

Ik merkte dat ik teleurgesteld was. Ik had me voorgesteld dat Eilif in het tuinhuisje zou oefenen, en dat Håvard misschien tussen de kussens op de bank zou zitten om hem te instrueren. Ik wilde hen naar mijn tuin toe halen. Maar zo gemakkelijk lieten ze zich blijkbaar niet vangen.

Ik gaf de mannen te eten voor ze weer naar de stad vertrokken. Toen ze eindelijk weggingen, was het al achter in de middag geworden; ze hadden er uitgebreid de tijd voor genomen met nog een kop koffie in het tuinhuisje toen ze het eten al meer dan een uur achter de kiezen hadden. Ze kwamen maar niet van hun plaats en Ine scharrelde om hen heen, duidelijk in haar sas, ze had hen geloof ik met haar charme alle drie om haar vinger gewonden. Ik dacht: zo worden kleine meisjes die een sterke, vrolijke vader hebben.

Toen ze eindelijk met de lege vrachtwagen vertrokken, zei Agnes dat ze graag naar bed wilde. Ze voelde zich niet zo lekker.

"Je wordt toch niet ziek?" vroeg ik.

'Nee hoor. Dit soort dagen zijn gewoon erg vermoeiend voor me. Ik ben niet gewend me zoveel te verplaatsen. Al die indrukken en zo."

"Natuurlijk", zei ik. "Ga maar lekker slapen. Ine, wil jij Agnes even helpen?"

Ine was de hulpvaardigheid zelve, ze duwde Agnes naar het huis toe en hielp haar de rijplank op. Ik keek toe hoe ze door de verandadeur naar binnen gingen. Toen sloot ik mijn ogen. Misschien doezelde ik even weg.

Iemand streelde mijn wang en ik werd met een schok wakker. Ik deed mijn ogen open en keek verward in het gezicht van Ine.

"Ik heb haar naar bed gebracht", zei ze gewichtig. "De stumper, ze was totaal uitgeput."

"Lief van je", zei ik, terwijl ik naar haar glimlachte. "Ik ben zelf ook in slaap gevallen."

"Ik snap best waarom jullie zo moe zijn", zei ze. "Dat komt door al dat geruzie. Waarom maken jullie de hele tijd ruzie? Ik dacht dat jullie vriendinnen waren."

"We zíjn ook vriendinnen", zei ik.

"Maar jullie moeten gewoon uitzoeken wat het verschil tussen jullie is?"

Ik moest glimlachen. Je moest wel voorzichtig zijn met wat je tegen dat meisje zei. Ze had een geheugen als een olifant.

"Weet je nog wat je me hebt beloofd?" vroeg ze. Nu zag ik dat ze een hand achter haar rug hield.

"Dat ik je zou leren zwemmen, bedoel je?"

Ze knikte veelzeggend.

"Natuurlijk weet ik dat nog!" zei ik. "Kom op, dan gaan we onze zwemspullen pakken."

"Ha, ha, die heb ik al!" zei ze triomfantelijk, terwijl ze de hand met de zwemkleren naar voren stak en ermee voor mijn gezicht zwaaide.

"Je bent me er eentje, Ine", zei ik.

"En nu ga ik leren zwemmen!" zei Ine.

Toen Ine en ik terugkeerden na meer dan een uur in het water bij het badhuis zwemslagen geoefend te hebben, was Aksel uit de stad gearriveerd. Agnes en hij zaten op de veranda en spraken met gedempte stem met elkaar. Eilif was teruggekeerd van Håvard, hij lag in de hangmat een Donald Duck te lezen.

Agnes zat nu in haar rolstoel. Ze was zeker opgestaan toen ze Aksels auto had gehoord. Of misschien had hij haar van de bank in haar stoel geholpen. Was ze echt weer zoveel slechter geworden of deed ze maar alsof om zijn aandacht te trekken? Ik sloot snel mijn ogen en dwong die gedachten uit mijn hoofd.

Die middag duwden we haar naar het strand en lieten haar in een kajak vertrekken. Het was Aksels idee. Hij had de kajak op het dak van zijn auto meegenomen; het was een slank, rood bootje dat er dynamisch uitzag. Uit hun manier van praten maakte ik op dat Agnes en hij een afspraak hadden gemaakt dat zij daar een tochtje mee mocht maken, als beloning voor iets wat ik niet begreep.

Ik dacht bij mezelf dat het vandaag misschien niet het beste moment ervoor was; ze was misschien wel te zwak om in haar eentje in de fjord te gaan peddelen. Ze was toch ook al naar bed gegaan? Maar ik zei niets. Ik was er niet gerust op.

Aksel en Eilif liepen voorop naar het badhuis met de kajak tussen hen in. Ine en ik volgden met Agnes in de rolstoel.

Ze zei niet veel en ze hielp ook niet mee met haar handen aan de duwringen van de rolstoel, zoals anders. Ik duwde haar en zonder haar hulp was het met die losse steenslag behoorlijk zwaar.

Ine droeg oma's reddingsvest. Het was een oud model en bepaald niet sportief, het paste niet bij de stijl van de kajak. Aksel had zijn eigen dynamische reddingsvest met fluorescerende kleuren bij zich en leek een beetje verbaasd dat Agnes per se oma's vest wilde gebruiken, maar zij had dat schijnbaar al heel lang geleden besloten. Het was me opgevallen dat ze sinds haar komst in het zomerhuis al een paar keer in het gereedschapsschuurtje naar het reddingsvest was wezen kijken.

Toen we bij het badhuis kwamen, stond er iemand te kijken naar Aksel en Eilif, die bezig waren de kajak te water te laten. Er ging een schok door me heen: het was Håvard. Geen twijfel mogelijk. Ik herken hem altijd binnen een tel, sneller dan je kunt knipogen. Hij zat nog steeds in mijn lichaam.

Wat was hij oud geworden. En mager. Wat waren zijn haren en baard wit. En toch was hij dezelfde.

Ik stopte abrupt met het duwen van de rolstoel en bleef staan. Op hetzelfde moment zag Ine hem, ze rende op hem af en gaf hem een kus, ze was kennelijk blij hem te zien. Toen pakte ze zijn hand en nam hem mee onze kant op. Agnes stak haar hand op en groette, ik bleef als verlamd staan.

Daar stond hij dan, vlak voor me. Hij groette ernstig. Hij boog voorover en pakte Agnes' hand en Ine sloeg haar arm om zijn hals om hem opnieuw een kus te geven. Waar kwam die vertrouwelijkheid vandaan? Hij kwam weer overeind en keek me recht aan.

"Dag, Molly", zei hij.

"Dag, Håvard", zei ik.

"Naar ik heb begrepen zijn we buren geworden."

"Daar lijkt het wel op."

"Je bent volwassen geworden, zie ik."

"Jij ook", zei ik.

Hij grijnsde wat, tuurde naar me en stak zijn hand naar voren. Hij begreep wel hoe groot mijn verwarring was. Håvard had situaties altijd snel kunnen inschatten.

Ik zag dat hij me wilde helpen en ik weet niet waarom, maar om de een of andere reden werd ik kwaad toen ik hem daar met uitgestoken hand zag staan.

Håvard heeft me vaker kwaad gezien. Hij trok zijn hand terug, ik zag dat hij zich alweer een mening over mij had gevormd. Hij boog zich voorover en zei met een glimlach tegen Agnes: "Dus vandaag is het de grote dag?"

Ik begreep niet wat hij daarmee bedoelde. Hoe kon hij weten dat Aksel en zij van plan waren om haar die dag in de kajak te laten varen? Hadden ze het daar soms over gehad toen ze die nacht bij hem had doorgebracht? Of hadden ze met elkaar gebeld toen ik het niet hoorde?

Met zijn allen voegden we ons bij Aksel en Eilif, die bij de kajak stonden. Eilif keek verheugd toen hij Håvard zag, hij liep op hem af, sloeg hem op zijn schouder en stelde hem voor aan zijn vader.

"Dit is Strøm", zei hij, "mijn pianoleraar."

Håvard en Aksel gaven elkaar een hand en begroetten elkaar zoals mannen dat doen: afwachtend, met respect voor elkaars territorium.

Zelf was ik nerveus. De rolstoel bleef steken in de stenen op het strand. Ik duwde en trok maar ik kreeg hem niet los, en Agnes hielp niet mee.

Aksel en Håvard kwamen allebei op me af om te helpen. Ze duwden me weg. Ik stond vanaf een afstandje toe te kijken hoe ze Agnes uit de stoel hielpen en haar naar de kajak brachten die in het water dobberde.

"Voorzichtig!" zei Aksel waarschuwend.

Het viel niet mee voor haar om in de kajak te gaan zitten en de juiste houding te vinden. Uit haar verbeten gezichtsuitdrukking maakte ik op dat ze besefte dat het moeilijker zou worden dan ze zich had voorgesteld. Het was niet zo eenvoudig om het evenwicht te bewaren. Aksel, Håvard en de kinderen hielpen haar zo goed mogelijk en toen ze eindelijk zat, hield Ine het reddingsvest gereed, dat Agnes met een ernstige, geconcentreerde uitdrukking op haar gezicht omdeed.

Aksel liet haar zien hoe ze de peddel moest gebruiken: een vaste greep, met beide handen een schouderlengte van elkaar af. Rustige, vloeiende bewegingen. Het smalste deel van het blad tegen de waterspiegel. Maar ze leek niet zo goed te luisteren; ze wilde alleen maar dat iemand haar het water op duwde, zodat ze aan de slag kon. Ik was op dat moment niet de enige die opgewonden was.

Het was alsof ze dezelfde woede voelde als ik, en net zo ongeduldig was om te vertrekken; weg van alles wat haar tegenhield. Op weg naar iets anders, iets nieuws.

Roerloos stond ik haar inspanningen gade te slaan.

"Wie wil haar een zetje geven?" vroeg Aksel.

"Ik", zei ik. En ik deed twee lange stappen naar voren en gaf de kajak zo'n harde duw dat ze veel te hard en scheef de fjord op dreef. De kajak schoot ervandoor. Agnes zat niet stevig, ze gleed van ons weg, terwijl ze tegelijk met de peddel begon te zwaaien en haar bovenlichaam heen en weer bewoog.

"Voorzichtig!" riep Aksel. "Rustig aan! Je moet eerst je evenwicht zien te vinden, anders sla je om."

"Precies!" zei ik hard. "Ze moet eerst haar evenwicht zien te vinden!"

Ik stapte het water in om haar opnieuw een zet te geven, maar ze was al te ver weg. Ik voelde dat Håvard me achternakwam om me tegen te houden.

"Zo is het genoeg", zei hij. "Nu heeft ze vaart genoeg. Ik denk dat je beter met mij mee kunt gaan."

En toen sloeg de kajak om. Hij draaide rond, het gebeurde vlak voor onze ogen. Ze was al een flink stuk van de kant af. De kinderen gilden. Aksel wierp zich in het water en zwom naar haar toe om haar te redden. Ik bleef lam, blind en stom staan en merkte dat Håvard me probeerde weg te trekken, maar ik trok mijn arm terug. Ik had geen stem meer, niet eens een laatste restje woede. Ik was met stomheid geslagen.

Ik kan me niet meer alle details herinneren, maar uiteindelijk liep het goed af. Agnes verdronk niet; Aksel zal de kajak wel weer overeind geduwd hebben en haar eruit getrokken hebben waarna hij haar aan land kon brengen. Als het om het redden van levens gaat, is Aksel nu eenmaal een expert.

Ik geloof ook dat Aksel daarna naar de kajak terugging om die weer aan land te brengen. Hij is zo praktisch ingesteld en het was natuurlijk zijn kajak, hij wilde die uiteraard niet kwijtraken. De kajak is zijn vrijheid, zo veel heb ik er wel van begrepen.

Een man moet in alle rust van zijn vrijheid kunnen genieten, zou oma hebben gezegd. Met zijn vrijheid moet je je niet bemoeien.

De anderen trokken zich terug in het badhuis, waar ze een soort veldhospitaal inrichtten. Ze bekommerden zich om Agnes. Naderhand heb ik begrepen dat ze haar kalmeerden en haar overhaalden om het opnieuw te proberen. Dat was beslist Aksels idee. Hij is niet iemand die het na één poging al opgeeft.

Zelf werd ik door Håvard opgevangen. Hij sloeg een arm om mijn schouder en voerde me vastbesloten mee naar zijn huis. Ik had nooit gedacht dat hij zich zo zelfverzekerd kon voortbewegen. Zelf kon ik nauwelijks op de been blijven, mijn knieën knikten.

Ik bleef de hele avond bij hem. Hij zette koffie voor me en daarna gaf hij me sherry. Ik zat in zijn keuken naar hem te staren. Ik probeerde te begrijpen dat hij oud geworden was. Hij staarde ook naar mij; we hebben nooit de gewoonte gehad ons in te houden als we iemand aanstaren. We zijn net dieren die een soortgenoot bestuderen. We snuffelden nog net niet aan elkaars achterste.

Misschien was er wel helemaal geen tijd tussen ons verstreken, dacht ik. Misschien was alles wel precies hetzelfde als toen ik negentien was. Misschien konden we gewoon verdergaan waar we waren opgehouden.

Maar zo was het niet.

Zoals gewoonlijk kwam hij snel ter zake. Ik wist natuurlijk wel dat hij heel direct was. Dat was ik eigenlijk niet vergeten.

"Je bent nog steeds dezelfde", zei hij.

"Is dat bedoeld als een compliment?"

"Nee. Het is een feit. Maar je maakt een gespannen indruk. Je wilt te veel controleren. Zo was je vroeger niet."

"Ik begrijp niet wat je bedoelt", zei ik.

"Hoe zit dat met jou en Agnes?" vroeg hij door. "Ik kan me haar nog herinneren. Ze is slechter geworden. Het is een treurig gezicht. Maar ze redt zich wel."

"Ja", zei ik. "Ze is slechter geworden. Maar ze kan zich zeker redden."

"Wil je me soms iets vertellen?" vroeg hij. "Er is iets aan de hand."

"Ik begrijp het zelf niet", zei ik.

"Nee, dat is duidelijk. Maar je moet er beslist iets aan doen. Anders maken jullie elkaar nog af."

"Praat geen onzin", zei ik. "Dat is niet grappig."

Hij gaf geen antwoord. Hij keek alleen maar.

"Ik geloof dat je iets op je hart hebt."

"Schei uit", zei ik.

"Toe maar."

"Ik kan alleen maar iets heel onbelangrijks bedenken", zei ik.

"Wat voor onbelangrijks dan?"

"Iets wat lang geleden is gebeurd", zei ik. "Maar het heeft niets met Agnes en mij te maken."

"Vertel het toch maar."

"Het was iets wat ik een keer heb gezien", zei ik.

"Ja?"

"Iets met een moeder en een dochter."

"Aha. Ik dacht al dat het zoiets was."

"Ze dansten in een café."

"Vertel het maar", zei Håvard.

En ik vertelde hem van die keer dat ik Monika in een café in de stad had gezien. Ze had Ine bij zich. Ine kon niet ouder zijn geweest dan een jaar of drie, ze had waarschijnlijk in een buggy gezeten die haar moeder mee het café in had genomen en discreet bij de deur had neergezet.

Dit gebeurde allemaal lang voordat ik Aksel ontmoette. Ik zat met een paar mensen van de schouwburg aan een tafeltje een glas wijn te drinken, dat deed ik toen regelmatig, het was een onrustige periode.

"Je had voor die tijd ook wel onrustige periodes", zei Håvard. "Dan dronk je ook wijn."

"Dat kan wel", zei ik. "Ik wist niet wat ik wilde, ik kreeg geen grip op mijn werk. We waren bezig met *De meeuw* van Tsjechov en uiteindelijk ben ik toen de ideeën van Agnes gaan gebruiken voor mijn modellen. Het werd geen goede voorstelling, het klopte op de een of andere manier niet.

In het café zaten een paar muzikanten op een klein podium te spelen. Het was simpele, tamelijk humoristische jazz, met een zanger, en een aantal mensen aan mijn tafeltje kende bijna alle teksten en zong mee, terwijl anderen een gesprek probeerden te voeren en 'sst' riepen. Ik zat aan de camera in mijn schoot te friemelen zonder aandacht aan de muziek of de gesprekken te schenken. Opeens zag ik dat de vrouw die aan het naburige tafeltje zat, overeind kwam, ze tilde het meisje van haar stoel en liep naar de dansvloer bij het podium. Daar begon ze op de maat van de muziek te bewegen. Na een tijdje zette ze het meisje neer, dat vervolgens ook ging dansen. Er zat een ongelooflijk ritmisch gevoel in dat kleine lijfje, maar ik zag ook dat ze haar ogen op haar moeder gericht hield en al haar bewegingen nadeed, alsof haar moeder het origineel was en zij slechts een kopie.

Geleidelijk aan verstomde het gesprek aan onze tafel, iedereen keek naar die twee dansende mensen, de grote en de kleine vrouw. Ik pakte mijn camera en begon foto's te maken. Ik stond op en liep door het café, ook ik bewoog me op de maat van de muziek, volgde het ritme en nam vanuit verschillende hoeken foto's. De vrouw kreeg mij in de gaten en zag wat ik deed, maar ze vond het niet erg, ze leek het leuk te vinden om op de foto te komen, haar bewegingen werden niet stijf, haar dans bleef heel natuurlijk, alsof haar dochter en zij de enige aanwezigen waren. De dochter deed hetzelfde als haar moeder, ook zij wierp even een stralende blik naar de camera voordat ze haar ogen weer op haar moeder richtte.

Plotseling werd ik duizelig, ik moest op een stoel gaan zitten. De muziek ging door, ik geloof niet dat iemand merkte dat ik geen foto's meer nam. Ik werd opeens overvallen door een enorm ... ik weet het niet, het was net alsof ik leegliep. Ik pakte mijn jas en mompelde dat ik naar huis moest. Ik maakte dat ik wegkwam.

Het was een vreemde ervaring. Ik begrijp niet wat er gebeurde."

"Is het belangrijk om het te weten?" vroeg Håvard.

"Het waren goede foto's. Ik heb ze een paar jaar later voor een voorstelling gebruikt, ik projecteerde de dansende moeder en dochter op de panelen die het decor vormden voor een nogal unheimische bosscène."

"Die voorstelling heb ik gezien."

"Ja?"

"Ik ben weleens naar je voorstellingen wezen kijken, hoor."

"Dan weet je misschien nog hoe het programma van die voorstelling eruitzag", zei ik.

"Vaag."

"Er stond een voetnoot in. Op dat tijdstip wist ik absoluut niet hoe ik met mijn fotomodellen in contact kon komen, ik had geen idee wie het waren en ik had hen na die dag in het café nooit meer gezien. Uiteindelijk nam ik een voetnoot op in het programma waarin ik de naam van het café en de datum waarop ik de foto's had genomen vermeldde, en mijn dank uitsprak aan degenen die daar zo mooi hadden gedanst. Niemand heeft ooit contact met mij opgenomen vanwege die foto's."

"Toen ik die voorstelling zag, vond ik dat je je ontwikkeld had, weet ik nog. Je was zelfstandiger geworden, meer jezelf", zei Håvard.

"Pas toen ik Aksel een paar maanden kende, nodigde hij me bij hem thuis uit", ging ik verder. "Eilif en Ine waren er niet, maar in hun kleine blokkendoosappartement waren natuurlijk genoeg sporen van hen te vinden. Het hele huis was duidelijk op kinderen ingericht, er hing een touwladder aan het plafond in de woonkamer en er lagen grote kussens op de vloer en een matras waar beslist iemand regelmatig op aan het turnen was. Aksel had me verteld hoe goed de kinderen konden turnen. Zelf was hij er ook goed in, daar twijfelde ik niet aan."

"Aksel is wel een turner, ja."

"Niets duidde erop dat het een huis was van een gezin zonder moeder. Aan de wand in de gang hing een aantal ingelijste foto's van hen alle vier, en verschillende foto's van alleen Monika met de kinderen. Toen herkende ik haar weer."

"Vertelde je dat aan Aksel?" vroeg Håvard.

"Nee", zei ik.

"Waarom niet?"

"Dat vond ik te privé, ik heb nooit een manier kunnen vinden om er op een vanzelfsprekende manier over te beginnen", zei ik.

"Maar aan mij kun je het wel vertellen?"

"Ja", zei ik, "aan jou wel."

"Dat klopt niet", zei Håvard.

"Schei uit", zei ik.

Diep in de nacht keerde ik terug naar het zomerhuis, een stuk rustiger nu. Håvard had het niet meer gehad over wat er op het strand met de kajak was gebeurd. Hij had me verteld over zijn nieuwe tentoonstelling en dat hij de kinderen had gevraagd hem erbij te helpen. Hij wist mijn belangstelling te wekken, merkte ik. Ik was vergeten hoe gemakkelijk het was om met hem te praten. Hij en ik hadden een eigen taal die nog van vroeger was; met codes die we geen van beiden waren vergeten.

Aksel zat op de veranda op me te wachten. Ik liep langzaam over de rijplank naar hem toe.

"Zit jij hier?" zei ik.

"Kom jij daar aan?" zei Aksel met een glimlach naar mij. Hij kwam overeind en liep naar me toe.

"Dat ding", zei hij, terwijl hij knikte naar de rijplank waar we op stonden, "heb je echt prachtig gemaakt." Hij wipte op en neer en testte het doorbuigen.

Toen sloeg hij zijn armen om me heen.

Ik kon me nauwelijks herinneren wanneer ik voor het laatst zijn warmte had gevoeld.

"Heb je op me gewacht?" vroeg ik met mijn hoofd tegen zijn borst.

"Gewacht", zei hij. "Kom, we gaan naar bed."

Heel even dacht ik: hij heeft hier op me zitten wachten. Misschien is hij ook jaloers.

De volgende ochtend werd er in het zomerhuis niet gesproken over wat er de vorige avond op het strand was gebeurd. Aksel at een snel ontbijt, hij kuste me op de mond toen niemand het zag en ging daarna weer terug naar Monika in het ziekenhuis.

Agnes lag het grootste deel van de tijd op de bank te slapen. Dat was op Aksels advies; ze zou wel gek zijn als ze dat niet opvolgde. Het laatste wat hij voor zijn vertrek zei was: "Zorg goed voor mijn patiënt. Ze moet genoeg rust krijgen. Ze mag zich niet te veel inspannen. Vergeet niet dat ze ziek is. Gisteren was het een beetje te veel voor haar."

De kinderen en ik knikten ernstig.

Af en toe, als niemand het zag, sloop ik de kamer binnen om naar haar te kijken toen ze sliep. Ik kon aan haar gezicht zien dat er in haar iets aan het veranderen was tijdens haar slaap. Maar ik kon er mijn vinger niet op leggen.

Ik vroeg de kinderen of ze niet in de kamer wilden spelen, anders zouden ze Agnes storen.

Eilif ging weer naar Håvard voor de pianoles. Ine en ik liepen naar het badhuis om de zwemslagen te oefenen en daarna gingen we in het tuinhuisje patience spelen. Ik leerde het haar; ze had nog nooit van het spel gehoord.

Ze had snel door hoe het moest. Ik liet haar een aas zien, en een heer, en een vrouw. En ik deed voor hoe je de kaarten schudt, dat vond ze geweldig interessant. Ik kan goed schudden, ik ken verschillende trucjes, die had ik van mijn eerste vriendjes geleerd. Van die types die goed kaarten konden schudden en op verschillende manieren bier-flesjes zonder opener konden openmaken; allemaal nuttige dingen.

Ine wilde ook leren schudden, maar het was nogal moeilijk voor haar. Haar handen waren te klein, zelfs zij moest dat inzien. Het was me al opgevallen dat ze in een bepaald opzicht op me leek, namelijk dat ze er niet goed tegen kon als iets haar niet lukte. Ik moest er bijna om glimlachen.

Ze draaide haar rug naar me toe zodat ik niet kon zien dat ze het verkeerd deed. Om haar een beetje te helpen vertelde ik wat patience was en dat oma het vaak speelde toen ik als klein meisje bij haar op bezoek kwam in het zomerhuis. Oma zat 's avonds vaak in het tuinhuisje naar de tuin te kijken, terwijl ze langzaam de kaarten omdraaide.

"Was ze aardig?" vroeg Ine, nog steeds met haar rug naar me toe. Ik zag dat het zoute water van het zwemmen uit haar haren over haar rug gleed en haar T-shirt nat maakte. Ze had niet gewild dat ik haar haren droogwreef.

"Heel aardig."

"Waarom speelde ze patience?"

"Ik denk dat ze dat deed om achter de uitslag te komen van iets waar ze over piekerde", zei ik.

"Wat betekent 'uitslag'?"

"'Uitslag' betekent 'afloop'", antwoordde ik. "Hoe iets gaat. Als oma zich afvroeg hoe iets zou gaan, stelde ze een vraag, gewoon hardop. Het moest een vraag zijn waar je ja of nee op kon antwoorden. Terwijl ze erover nadacht, deed ze een spelletje patience. Als het spel uitkwam, zou de afloop goed zijn. Als het niet uitkwam, was de afloop slecht."

"Alsof de kaarten het lot kenden?" zei Ine.

Ik hield op met schudden en keek haar verbluft aan. Ze had werkelijk alles meegekregen wat ik had gezegd toen ze bij Agnes in de hangmat lag.

"Zoiets", zei ik. "Maar dat kun je misschien beter aan Agnes vragen. Zij weet meer over het lot dan ik."

Terwijl ik dat zei, voelde ik een heftige beweging in mijn borst; alsof zich daar iets omdraaide. Ik had Ine op dat moment graag een kus op haar voorhoofd gegeven, ik vond haar zo mooi. Maar ik zag ervan af. Met trillende handen legde ik de kaarten uit en ik liet haar zien hoe je de kaarten een voor een moest omdraaien. Ze volgde al mijn bewegingen met haar ogen zonder commentaar te geven; ik zag dat ze alles in zich opnam.

"Ik wil dat dit spel laat zien hoe het met mama zal gaan!" zei ze opeens.

"Nee, dat moeten we maar niet doen, denk ik", zei ik snel.

"Waarom niet?"

"Omdat ... omdat het nu tijd is om naar binnen te gaan en met koken te beginnen. Eilif kom zo dadelijk terug en dan heeft hij vast reuzetrek."

Ik maakte het eten klaar en diende het Agnes en de kinderen op de veranda op. Tjokvol groente deze keer.

Agnes was stil en zag er slaapdronken uit, maar ze leek helderder dan eerder. Een nieuwe kalmte, dacht ik. Er is tijdens haar slaap een nieuwe kalmte op haar neergedaald.

Na het eten wilde Eilif proberen om op de piano in het tuinhuisje te spelen. Ine en Agnes wilden met de barbies spelen.

"Of wil je misschien lezen?" vroeg Agnes.

"Nee, met de barbies spelen", zei Ine. "We moeten verdergaan met hun huis."

Het was al avond geworden. Opeens voelde ik hoe moe ik was. Moe op een verlammende manier die ik nog niet kende. Dat had waarschijnlijk met de zwangerschap te maken. Er kwamen steeds meer tekenen. Uiteindelijk zou ik zelf één groot teken zijn dat ik een aanstaande moeder was.

Ik kon nog maar één plek bedenken om naartoe te gaan. In het zomerhuis kon ik geen rust meer vinden. Agnes had haar onrust op mij overgebracht. Zelf leek ze een soort evenwicht te hebben gevonden.

Toen ik voor de tweede keer bij Håvard voor de deur stond, zonk de moed me opeens in de schoenen. Ik ging op de bank voor zijn huis zitten en ademde met een zucht uit. Over de weg kon ik zwak Eilif op de piano in het tuinhuisje horen spelen. Het klonk nog steeds nergens naar. Het was erg helder, het geluid droeg ver, de muziek bereikte me in flarden. Alsof de wind met het geluid speelde. Die wilde mij er natuurlijk op wijzen dat de piano niet gestemd was.

Achter het keukenraam kon ik Håvard langzaam door het huis zien lopen. Volgens mij wist hij wel dat ik daar zat. Toen hij eindelijk de deur opendeed, zag hij er niet verbaasd uit. Hij stond in de deuropening en tuurde naar me, terwijl ik overeind kwam en op hem afliep, het kleine stenen stoepje op. Ik voelde me duizelig.

Ik denk dat hij meteen had begrepen dat ik zwanger was toen hij me de vorige avond bij het badhuis had gezien. Maar hij had niets gezegd; dat was ook niets voor hem geweest.

We hadden een lang gesprek. Langzaam werd het buiten donkerder. We zaten elk aan een kant van de tafel met onze koffiekop te spelen. Deze keer was het zijn beurt om te vertellen.

Håvard sprak met een warme, zachte stem. Soms onderbrak ik hem met een vraag, alsof ik een journalist was. Ik begreep dat er iets te vertellen was, iets wat alleen ik mocht horen.

Hij vertelde me wat hij had gedacht toen ik destijds bij hem was weggegaan, toen ik negentien was en van die incest had gehoord. Dat hij wanhopig was geweest. En dat hij had gedacht dat hij en ik weer bij elkaar zouden komen toen ik hem in Berlijn had opgezocht. Dat hij toen heel blij was geworden, maar ook nerveus. En toen zo teleurgesteld toen ik voor de tweede keer vertrok.

Hij zei dat hij blij was, maar niet verbaasd, dat ik opnieuw in zijn leven was opgedoken.

"Zo praatte je vroeger niet", zei ik. "Toen we bij elkaar waren, zei je nooit hoe je je voelde."

"Nee. Toen we bij elkaar waren, was ik nog maar middelbaar", zei Håvard. "Nu ben ik oud. Als je oud bent, zijn er andere dingen belangrijk."

"Ik snap niet waarom je zegt dat je oud bent", zei ik. "Je bent nog geen zeventig, volgens mij."

"Tja, maar je vergeet wel dat ik slecht voor mezelf heb gezorgd", zei hij. "Daar betaal ik nu de prijs voor. Ik heb mijn ziekte te veel de ruimte gegeven."

"Heb je al met een arts gesproken?"

"Ik hou niet van artsen."

"Je kunt niet alleen maar praten met mensen van wie je houdt", zei ik.

"Jawel hoor."

"Was je al ziek toen wij met elkaar gingen?" vroeg ik. "Ik heb er nooit iets van gemerkt."

"Toen had ik zoveel andere dingen aan mijn hoofd", zei hij. "En ik was sterk, ik dacht dat ik overal tegen kon. Insuline spuiten was niet mijn stijl."

"Dus nu denk je dat je niet meer overal tegen kunt?" vroeg ik plagerig, terwijl ik een neus naar hem trok.

Maar het grapje kwam niet aan. Hij leunde met zijn hoofd naar achteren tegen de wand en sloot zijn ogen zonder antwoord te geven.

We hadden het niet meer over zijn ziekte of over ons tweeën. Het bleef lange tijd stil in de keuken. Na een tijdje kwam ik langzaam overeind en liep om de tafel heen naar hem toe, naar waar hij zat.

"Ik vroeg me af of je even een arm om me heen wilt slaan", zei ik zacht. "Ik ben zo moe. Ik moet even rusten."

Hij deed zijn ogen weer open en keek me rustig aan.

"Kom maar", zei hij, en hij ging wat verzitten zodat hij met zijn rug tegen de kussens aan het korte einde van de bank zat, met zijn gezicht naar het raam. Ik wrong me tussen de tafel en de bank in en kroop tegen hem aan. Hij deed zijn benen uit elkaar en maakte plaats voor me, zodat ik tussen zijn lange, magere benen kon zitten met mijn rug naar hem toe. Hij boog zich voorover en sloeg zijn armen om me heen. Hij liet zijn kin op mijn schouder rusten.

Ik voelde zijn baard tegen mijn oor, en de warmte die hij uitstraalde.

Hij was altijd al een kachel als je dicht bij hem kwam.

"Je hebt je al een tijd niet meer geschoren", mompelde ik.

"En het zal nog wel een tijd duren voor dat weer gebeurt", zei hij. Hij leunde naar achteren tegen de kussens aan.

"Rust je nu?" vroeg hij.

"Niet tegen me praten", zei ik. "Ik meld me wel."

"Voel je niet verplicht om mij."

"Ik voel me nooit verplicht."

"Prima. Meld je maar als je eraan toe bent."

"Oké ... Nu. Ik kom nu eindelijk een beetje tot rust, geloof ik."

"Een beetje maar?"

"Niet praten."

We waren weer op precies hetzelfde punt aanbeland als waar we vijftien jaar geleden waren gebleven. Dezelfde snelle, bijna claustrofobische uitwisseling van vragen, antwoorden, piepkleine veranderingen in het onderlinge ritme.

En hij rook nog hetzelfde: warm en zoet. Eigenlijk net een baby, dacht ik. Maar ik wist niet precies hoe een baby rook.

Heel langzaam liet ik de spanning uit mijn rug en schouders ontsnappen en ik drukte me tegen hem aan.

We bleven zo lange tijd zitten. Ik rustte.

Ik herinnerde me het spel dat we vaak deden toen we met elkaar gingen. Het was een vragenspel; allebei mochten we de ander drie vragen stellen en de enige regel was dat je de vragen honderd procent eerlijk moest beantwoorden. Na drie vragen was de ander aan de beurt om de vragen te stellen. Het ging erom de ander zover te krijgen dat hij het antwoord schuldig moest blijven. De straf werd bepaald door de winnaar. Meestal bestond die uit een bepaald aantal kussen. Maar dat was toen, dacht ik.

"Weet je nog dat we 'Drie vragen' deden?" vroeg ik.

"Drie vragen? O, dat", zei hij.

"Ben je er klaar voor?"

"Nu?"

"Nu."

"Hier?"

"Ik vroeg of je er klaar voor was."

"Oké. Ik ben er klaar voor. Wie begint?"

"Ik, natuurlijk."

"Zoals altijd."

"Ik begin nu", zei ik. "Eerste vraag: wat dacht je toen je me gisteren bij het badhuisje zag?"

"Ik dacht: daar is ze."

"Was je verbaasd?"

"Absoluut niet."

"Hoe vond je me eruitzien?"

"Ouder. Boos."

"Boos in wat voor opzicht?"

"Ha!" zei hij. "Dat is vraag nummer vier. Nu is het mijn beurt. Zo zijn de regels, meisje."

"Jouw beurt."

"Waarom ben je niet bij de anderen in het zomerhuis?'

"Omdat ik me daar niet langer thuis voel."

"Waarom niet?"

"Omdat Agnes daar alles overneemt."

"En wat denk je daaraan te doen?"

Ik zweeg een tijdje.

"Pas", zei ik.

"Je bent niet echt in vorm vandaag", zei Håvard.

"Doe niet zo pedant", zei ik. "Jij hebt gewonnen. Je mag een gepaste straf bedenken."

Maar daar reageerde hij niet op.

Buiten was het donker geworden. Ik bedacht dat ik naar huis moest, maar ik kon me er niet toe zetten weg te gaan.

Ons spiegelbeeld begon in het glas van het keukenraam vorm aan te nemen. Wie zijn dat? dacht ik. Mijn hemel! Zit daar een vrouw van in de dertig tegen een oude man met een baard aan die zijn arm om haar heen houdt?

Maar wat het spiegelbeeld eigenlijk liet zien was: rust.

"Ik voel dat de vorm terugkeert", zei ik tegen Håvard. "Een nieuwe ronde. Ik begin: wie zijn dat?" Langzaam tilde ik mijn arm op en wees naar het keukenraam.

"Dat zijn Håvard en Molly", zei hij.

"En wat zijn ze aan het doen?"

"Ze zitten op de bank tegen elkaar aan naar het raam te kijken."

"Waarom doen ze dat?"

"Pas", zei hij.

"Oké", zei ik. "Je krijgt nog een kans."

"Is dat een nieuwe regel? Dat de winnaar de verliezer nog een kans geeft?"

"Ja", zei ik. "Zo waren de regels toch altijd?"

"Absoluut niet. Vroeger kreeg de verliezer nooit een extra kans."

Ik begreep dat hij het nu over ons tweeën had.

"Nou, brand maar los. Kom op met die vraag", zei hij. Hij maakte een draaiende beweging met zijn hand, alsof hij wilde dat de film sneller doorspoelde.

"Waarom ben ik verdrietig?" vroeg ik.

"Omdat je een geheim hebt", zei Håvard.

"Waarom wil ik het je niet vertellen?"

"Omdat je al besloten hebt wat je gaat doen en je niet wilt dat ik je tegenspreek", zei hij.

"En wat is het geheim?"

"Pas."

"Toe nou! Het is belangrijk. Ik speel geen spelletje meer."

"Jij bent niet de enige die bepaalt wanneer het spel is afgelopen", zei hij. "Nu is het mijn beurt. Waarom ben je verdrietig?"

"Omdat ik een geheim heb."

"En wat is het geheim?"

"Ik ben zwanger van een man die misschien geen kind met mij wil hebben", zei ik. "En hij weet het nog niet."

"Aha. En wat denk je te gaan doen?"

"Ik heb besloten het kind te houden."

"Geen vragen meer", zei hij. "Game over."

Ik merkte dat ik teleurgesteld was. Ik had graag verder willen gaan met het spel.

Ik deed mijn ogen open. Håvard knikte naar mijn spiegelbeeld in het raam. Ik begreep niet wat die knik betekende.

"Tijd voor de strafbepaling?" zei ik.

"Ja."

"Volgens mij hebben we allebei een keer gewonnen", zei ik. "Ik mag eerst."

"Zoals gewoonlijk."

"Jij moet voor straf op Ines verjaardag komen. Ze wordt zeven. We geven een feestje voor haar."

"Wie komen er nog meer?"

"Jij bent de enige gast. De verjaardag is op midzomerdag."

"Aksel komt toch ook?"

"Ja, Aksel komt ook. Maar hij is haar vader."

"En ook de vader van het kind dat je verwacht, neem ik aan?"

"Ja. Hij hoort bij de familie, hij is geen gast. Wil jij alsjeblieft ook komen? Het is voor Ine belangrijk dat er een gast komt."

"Ine is bang dat haar moeder doodgaat", zei Håvard. "Weet je misschien hoe het met haar gaat?"

"Niet precies. Maar Aksel is voortdurend bij haar. Hij zegt dat de operatie geslaagd is, maar dat ze voor de zekerheid bestraald moet worden."

"Dan moeten we maar duimen."

"Ja. En dan begrijp je waarschijnlijk waarom het zo belangrijk is dat Eilif dat liedje van Bellman op de piano leert spelen."

"Uiteraard", zei hij. "Hij denkt dat zijn moeder er zo blij van wordt dat ze wel móét genezen."

"Ja. Ik dacht dat het misschien een goed idee zou zijn als hij op Ines verjaardag met zijn moeder belt en dan voor haar speelt. Dat zou een geschikte gelegenheid zijn. Denk je dat hij het al kan?"

"Nog niet helemaal. Ik kan beter morgen opnieuw met hem gaan oefenen."

"En ik moet ervoor zorgen dat de piano in het tuinhuisje gestemd wordt."

"Ja. Hij zegt dat die vals is."

"Beloof je dat je op de verjaardag komt?"

Håvard bleef me via het spiegelbeeld in het raam aanstaren. Hij beloofde niets.

Hij is niet het type om iets te beloven, maar hij kan wel luisteren naar wat je zegt.

"En nu is het mijn beurt om jouw straf te bepalen", zei hij. "Luister goed, want ik zeg dit maar één keer: je moet de moeder van Eilif en Ine voor het feest uitnodigen. Ine heeft mij niet nodig als gast op haar verjaardag, maar haar moeder."

"Maar Monika is ziek. Ze ligt in het ziekenhuis en heeft net een operatie achter de rug. Ze zullen haar echt niet zo snel ontslaan."

"Dat weet ik", zei Håvard. "Maar nodig haar toch maar uit. Je kunt niet meer dan je best doen. Zorg ervoor dat de kinderen haar zo snel mogelijk zien. Laat hun zien dat ze leeft."

Langzaam liep ik terug naar huis. Het was nu helemaal donker geworden. Mijn benen voelden zwaar en ik was nog steeds moe. Maar in tegenstelling tot eerder vandaag was ik rustig, zowel in mijn hoofd als in mijn geest.

Toen ik de tuin betrad, zag ik dat Agnes en de kinderen in alle kamers het licht hadden aangedaan. Het zomerhuis leek op een lichtgevend kasteel.

Daarbinnen zag ik hen aan de keukentafel zitten. Ze zaten over een spel gebogen. Ze leken te lachen.

Het enige waar ik me de volgende dag mee bezighield was de vraag hoe ik de piano kon laten stemmen. Op die manier maakte ik als het ware weer plaats voor mezelf in het zomerhuis; ik deed iets voor ons allemaal. Iets voor Eilif en zijn moeder.

Na een tamelijk stil ontbijt zei Agnes dat Ine en zij hadden afgesproken om met de barbies op de veranda te gaan spelen. Ze waren bezig daar een heel dorp te bouwen.

Eilif mompelde dat hij nog moest oefenen en hij verdween richting Håvard zodra hij zijn bord leeg had. Alsof hij het gevoel had dat de tijd begon te dringen.

Ik ging achter oma's bureau zitten en zocht de naam van de pianostemmer in de telefoongids. Ik aarzelde geen moment en toetste zijn nummer met drie vingers tegelijk in.

Hij nam meteen op. Hij had een gegroefde, kleine pianostemmerstem. Hij was nu waarschijnlijk erg oud.

Ik stelde me voor en legde uit waar het om ging. Hij begreep wie ik was en kon zich oma en de piano blijkbaar nog herinneren. Maar hij wilde niet komen.

"Mijn moeder is gestorven", zei hij kortaf met die gegroefde stem, alsof hij die al tijdenlang niet had gebruikt. "Ik ga het huis niet meer uit. Ik ben blind."

"Dat weet ik", zei ik. "Maar het is heel belangrijk. Weet u zeker dat niemand anders u kan brengen?"

"Niemand."

"Misschien kunt u een taxi nemen?"

"Een taxi? Dat is duur."

"De kosten zijn voor mij", zei ik.

Toen de taxi voor het huis verscheen en de wankelende man afzette, was het alsof hij een andere tijd meebracht; een tijd die ik me nog maar net kon herinneren, maar waar ik op de een of andere manier toch in thuishoorde. Oma's tijd.

Hij was in het echt nog kleiner dan hij aan de telefoon had geklonken. Ik kon me niet herinneren dat hij zo klein was. Ik hielp hem de auto uit, betaalde de chauffeur en kreeg het nummer dat ik kon bellen als hij weer opgehaald moest worden.

Het eerste wat de pianostemmer zei toen ik hem begroette, was: "Dus jij bent het kleinkind. Jou herinner ik me nog wel. Je lijkt op je oma."

Dat was een merkwaardige opmerking; de man was immers blind.

Toen begon hij over oma te praten. Het was een beetje vreemd om te horen hoe iemand haar beschreef die een heel andere kant van haar had gekend dan ik. Ik begreep dat de geruchten dat hij na zijn moeders dood een tijdje bij oma had gelogeerd, niet helemaal uit de lucht gegrepen waren. Anders kon hij haar niet zo goed hebben gekend, dacht ik. Hij moet van oma's rode wijn hebben gedronken en in haar logeerkamer hebben geslapen. Ik stelde me voor dat zijn stem nog ergens op de banden in haar huis moest staan.

Ik nam hem bij de arm en leidde hem voorzichtig naar het tuinhuis. Hij tastte met zijn witte stok voor zich uit en leek weinig zin te hebben door de tuin te lopen.

Het was duidelijk dat de plaats die wij de piano hadden gegeven hem niet aanstond. Het instrument zou daar aan te grote temperatuurschommelingen blootstaan, vond hij. Bij oma had het instrument altijd in de woonkamer gestaan. Het instrument mocht niet tegen een buitenmuur staan en al helemaal niet als die niet was geïsoleerd. Het woord 'piano' gebruikte hij niet, hij zei steeds 'het instrument'. Dat nam hem voor me in. Hij kon natuurlijk niet weten dat het tuinhuisje de enige plek was waar bereik was voor een mobiele telefoon en dat de piano er stond zodat Eilif een mobiel telefoonconcert kon geven voor Monika, en ook alleen om die reden. Ik gaf hem de verzekering dat de piano er niet in de winter zou staan.

Na nog een tijd over oma gesproken te hebben en hoe fantastisch ze wel niet was, wist ik hem eindelijk over te halen om de piano te stemmen, ook al was de plaats waar hij stond niet ideaal. Ik verzekerde hem dat ik de piano weer naar de stad zou laten terugbrengen zodra de vakantie ten einde was. Dat hij hem dan weer mocht stemmen en dat hij daarna nooit, maar dan ook nooit meer zou worden verplaatst.

Hij was er verscheidene uren mee bezig. Ik zat te midden van de kussens naar hem te kijken. Hij had een stemvork die hij op tafel had gelegd. Ik zat ermee te spelen. Toen tikte ik er zachtjes mee tegen mijn knieschijf, zoals ik hem had zien doen. Het kleine metalen voorwerp bracht een ongewoon helder en hard geluid voor; alsof het hele tuinhuisje erdoor in beweging kwam. Ik hield hem tegen mijn oor, sloot mijn ogen en liet het geluid steeds dieper doordringen, tot helemaal onder in mijn buik.

"Hoorde je dat, kleintje?" fluisterde ik geluidloos. De pianostemmer draaide zich naar me om, alsof hij had gehoord wat ik zei. "Kamertoon a", zei hij.

Ine en Agnes bleven de hele ochtend op de veranda met de barbies zitten spelen nadat de pianostemmer weer met de taxi was vertrokken. Ik hoorde hen lachen, ze vermaakten zich blijkbaar. Het leek wel alsof ze nog een huis voor de poppen wilden maken. Ze hadden het erover dat ze een kartonnen doos nodig hadden. Ik liep regelmatig door de tuin naar de veranda om naar hun stemmen te luisteren. Ze merkten mijn aanwezigheid niet op en ik keerde terug naar het tuinhuis. Daar bleef ik zitten tot Eilif van Håvard terugkwam.

Ik kwam overeind en liep hem snel tegemoet.

"Eilif!" zei ik. "Ik heb een verrassing voor je!"

Hij bleef staan en glimlachte.

"De piano is gestemd! Nu kun je je gang gaan."

Hij volgde me en ging achter de piano zitten.

"Ik ga op de bank zitten", zei ik. "En dan kun jij doen alsof ik je mama ben die met de mobiel in het ziekenhuis ligt en jou hoort spelen. Net een generale repetitie. Ik dacht dat we haar misschien morgen konden bellen. Dan is Ine toch jarig, of niet?"

Hij knikte.

Vervolgens begon hij *Hier in Haga's groene dreven* voor me te spelen. Het was een mooi concert. Hij had vorderingen gemaakt. Hij had een fraaie aanslag, Håvard had goed werk verricht. Mooi akkoorden.

Ik klapte.

"Wat ben je vooruitgegaan", zei ik. "Dat wordt een fantastisch onderdeel van het verjaardagsfeest."

"Nee", zei hij.

"Nee?"

"Ik wil het nu doen. De tijd dringt. Ik kan niet tot morgen wachten. Ik ben er nu klaar voor."

We gingen naar de veranda om Agnes en Ine op te halen.

Zo gebeurde het: eerst stuurde Eilif een sms naar Aksel en vroeg of hij bij Monika in het ziekenhuis was. Dat was natuurlijk het geval. Eilif stuurde een nieuw bericht dat zijn vader oordopjes voor de mobiel moest pakken en die in Monika's oren moest doen. Ik zag hoe snel hij de berichten op dat kleine apparaatje intoetste; zijn duimen gingen driftig en ritmisch heen en weer. Hij maakte een opgewonden indruk en hij las zijn berichten hardop voor aan Ine en mij: "Het volgende bericht dat ik stuur is een concert. Het is een verrassing voor mama."

Hij liet ons zien wat zijn vader terug sms'te, met hoofdletters en zonder leestekens:

OK DAT KLINKT GOED MAMA LIGT KLAAR IN BED MET DE OORDOPJES IN VEEL SUCCES PAPA

Ine en ik hielden de mobiel om de beurt vast. We hielden hem een eindje van het instrument af, op wat wij dachten dat een goede afstand was. Agnes was vlak naast Eilif gaan zitten, alsof ze van plan was in te grijpen en de pianist indien nodig te helpen. Alsof ze het wilde overnemen.

Maar, Agnes, jij kunt helemaal niet pianospelen, dacht ik. Hoe zou jij nu kunnen helpen?

We toetsten het nummer van Aksels mobiel in en Ine controleerde of we contact hadden. Toen knikten we naar Eilif. Hij begon te spelen.

Het klonk prachtig.

"Hier in Haga's groene dreven", fluisterde ik, "vliegen vlinders af en aan, als de nevelsluiers zweven en de bloemen opengaan."

"Wat zijn groene dreven?" fluisterde Ine.

"Een aards paradijs", zei Agnes, terwijl ze zich naar ons omdraaide.

Toen Eilif klaar was, bleven wij als publiek een paar tellen zwijgend zitten en vervolgens overhandigde ik hem de mobiel. We hoorden hem met zijn moeder spreken. Ine zat in gespannen afwachting naast me nerveus met haar voeten te trappelen. Ik boog me naar haar toe en zei: "Ik vind dat je mama morgen op je verjaardagsfeestje moet uitnodigen."

Ze keek me met grote ogen aan.

"Vind je? Maar mama ligt in het ziekenhuis. Moet ze daar niet nog een tijd blijven?"

"Praat maar met haar", zei ik. "Vraag het haar gewoon. Ze kan zelf wel beslissen. Ze zal het niet doen als ze het niet aankan of als ze geen toestemming krijgt."

Ine ging naast Eilif zitten en keek hem indringend aan, alsof ze uit zijn gezichtsuitdrukking kon opmaken wat haar moeder zei. Na een tijdje gaf hij de mobiel aan haar.

"Dag, mama", zei ze.

De toon waarop ze het zei. Dat verlangen.

Ik draaide me om naar Agnes. Ze had haar ogen gesloten. Haar wangen waren vochtig.

Ine praatte lang met Monika. Ten slotte keek ze mij aan en gaf de mobiel aan mij.

"Mama wil met jou praten", zei ze.

"Met mij?"

Ze knikte. Ik hield de mobiel tegen mijn oor.

Monika huilde aan de telefoon. Ze was erg aangedaan. Haar stem was zwak en trilde, net als de stem van de pianostemmer. Ik kon horen dat ze sterke pijnstillers had gekregen.

Ze bedankte me hartelijk dat ik zo goed voor haar kinderen zorgde. En dat ik dit concert mogelijk had gemaakt. Ze had begrepen dat ik haar zoon een piano had bezorgd. Dat vond ze geweldig van me.

"Dat mankeerde er nog maar aan", zei ik.

Toen smeekte ze me bijna om de kinderen naar het ziekenhuis te rijden. Onmiddellijk. Ze wilde ze zo graag zien. Ze verlangde zo naar ze.

"Nu?" vroeg ik. "Denk je dat je er sterk genoeg voor bent?"

Toen kreeg ik Aksel aan de lijn. Ook hij was aangedaan, merkte ik, maar hij leek zijn best te doen als een verpleegkundige te klinken. Dat is omdat Monika erbij is, dacht ik.

Aksel vroeg me of ik meteen met de kinderen naar het ziekenhuis kon rijden. Hij dacht dat Monika een bezoekje van vijf minuten wel aankon. Het was heel belangrijk dat ze hen direct zou zien, zei hij. Ik had hem nog nooit zo horen aandringen, hij kon zijn ongeduld niet verbergen. Hij zag er vast naar uit om zijn gezin weer bij elkaar te zien.

"We komen", zei ik. "We zijn er over een uur."

"Dank je", zei hij. "Monika waardeert dat zeer."

"Jij toch ook", zei ik. Maar daar gaf hij geen antwoord op.

Agnes stond erop mee te gaan naar het ziekenhuis.

"Weet je zeker dat je het aankunt?" vroeg ik. Ze knikte zwijgend.

"Goed", zei ik. "Dan moeten we de rolstoel maar inklappen en meenemen. Je moet je niet op die krukken gaan uitsloven. Ik heb Aksel beloofd dat ik goed op je zou passen."

Weer knikte ze.

Toen we in het ziekenhuis aankwamen, sloegen Agnes en ik vanuit de gang de scène gade die zich in de ziekenkamer afspeelde. Zij zat in de rolstoel, ik stond roerloos achter haar met mijn handen op de handgrepen. Beiden keken we door het raam van de deur naar binnen.

Het was een vierpersoonskamer, zo een waar Agnes op had gelegen toen ik bij haar op bezoek kwam omdat ik niet naar mama durfde te gaan die een verdieping lager lag. Dat was vlak voor mama's dood.

Maar dit was een andere kamer, en een andere mama. Deze mama werd weer beter. Dat moest.

Ine en Eilif waren ongelooflijk blij Monika weer te zien. Ze kropen bijna op bed tegen haar aan, ook al deden ze hun best voorzichtig te zijn. Op het nachtkastje stond een ingelijste foto van hen. Ze zaten in een boot en keken met ernstige gezichtjes naar de camera. De foto moest vorig jaar zomer zijn gemaakt.

We zagen Aksel zijn armen om Monika en de kinderen heen slaan. Het was alsof hij zijn gezin in een knoop wilde vastmaken. Ze praatten opgewekt over het concert, hoe goed het was gegaan en dat het zo fantastisch was dat Eilif de akkoorden van *Hier in Haga's groene dreven* had leren spelen. Eilif straalde van trots.

Ik dacht: ik hoop dat Ine de kans krijgt te vertellen dat ze leert zwemmen. Zij moet haar mama ook iets geven.

Ik pakte de handgrepen vast en duwde Agnes door de gang, weg van de kamer.

"Gaan we?" vroeg ze zacht.

"We trekken ons een beetje terug", zei ik. "Dan storen we niet. Het is natuurlijk ook geen publieke voorstelling."

Als door een ingeving liep ik om de stoel heen en boog me naar haar toe. Ik zag dat ze zich enorm inspande. Ze was waarschijnlijk erg moe. Ik streelde haar vochtige wangen.

"Het komt goed", zei ik. "Monika gaat niet dood. Ze wordt weer beter. Jij ook. Het is alleen de afgelopen tijd wat te veel geweest voor jullie. Jullie hebben rust nodig."

Nadat we die avond uit het ziekenhuis waren teruggekomen en de kinderen waren gaan slapen, uitgeput en dolgelukkig, zat ik nog een tijd op de veranda te midden van de huizen in het dorpje dat Agnes en Ine hadden gebouwd. Morgen is Ine jarig, dacht ik. Ik moet een taart bakken. Ik moet opruimen en schoonmaken. Ik moet het huis versieren. Ik moet het gezellig en vrolijk maken. Ik moet compensatie bieden voor Monika, die niet op het feest kan komen. Ik moet haar plaatsvervangster zijn.

En morgen moet ik Agnes met me mee naar boven zien te krijgen om de kinderen op taart te trakteren. Hoe moet ik dat klaarspelen? Ik moet haar maar op de rug nemen.

Ik bleef lange tijd zitten. Ik had het gevoel dat ik met de weldadige duisternis versmolt. Het was de op een na lichtste nacht van het jaar.

Vervolgens ging ik de keuken in en maakte aanstalten om te gaan bakken. Ik sloeg in oma's handgeschreven receptenboek het recept voor biscuitdeeg op. Ik kan heel slecht bakken, ik heb het bijna nooit gedaan.

Na een tijdje kwam Agnes in haar rolstoel aangereden.

"Wat ben je aan het doen?" vroeg ze. Maar toen ik haar vertelde dat ik een verjaardagstaart maakte, deed ze een beetje vreemd en werd ze boos. Ik begreep dat ze van plan was zelf een taart te bakken zodra ik naar bed was gegaan.

"We maken er samen een", zei ik. "Jij bent daar beslist beter in dan ik."

Ze knikte geïrriteerd.

Ze deed haar best me te helpen, maar het werd een knoeiboel; haar handen trilden enorm en ze liet de garde in haar schoot vallen terwijl ze in de rolstoel zat. Ik raakte ook geïrriteerd.

Ik griste de beslagkom uit haar handen en zei iets te scherp dat ik het toch beter zelf kon doen. Ik kwam met de pannenlikker tegen haar hoofd aan met als gevolg dat er een streep taai deeg op haar haar kwam. Ze liet de beslagkom meteen los en bleef zitten met haar handen slap in haar schoot.

Plotseling zag ik dat ze uitgeput was. Een golf van tederheid welde in me op: Agnes was ziek. Waarom gedroeg ik me zo?

"Neem me niet kwalijk, Agnes", zei ik. Ze keek me verward aan alsof ze niet kon geloven dat ik echt mijn excuses aanbood. Even leek ze van plan te zijn een ironische opmerking te maken, maar ze had er de kracht niet voor.

Ik zette de taart in de oven. Terwijl die gaar werd, hielp ik haar met uitkleden en ik ondersteunde haar naar de badkamer. Ik liet de wastafel vollopen met lauw water en zette er een stoel voor, zodat ze daar schrijlings op kon zitten.

Ze boog naar voren en liet me haar haren wassen. Ik keek neer op die smalle, witte nek van haar die al die zware dingen die ze in haar hoofd had gestopt, moest dragen. Ik streelde haar nek met een vinger en waste haar haren zorgvuldig en voorzichtig. Na afloop wikkelde ik een handdoek om haar hoofd en hielp haar met het uitkammen. Daarna bracht ik haar naar bed op de bank in de kamer.

Maar ik had de taart te lang in de oven laten staan. Hij was mislukt; klef aan de binnenkant met een donkerbruine korst.

Voor ik naar bed ging zat ik een hele poos naar de taart te staren. Ik was zo moe. Ik ga hem morgen wel versieren, dacht ik. Flink veel slagroom en een heleboel vruchten, dan zie je er niets van. En ik moet bloemen plukken.

Ik sliep een paar uur onrustig, toen stond ik op en liep naar buiten. Het was al helemaal licht geworden. Met blote benen liep ik in mijn nachtpon door de tuin om met de keukenschaar roze en rode bloemen te plukken. Opeens viel het me op hoeveel onkruid er de laatste tijd in de borders was opgekomen.

Daar moet ik iets aan doen, dacht ik. Ik moet leren wieden. Misschien heeft Håvard er verstand van.

Daarna ging ik naar binnen om de taart te versieren. Hij werd prachtig en je kon niet zien dat hij was aangebrand. Ik was een tijdlang heel geconcentreerd bezig, net alsof ik met een idee voor een toneelstuk bezig was. Zo, dacht ik. Ik kan nog wel iets.

Ik moest weer denken aan de taart die Agnes en ik hadden gebakken toen we in de vierde zaten en ik bij haar mocht logeren. De keer dat ze me over de spiegelzusters vertelde.

Toen de taart klaar was, ging ik terug naar mijn kamer om nog even te gaan liggen voor ik me aankleedde. Ik moet in slaap gevallen zijn, want ik werd met een schok wakker toen Aksel met de auto voor het huis verscheen. Ik vloog naar het raam. Ik hoorde Agnes in de woonkamer van de bank af komen, ze liet de krukken met een klap op de vloer vallen.

Aksel haalde een zak van een speelgoedwinkel uit de auto, er staken verschillende pakjes uit. Toen hij mij achter het slaapkamerraam zag, zwaaide hij met een hand, maar hij deed geen poging te glimlachen. Toen zag hij kennelijk Agnes achter het raam van de woonkamer staan en hij zwaaide ook naar haar.

Ik was zo opgelucht dat hij er was. Ik dacht: dat geldt ook voor Agnes. Zij is ook opgelucht dat hij er is. Alleen spelen we het niet klaar.

Met zijn drieën maakten we er een mooie verjaardagsceremonie van. Ik droeg de taart en Aksel droeg Agnes de trap op. Op de trap fluisterde hij tegen ons dat Monika hem had gevraagd om ook namens Agnes en mij een cadeau te kopen, hij ging ervan uit dat we geen gelegenheid hadden gehad om daarvoor te zorgen. Hij had een mondharmonica gekocht.

Ik bleef bij de overloop staan, liet mijn wang even tegen de zijne rusten en bedankte hem met zachte stem. Agnes bedankte hem ook. We hadden geen van beiden aan een cadeau gedacht.

Voor de deur van de logeerkamer bleven we staan en keken elkaar alle drie aan. Ik schraapte mijn keel en zette in: "Lang zal ze leven ..."

"... lang zal ze leven", viel Aksel in, met krachtige stem. Agnes zong niet, ze had nooit goed kunnen zingen. Maar ze liet Aksel los, deed de deur open en wipte als eerste op haar krukken naar binnen. Ik kwam achter haar aan met de prachtige taart waar zeven kaarsjes op stonden te branden.

Ine en Eilif zaten allebei in Ines bed, klaarwakker. Ze glimlachten.

Na het taartontbijt stuurde ik Aksel, Agnes en de kinderen naar het strand voor een ochtendbad. Zodra ze vertrokken waren, schoot ik de auto in en reed naar de winkel om spullen voor het feest die avond in te slaan. Ik kocht bier en worstjes en allerlei spullen met felle kleuren die als versiering konden dienen of die lekker waren.

Toen ik terugkwam, bracht ik de spullen naar de keuken. Opeens kreeg ik een ingeving en liep naar de fjord om hen te bespioneren. Ze zagen me niet. Ze waren natuurlijk nog aan het zwemmen.

Aksel had Agnes er in haar rolstoel heen geduwd. Ze zat op de steiger. Eilif en Ine waren in het water. Ik kon Aksel niet zien, hij was zich zeker nog aan het omkleden.

Ik stond vanaf een afstandje naar hen te kijken. Ik had geen badpak bij me, ik wilde alleen zien waar ze mee bezig waren. Agnes had blijkbaar ook geen badpak bij zich, ze zat met al haar kleren aan in de rolstoel.

"Je kunt toch wel naakt zwemmen!" hoorde ik Ine roepen.

"Geen sprake van", riep Agnes lachend terug. "Jullie krijgen me niet naakt de fjord in. Ik wil liever toekijken. Moesten jullie papa trouwens niet iets laten zien?"

"Kom, papa!" riep Ine vanuit het water naar haar vader in het badhuis. "Ik wil je iets laten zien! Schiet op!"

Aksel kwam het trapje af dat naar het water liep. Hij keek een beetje beschaamd, alsof hij zich niet aan Agnes wilde laten zien. Zijn lichaam lichtte wit op in de zon. Het was een vertrouwd beeld voor me. Dat mooie lichaam. Hij had deze zomer nauwelijks in de zon gezeten, dat was duidelijk. Maar toch was hij mooi.

Ik zag dat Agnes hem aanstaarde.

"Kom op, Tarzan!" riep ze. "In het water, jij. Ine moet je iets laten zien!"

"Het lijkt me zo koud", riep Aksel terug, en hij deed alsof hij bibberde.

"Het is helemaal niet koud", riepen de kinderen vanuit het ondiepe. "Duik er maar in!"

Aksel dook. Het was niet een erg sierlijke duik; het water spatte hoog op. Het bereikte zelfs Agnes in de rolstoel.

"Boef!" riep ze. "Wil me soms verdrinken?"

Ik dacht: het is niet de bedoeling dat ik dit zie.

Ik trok me terug en ging naar huis.

Het huis moest voor het feest worden ingericht en versierd.

Ik gebruikte alles wat ik in de winkel had gekocht en wat ik verder nog in huis tegenkwam; de huizen die Agnes en Ine voor de barbies hadden gemaakt, nam ik als uitgangspunt. Hier is het dorp, dacht ik. Het is bewoond.

Het zag er wat theatraal uit, maar het was heel kleurrijk. Ik hoopte dat Ine het mooi zou vinden. Ze bleven bijna de hele ochtend bij het water.

Na een poos verscheen Aksel. Zijn haar was nat en hij nam een kijkje op de veranda en in de tuin. "Tjonge", zei hij, "dat zal me een feest worden!"

"Vind je het niet te overdreven?"

"Nee hoor, er kan niet genoeg versiering zijn op Ines verjaardag", zei hij. "Dat heb je goed begrepen, zie ik. Er is trouwens opnieuw een ongelukje gebeurd. Maar nu is alles weer in orde."

"Wat bedoel je?'

"Ik dacht dat ik het je maar vast moest vertellen, dan weet je ervan. We moeten vanavond een beetje voorzichtig zijn met Agnes. Ze is van de steiger af in het water gevallen. Maar het is weer in orde. Ik heb haar kunnen redden. Ik heb een plaid nodig en zij moet een beetje vertroeteld worden."

"Alweer? Wat gebeurt er toch allemaal?" zei ik met een harde, boze stem. "Jij hebt er een volle baan aan om dat mens te redden!"

Hij gaf geen antwoord, keek me alleen onderzoekend aan. Toen liep hij naar me toe en sloeg zijn armen om me heen.

"Dank je wel voor wat je allemaal voor Ine doet", zei hij. "Voor ons. Het wordt vast een geweldige verjaardag. En dank je wel dat je hen gisteren naar het ziekenhuis hebt gereden. Dat betekende zo veel voor Monika. Ze was ongelooflijk blij."

Ik maakte me los uit zijn armen en liep naar de kamer om een plaid te pakken.

"Het zou goed zijn als je bij gelegenheid even met Håvard kunt praten", zei ik. "Hij is bang voor dokters en heeft besloten dat het zijn lot is om blind te worden als gevolg van suikerziekte."

Ik zag dat Aksel onmiddellijk een verplegersgezicht trok.

"Tja, als je je leven lang niet voor diabetes hebt laten behandelen, heeft dat gevolgen", zei hij. "Het was me al opgevallen dat hij er niet best uitzag. Heeft hij misschien een beroerte gehad?"

"Ik weet het niet", zei ik. "Maar hij moet nodig naar de dokter."

Ik zag hem met oma's plaid over de arm uit de tuin verdwijnen.

Bij de seringenhaag kwam Håvard hem tegemoet, alsof het in scène was gezet. Hij had iets groots bij zich, maar ik kon niet zien wat het was. De twee mannen bleven lange tijd met elkaar staan praten.

"Mooi zo", zei ik tegen mezelf.

Aksel sloeg Håvard op de schouder en liep weer verder met de plaid. Zo doen mannen als ze iets hebben afgesproken, dacht ik.

Håvard liep langzaam naar de veranda waar ik de tafel aan het dekken was. Ik deed alsof ik niet blij was hem te zien. Hij zette zijn last neer, ging in een rieten stoel zitten en keek me aandachtig aan. Ik zei niets.

"Je bent weer boos", zei hij. "Je bent tegenwoordig vaker boos dan vroeger. Wat is er gebeurd?"

"Ik ben niet boos", zei ik. "Ik erger me alleen een beetje aan Agnes. Ze doet zo hulpeloos."

Hij reageerde er niet op.

"Wat is dat?" Ik knikte naar de bult die hij had meegenomen.

"Daar heb je niets mee te maken. Heb je hulp nodig?" zei hij, terwijl hij naar de tafel knikte.

"Je ziet toch dat dat niet zo is?"

"Goed."

"Kom je als gast op het feest of alleen om te inspecteren?" vroeg ik.

"Als gast."

"Ik zag je met Aksel praten", zei ik, terwijl ik naar de tuin knikte.

"We hebben wat met elkaar gebabbeld."

"Waar hebben jullie het over gehad?"

"Daar heb je niets mee te maken", zei hij.

"Doe nou niet zo."

"We hebben het wat over mijn gezondheid gehad. Hij vindt dat ik naar de dokter moet. Volgens hem kan een laserbehandeling het achteruitgaan van mijn ogen tot staan brengen."

"Dus je wordt toch liever niet blind?" zei ik.

"Het is logisch dat als er alternatieven zijn ..."

'Maar dan moet je wel naar de dokter."

"Ja, dat wel."

"Ik kan je er wel heen brengen. Maar je moet zelf bellen om een afspraak te maken", zei ik terwijl ik met ijzerdraad rozen van zijdepapier aan het hekwerk van de veranda vastmaakte. "Je moet leren om hulp te vragen wanneer dat nodig is."

"Spreek voor jezelf", zei hij.

"Ga eens opzij", zei ik. "Je zit in de weg."

"Ga zelf opzij", zei hij tevreden, en hij sloeg met zijn hand naar mij.

Eindelijk kwamen de anderen terug van het zwemmen. Het was een merkwaardig schouwspel. Agnes zat in de rolstoel en werd door Aksel geduwd. De kinderen en hij hadden haar van haar natte kleren ontdaan en haar Aksels broek en T-shirt aangetrokken. Ze hadden haar in de rolstoel gezet en haar met de handdoeken en de plaid ingestopt. Ze zag eruit als een verzopen kat en zo ingepakt leek ze net een postpakket waar het stempel VOORZICHTIG op stond.

Uit het onsamenhangende verhaal van de kinderen maakte ik op dat ze vlak nadat ik hen had bespioneerd, in het water was gevallen. Ine had haar vader willen laten zien welke zwemslagen ik haar had geleerd en Aksel had haar vastgehouden terwijl ze het demonstreerde. Eilif vertelde dat ze het al heel snel zelf kon: Aksel liet haar los en ze zwom drie slagen helemaal zelf.

"Bijna vier!" merkte Ine op.

"Maar Agnes werd wat te enthousiast", zei Eilif. "Ze reed tot vlak aan de rand van de steiger en boog zich naar voren om het beter te kunnen zien. En toen viel ze in het water."

"Het was een reuzeplons!" zei Ine opgewonden. "Het was best eng."

"En toen moest papa haar weer redden", ging Eilif verder. "Het is al bijna een gewoonte geworden."

Dat was geen ongeluk, dacht ik. Ze deed het met opzet. Ze wilde weer door Aksel worden gered. Zijn armen om haar heen voelen.

Het was niet moeilijk voor te stellen: de enorme plons toen ze het water raakte. De druk op haar lichaam. De groene en grijze tinten, alles wat zich om haar heen oploste. De geluiden die verdwenen. Het bijzondere gevoel wanneer je je lichaam onder water beweegt. De stroom die haar als het ware naar de bodem trok.

Misschien ga ik nu dood, heeft ze waarschijnlijk gedacht.

Ik denk dat ze zich rustig en tevreden voelde. De tijd hield wellicht voor haar op te bestaan; het water werd rustig, misschien was het een fijn gevoel om geen geluiden te horen.

En toen iemand die haar vastpakte en haar terug naar de oppervlakte bracht: Aksels witte, sterke lichaam.

Hij vertelde dat ze hem onder water had geslagen, met haar armen had gesparteld. Maar misschien voelde ze dat hij sterker was dan zij, en misschien was het alsof de bodem van de fjord ook wilde dat ze weer bovenkwamen; hij duwde Aksel en haar met grote kracht omhoog.

Ik stelde me haar opengesperde ogen voor toen ze weer bovenkwamen. Zijn kracht. Hoe bang ze waren geweest, allebei. En de kinderen.

Ik kan me voorstellen dat ze daarna op het rotsige strand water lag uit te braken. De kinderen bogen zich vast geschrokken over haar heen. Raakten haar overal aan.

Iedereen die aanwezig was, herhaalde haar woorden op dezelfde manier. Het eerste wat ze zei toen ze haar stem weer terug had, was: "Vier slagen, helemaal zelf! Ine, we moeten mama bellen."

Toen spuwde ze iets viezigs uit.

"Ik zag haar tieten toen we haar andere kleren aantrokken", grinnikte Ine vertrouwelijk. "Ze waren heel groot."

Achter me kwam Håvard uit zijn stoel, waar hij naar het verhaal over Agnes' tweede val in het water had zitten luisteren.

"Gefeliciteerd met je verjaardag, Ine", zei hij plechtig. "Zeven jaar, heb ik gehoord. Dat is al een hele leeftijd." Hij gaf haar de bult die hij had meegebracht. Hij had natuurlijk geen cadeaupapier in huis gehad, ik zag dat hij het plastic tafelkleed had gebruikt om het in te pakken. Hij had het vastgemaakt met de ceintuur van zijn kamerjas.

Ine giechelde en nam het cadeau aan. Ze maakte het meteen open. Het was een tuingieter. Håvards tuingieter. Hij was nogal vies en op de bodem lagen allemaal bladeren en rommel; hij had geen poging gedaan hem voor het inpakken schoon te maken.

"Wat een gek cadeau!" riep Ine opgewonden. "Mag ik hem meenemen naar de stad?"

"Natuurlijk", zei Håvard.

Agnes richtte haar gezicht naar hem op, bijna tegen haar zin. Er verscheen een kleine glimlach op. Ze vond het een leuk cadeau, zag ik, en ze waardeerde de manier waarop hij het had gegeven. Alsof het voor haar was, dacht ik.

Ik kreeg een idee: "Vanavond houden we een kampvuur!" zei ik. "Het is toch midzomerdag! Iedereen moet takken gaan verzamelen. Vooral bij Strøm! Daar ligt allerlei rotzooi die goed kan branden. Neem de kruiwagen maar mee!"

"Rotzooi, bij mij? Ik weet niet waar je het over hebt", zei Håvard. Aksel, de kinderen en ik gingen naar zijn huis en hielpen hem de oude rommel uit zijn huis en tuin te halen. We liepen een paar keer met de kruiwagen heen en weer naar mijn tuin. Agnes lag ondertussen in de hangmat te rusten. Toen we terugkwamen, leek ze te slapen.

"Niemand houdt een kampvuur in zijn tuin", zei Aksel. "Dat moet op het strand. Anders krijg je een enorme berg as op je grasveld. Dat is geen fraai gezicht."

"Dat kan wel", zei ik. "Maar we kunnen nu beter een tijdje niet naar het strand gaan. Het is voorlopig afgelopen met dat geplons in het water en die reddingsacties. Twee keer is genoeg."

Ik keek hem met vaste blik aan.

"Daar", zei ik, en ik wees naar een stukje gras bij het tuinhuis. "Daar maken we de stapel. Rij de kruiwagen er maar heen."

Het werd een reuze geslaagd verjaardagsdiner. We zaten op de veranda aan de grote tafel te proosten en te eten en er hing een gezellige sfeer. Iedereen bewonderde mijn decoraties en Eilif maakte foto's van ons met zijn mobiel. Opnieuw zongen we voor Ine; ze stond op haar stoel terwijl wij voor haar zongen en klapten en haar toedronken. Ze straalde, maar ik zag wel dat ze moe begon te worden. Ten slotte viel ze bij Aksel op schoot in slaap. Hij droeg haar naar de bank in de kamer.

Agnes draaide zich om en keek hen verlangend na. Ze had ook wel graag naar de kamer gedragen willen worden.

"Wil jij misschien ook een poosje rusten?" vroeg ik. "Het is een enerverende dag voor je geweest."

Ze knikte.

Eilif en ik hielpen haar weer in de hangmat. Daar viel ze als een kind in slaap.

Onder het eten had ik een idee gekregen. In plaats van aan de afwas te beginnen, bereidde ik een feestvoorstelling voor in het tuinhuisje, terwijl Ine en Agnes lagen te rusten en de mannen met de laatste voorbereidingen voor het kampvuur bezig waren. Ik haalde de grote rol met doek op, en een hamer en spijkers. Vervolgens spijkerde ik het doek voor alle ramen van het tuinhuisje vast. Voor de deur liet ik het los naar beneden hangen, zodat het op het scherm in een bioscoop leek. Ik klapte de dubbele deur wagenwijd uit in de richting van de tuin.

"Wat ben jij aan het doen?" vroeg Eilif, en hij liep naar me toe met zijn handen vol rommel die hij in oma's gereedschapsschuur had gevonden en die als brandstof zou dienen.

"Ik was van plan om voor Ines verjaardag een feestelijke voorstelling te geven", zei ik. "Ik wil graag een paar ideetjes uitproberen voor de productie waar ik mee bezig ben."

"Laat je een film zien?" zei hij, terwijl hij naar het doek knikte.

"Nee, het wordt denk ik iets veel leukers", zei ik. "Wacht maar af. Ik zeg het wel als het zover is. Gaat het goed met de houtstapel?"

"Bijna klaar. Strøm heeft een jerrycan met benzine gevonden in de schuur. Het wordt hartstikke gaaf."

Ik liep naar mijn kamer en pakte de schaduwpoppen die ik had gemaakt naar het voorbeeld van de poppen uit Agnes' appartement. En de maquette van het Groeiende Kasteel.

Het was al laat. Het begon donker te worden.

Voorzichtig maakte ik eerst Ine wakker en vervolgens Agnes. Ze waren allebei moe en in de war, en hadden het liefst verder geslapen. Maar om die gemoedstoestand was het me juist te doen; ik wilde ze in een schemertoestand hebben.

Ze volgden me gehoorzaam naar het tuinhuis. Aksel, Eilif en Håvard waren er al.

Ik controleerde of Håvard lucifers bij zich had.

"Ga je nu roken?" vroeg hij sceptisch.

"Nee, maar ik wil dat je het vuur ontsteekt zodra de voorstelling is afgelopen", zei ik. "Je moet de lucifers paraat houden. Het gaat om de timing. Afgesproken?"

"Afgesproken", zei Håvard.

In het tuinhuisje was het nu helemaal donker, omdat ik de ramen had afgedekt. Een voor een liet ik hen binnen door een stuk van het doek dat de ingang bedekte op te tillen. Eerst Ine. Toen Eilif. Vervolgens Aksel. Daarna Håvard. Hij tikte op het lucifersdoosje dat in zijn zak zat en knipoogde naar me, als een geheim teken. Ik glimlachte.

Ten slotte liet ik Agnes binnen. Ik hielp haar uit de rolstoel en tilde haar min of meer op de bank op de kussens. Ze maakte een verwarde, ietwat gedesoriënteerde indruk.

Toen iedereen een plaatsje had gevonden, begon ik met de voorstelling.

"Dames en heren", zei ik. "Welkom bij deze kleine, nachtelijke feestvoorstelling ter ere van Ines zevende verjaardag. Mag ik een applausje voor de jarige? Wil de jarige weer even gaan staan?"

Iedereen klapte en Aksel hees Ine op, zodat ze op de bank kwam te staan. Ze boog, giechelde en ging weer zitten. Ze begon nu waarschijnlijk echt wakker te worden. Ik liep naar buiten en ging aan de andere kant van het doek staan.

"Jullie zullen zo dadelijk een kleine samenvatting zien van een lang verhaal met veel wendingen", zei ik. "Het gaat over een godendochter die ooit, lang geleden, haar vader verliet, uit de hemel viel en hier op aarde terechtkwam om erachter te komen hoe het was om een mens te zijn. Ze heette Agnes. Ze ontdekte het een en ander en niet alles wat ze ontdekte was prettig. Maar het verhaal gaat ook over twee kinderen. Daarom begin ik het verhaal op een andere manier:

Er was eens een dorp. En in dat dorp woonden een jongen en zijn kleine zusje. Ze waren erg arm en elke dag moesten hun ouders naar de fabriek toe om te werken en de twee kinderen werden aan zichzelf overgelaten. Maar op een dag gebeurde er iets bijzonders. Er viel een godendochter uit de lucht ..."

Ik hoorde Ine aan de andere kant van het doek bevestigend grinniken. En ik hoopte dat Agnes het verhaal herkende van de schoolvoorstelling toen we elf waren. Toen had zij de rol van de verteller gehad en deze woorden gesproken. Ik was er eigenlijk van overtuigd dat ze die herkende. Hoe had ze die kunnen vergeten? Het was als het ware het begin van onze vriendschap geweest. Ik had de schijnwerper op haar gericht gehouden.

Ik deed mijn kleine, felle zaklantaarn aan en richtte die op de schaduwpoppen voor het doek. Langzaam en met vloeiende bewegingen liet ik het Groeiende Kasteel omhoogkomen. Ik vertelde het verhaal van het *Droomspel*, in een licht gewijzigde versie. Een voor een tilde ik de poppen op en liet ze bewegen; ik bracht ze naar elkaar toe en haalde ze weer uit elkaar.

In mijn versie was er een moeder. Een zieke moeder die in het ziekenhuis lag. Zij was degene die in het kasteel gevangenzat. Ik liet het bed zien, de moeder, het dekbed. Vervolgens toonde ik een dramatische operatie, met de trucs die je met zo'n schimmenspel kunt uithalen: een lang touw dat meter voor meter uit de buik van de patiënt wordt gehaald, het scalpel dat fiks gehanteerd wordt. Ik maakte er een komedie van en produceerde er grappige geluiden bij. Het publiek in het tuinhuisje lachte hartelijk.

Opeens herinnerde ik me dat oma me had geleerd om met de handen schaduwbeelden te maken, ik legde de poppen neer, hield mijn handen tegen elkaar en liet een grote, zwarte vogel met langzame vleugelbewegingen boven het kasteel komen aansuizen. Het zag er griezelig uit; ik kon zelf zien hoe sterk het effect was.

En vervolgens liet ik de vogel met zijn snavel de gesloten deur openmaken.

Ik kon het publiek in het tuinhuisje niet zien, ik stond immers buiten. Ik kon ook niet horen of ze aan de andere kant van het doek iets tegen elkaar zeiden.

Dit liet ik zien aan de andere kant van de gesloten deur: ik pakte de poppen weer en toonde hoe de moeder na de dramatische operatie weer onmiddellijk beter was en uit bed kwam, haar man en haar twee kinderen zweefden het kasteel binnen en omhelsden haar.

"Waar ben je geweest, mama?" vroeg ik met een kinderlijk stemmetje.

"Ik ben de hele tijd hier geweest", zei de mamapop. En toen omhelsden ze elkaar opnieuw.

Ik floot *Hier in Haga's groene dreven,* terwijl ik alle vier poppen tegelijk vasthield: Eilif, Ine, Monika en Aksel. Het werd een wirwar van armen en benen, maar ik denk niet dat dat erg was. Het publiek kreeg de bedoeling toch wel mee.

Maar wat er daarna gebeurde, weet ik niet. Ik moet gestruikeld zijn of zo. Ik viel zomaar op de grond. De zaklamp gleed uit mijn hand op de grond, het lampje ging stuk en ik liet alle poppen vallen, geloof ik; de voorstelling kwam abrupt ten einde. De anderen kwamen verschrikt kijken.

Ik voelde me opeens zo moe.

Ik weet niet meer hoe het verderging. Waarschijnlijk hebben Aksel en Håvard me opgetild, het tuinhuisje in gedragen en me op oma's kussens neergevlijd.

Ine kwam ook nog even naar me toe, ze aaide me over mijn wang en legde de witte plaid over me heen. Aksel nam de kinderen mee het huis in.

"Ik denk dat we Molly beter met rust kunnen laten, zodat ze kan slapen", hoorde ik hem tegen de rest zeggen. "Ze heeft zo goed haar best gedaan voor dit feest, ik geloof dat ze vannacht nauwelijks geslapen heeft. Ze is uitgeteld, de stumper."

Ik geloof dat mijn laatste woorden waren: "Het vuur, Håvard. Nu moet je het vuur aansteken."

En terwijl ik in slaap viel, zag ik een enorme gloed aan de andere kant van het doek oplichten.

Ik geloof dat ik huilde. Of misschien sliep ik gewoon. Of allebei, als dat tenminste kan.

Ik sliep die nacht in het tuinhuis. Toen ik wakker werd, was het er nog steeds donker. Ik had de ramen grondig afgedekt.

Duf kwam ik van de bank af en greep mijn hoofd met beide handen vast.

Ik schoof het doek voor de deur opzij en liep de tuin in. De ochtend kwam me aan alle kanten tegemoet.

Het eerste wat ik zag waren de overblijfselen van het midzomervuur. Het moest reusachtig zijn geweest. Ik hoopte dat de anderen ervan genoten hadden.

Het smeulde hier en daar nog steeds. Ik zag de verkoolde resten van Agnes' schoenen tussen de zwarte stukken hout uitsteken. Na de voorstelling had ze haar schoenen zeker in het vuur gegooid. Wat een vreemde actie. Opeens drong het tot me door dat ik een heleboel dingen van Agnes niet begreep.

Ik stond naar het huis te kijken. Geen beweging te zien. Iedereen was waarschijnlijk nog in diepe rust. Langzaam liep ik door de tuin, ik liep tussen de seringen door en sloeg de weg in naar Håvards huis.

Toen ik bij zijn tuin kwam, voelde ik dat ik moest plassen. Ik ging op mijn hurken zitten.

Toen zag ik hem. Hij stond roerloos bij de stokrozen naast het tuinhek. Hij tuurde in mijn richting. De zon stond pal achter hem; ik kon niet zien of hij glimlachte. Toen stak hij zijn hand op.

De anderen vertrokken die ochtend. De kinderen wilden met alle geweld naar huis, zodat ze hun moeder elke dag in het ziekenhuis konden opzoeken. Ze was nu sterk genoeg om bezoek te kunnen ontvangen, dat hadden ze met eigen ogen gezien. Ik geloof dat Eilif er vast van overtuigd was dat *Hier in Haga's groene dreven* daarvoor had gezorgd.

Agnes zei dat ze ook klaar was om terug te gaan naar de stad. Ze bood aan om een paar dagen in Aksels huis te logeren om een oogje op de kinderen te houden terwijl hij bij Monika in het ziekenhuis was. Ze zouden met de bestraling beginnen.

Ik hielp iedereen met pakken. Het duurde niet lang. Aksel had de afwas gedaan en na het feest opgeruimd. De kinderen hadden het barbiedorp opgeruimd. Alles leek bijna hetzelfde als voor hun komst, afgezien van de grote berg as in de tuin.

Ik zwaaide hen voor de deur uit.

Daarna was het een paar dagen hard werken geblazen. Ik ging op in een soort mist van concentratie. Soms is het goed om op die manier te werken, je vergeet alles om je heen: eten en rouwen.

Ik maakte de maquette van het glazen kasteel en de schaduwpoppen af. Ik nam alles mee naar de schouwburg en praatte met de mensen in het atelier. Ik woonde bijna samen met hen, ik was de eerste die er 's ochtends was en de laatste die 's avonds weer vertrok. Ik werkte intensief samen met de lichttechnicus; we probeerden allerlei mogelijkheden uit. Het was goed om weer in de controlekamer terug te zijn, merkte ik. Ik geloof haast dat hij mij ook had gemist.

Jan was opgelucht, dat kon ik zien. Ik snapte het wel; het kan zwaar zijn om de verantwoording te dragen. De regisseur moet altijd het overzicht hebben, zelfs als er van samenhang geen sprake is.

Ik heb niets van Agnes gehoord na haar vertrek. Ze is niet zo lang in het zomerhuis geweest, maar ik heb besloten dat de rijplank voorlopig blijft liggen. Ze kan immers besluiten om terug te komen.

Ik heb besloten om hier nog een tijdje te blijven, in elk geval tot in de herfst. Oma bleef hier altijd minstens tot half oktober voor ze weer naar het appartement in de stad terugging.

Ik kan in geen geval weg voor ik Håvard heb overgehaald naar de dokter te gaan. Maar ik moet degene zijn die de discussie begint en hem zover krijgt dat hij die laserbehandeling waar Aksel het over had, wil ondergaan. Ik kan hem toch niet volstrekt blind laten worden. Die man is alleen zo verrekte koppig. Net als ik.

Ik geloof dat Agnes even een tijdje afstand wil houden van mij en van alles wat met het zomerhuis te maken heeft. Dat begrijp ik wel. Ik kan voelen dat ze aan me denkt, net zoals Ine dat doet. Maar de kracht die van Agnes' gedachten komt, is veel sterker dan die van Ine.

Soms werkt de kracht van Agnes storend. Ik krijg het gevoel dat ze Aksel voor zichzelf wil hebben, zijn kinderen misschien ook wel. Af en toe denk ik dat ik mezelf en mijn kind tegen haar in bescherming moet nemen. Dat zij het kind zo sterk gaat wensen dat ze het van me kan afpakken, dat ze het naar zich toe trekt. Ze heeft een sterke wil, als een magneet.

Maar zo wil ik niet denken. Het moet mogelijk zijn die gedachte tegen te houden. Agnes is me heel dierbaar.

Toch geloof ik dat dat de reden is dat ik haar nog steeds niet heb verteld dat ik het kind wil houden. Daar wacht ik denk ik mee tot ik haar de volgende keer zie. Zoiets bespreek je niet over de telefoon. Ik ben nog niet vergeten dat ik haar vertelde dat ik zwanger was.

Ik weet nog dat ik een paar jaar geleden onverwacht bij haar langsging. Het was misschien een jaar of vier geleden. Ik ben er niet zo goed in om mijn komst van tevoren aan te kondigen, ik wil altijd bellen en zeggen dat ik wil langskomen, maar er komt steeds iets tussen. Ik geloof dat ze het niet prettig vindt wanneer iemand haar op die manier overvalt, maar ik ben er wel van overtuigd dat dat niet is omdat ze niet blij is me te zien, het is meer dat ze graag de controle wil hebben. Misschien probeer ik haar daarin een beetje af te remmen. Ik denk dat het beter voor haar is als ze die controle wat laat varen.

Ze zat midden in de kamer in haar rolstoel. De ramen waren afgeschermd en ze had een videoprojector aan haar computer gekoppeld.

Een dia van een of ander onderwaterdier, een zeeanemoon of zo, werd gigantisch vergroot geprojecteerd en gleed langzaam over de wand, de vloer en het plafond aan de andere kant van de kamer. Ze zat doodstil in haar stoel en volgde het beeld met haar ogen. Haar hoofd deinde in hetzelfde tempo mee als de projectie, in een langzame, verbaasde beweging.

Toen ze me ten slotte in de gaten kreeg, werd ze boos. Ik zag dat ik haar had laten schrikken. Er ging een schok door haar lichaam, alsof ze ergens uit weggehaald werd. Ik liep met drie lange stappen naar haar toe en sloeg mijn armen om haar heen. Toen barstte ze in huilen uit.

Ik hoop dat ze op de première komt. Ik stel me voor dat ik haar direct na de voorstelling vertel dat ik het kind hou en haar daarna een beetje van de verrassing laat bekomen, terwijl ik haar, Aksel en de kinderen voor een etentje uitnodig. Ik zal haar vertellen dat ik besloten heb moeder te worden, maar dat ik er niet van uitga dat Aksel de vaderrol gaat vervullen, tenminste niet meteen.

Het zal aanvankelijk wel een schok voor haar zijn, maar ik hoop dat ze me zal steunen. Ik zal haar zeggen dat ik haar nodig heb om hier samen met mij over na te denken, ik heb haar altijd nodig als ik over iets moeilijks moet nadenken. Ik moet haar weer aan mijn kant zien te krijgen.

Ik wacht er dus mee tot de première geweest is en ik gok er maar op dat het allemaal goed zal gaan; dat het voor haar een echte belevenis zal zijn. Dat Jan en ik en de acteurs en de man van het licht en al die anderen in de schouwburg erin zullen slagen haar beelden voor te schotelen waarin ze rust kan vinden en weg kan vluchten. En wanneer het applaus is weggestorven, als er applaus komt natuurlijk, dan ga ik naar haar toe, ik buig me voorover en vertel haar wat ik besloten heb.

Ik weet niet precies hoe ze zal reageren, maar ik hoop dat ze, na van de schok bekomen te zijn, zal zeggen dat het fantastisch is dat ik besloten heb het kind te houden en dat Aksel na een tijdje vast wel de rol van vader op zich zal nemen. Dat hij een goede man is en dat hij dol is op kinderen. Ze kent hem toch; er is geen enkele reden dat ze dit niet zal zeggen.

Ik wil dat ze zal zeggen dat hij uiteindelijk blij zal zijn met mijn beslissing. En ze zal eraan toevoegen dat Eilif en Ine het leuk vinden dat ze een broertje of zusje krijgen; dat hun blijdschap besmettelijk werkt op Aksel.

Ten slotte wil ik dat ze met warmte in haar stem zal zeggen dat ze zich er enorm op verheugt, dat ze dolgraag peetmoeder wil zijn. Dat ze altijd een kind heeft gewild dat in de tuin om haar heen speelt terwijl zij er in de rolstoel op past.

En dan zal ik zeggen: zodat ik limonade kan halen om samen in het tuinhuisje op te drinken.

Ze zal de jurk die ik voor de première heb gemaakt vast prachtig vinden. Hij is van paars fluweel gemaakt. Ze heeft er verstand van. Ze zal de kleur ook mooi vinden. Håvard heeft me geholpen. We hebben een model met een hoge taille gekozen. Toen ik de jurk klaar had en naar hem toe ging om te showen, keek hij me aan en zei: "Mooie positiejurk."

Wanneer ik de zegen van Agnes heb gekregen, zal ik Aksel van het kind vertellen. Daarna gaan we met z'n allen uit eten.

Jan komt de laatste tijd vaak hier om te vertellen hoe de repetities gaan en om praktische zaken te bespreken. Jan is een geboren regisseur, je ziet het aan de manier waarop hij zich tot je richt. Alsof hij je iets kenbaar wil maken waar je jezelf niet van bewust bent.

Hij komt aan het einde van de middag, na de repetities en de besprekingen met de technische staf.

Hij ziet er moe uit. Ik begrijp uiteraard dat er veel praktische problemen moeten worden opgelost, dat is altijd zo als hij en ik samenwerken. Ik heb het hem met dat schimmenspel niet gemakkelijk gemaakt. Bovendien is er iets met de onderlaag waardoor het te glad is. De acteurs glijden uit en vallen, vertelt hij me. Hij moet lachen als hij het vertelt, en ik moet ook een beetje lachen als ik me voorstel dat de in hun kostuums van gehaakt metaaldraad geklede Advocaat, Godendochter en Portierster midden in hun tekst op hun neus vallen.

Ik maak me niet zoveel zorgen als hij. Aan het einde, vlak voor de première, blijkt alles meestal in orde te komen. Het vergt veel werk, en natuurlijk komt het voor dat je in sommige opzichten moet toegeven, maar ik heb het al eerder meegemaakt.

Jan denkt met me mee en hij weet inmiddels dat hij me kan vertrouwen. Hij wil eigenlijk dat ik in de stad ben om de laatste repetities te kunnen bijwonen, dat ik met de mensen op het atelier praat en hun laat zien hoe ik het gedacht heb, hun help iets te verzinnen om de onderlaag minder glad te maken. Er moeten altijd aanpassingen komen als de decors eenmaal op hun plaats zijn gezet, je kunt niet blind op de maquette vertrouwen.

Maar ik wil hier blijven. Ik bel met hen en ga erheen als het echt nodig is. Dat moet voldoende zijn. Op mailtjes reageer ik bijna nooit.

Soms gaat de hele ochtend voorbij met telefoontjes over technische zaken, dan baal ik en kan het me allemaal niets meer schelen, en het duurt dan een hele tijd voor ik me weer een beetje de oude voel. Af en toe zoek ik mijn heil in een glas rode wijn uit oma's voorraad. Ik heb een hele kelder vol.

Soms, wanneer Jan zich opwindt, ben ik genoodzaakt hem half-dronken te voeren en dan zeg ik een hele tijd alleen maar flauwekul, tot hij eindelijk snapt dat ik het beste hier kan blijven en niet te veel in de schouwburg moet komen, waar ik me met van alles ga bemoei-en.

"Af en toe", zeg ik, "ja; vooral in het begin natuurlijk, als alles vorm krijgt op het toneel. Om de grote, noodzakelijke ingrepen te verrich-ten. Maar daarna moet het toch vanzelf vorm gaan krijgen."

Wanneer ik eindelijk tot hem ben doorgedrongen, knikt hij ver-moeid, en staat op, duidelijk een beetje daas van de wijn, loopt door de kamer en begint de maquette van alle kanten te bestuderen. Ik begrijp dat hij moe is, maar dat hij het nog niet wil opgeven. Op dat punt is hij net als ik.

Ik heb nog een extra maquette van het Groeiende Kasteel gemaakt die bij mij in de kamer staat. De andere, zijn tweelingbroer, staat uiteraard in de schouwburg. De mijne hou ik hier, zodat ik Jan de benodigde aanwijzingen kan geven voor de belichting en hem kan laten zien hoe het schimmenspel moet worden uitgevoerd. Het is mijn taak hem met de maquette te verleiden, zodat hij ziet dat het iets magisch kan worden, dat het alle moeite en tegenstand waard is. Dat het effect zal hebben.

Overal in de woonkamer liggen platen plexiglas. Nu de kinderen er niet zijn, voel ik me vrij om mijn gang te gaan en zoveel rommel te maken als ik wil.

Jan is een uitstekende regisseur. We zijn het niet altijd met elkaar eens, maar ik zie dat hij begrijpt dat ik een plan heb en dat hij er ver-standig aan doet me te vertrouwen. Dat geldt ook voor hem: hij heeft een plan en ik doe er verstandig aan hem te vertrouwen.

Ik heb hem niet verteld dat ik zwanger ben, maar misschien is het hem opgevallen dat ik vaak misselijk ben als hij er is. Hij voelt zoiets snel aan, hij is natuurlijk gewend om met acteurs om te gaan. Ik hou van mensen als hij, types die zich niet zo gemakkelijk om de tuin laten leiden.

Het valt me nu pas op: de tijd in de digitale zandloper op het scherm stroomt maar door, maar verplaatst zich niet. Langzaam word ik zichtbaar voor mezelf. Alles wordt duidelijk. Ergens is hier een golf, ik geloof dat die iets van me wil.

Ik probeer tegen mezelf te zeggen: niet zoals ik wil, maar zoals het lot het wil.

Ik had het hier eigenlijk met Agnes over willen hebben, maar ze belt niet. Misschien ben ik ook bang voor wat ze zal zeggen. Ze weet veel wat ik niet weet, dat heb ik wel begrepen. Ze weet dingen die je alleen maar kunt weten als je vreselijk bang bent geweest en heel lang pijn hebt geleden. Als je niet precies weet of de angst en de pijn ooit zullen ophouden, maar je het toch niet wilt opgeven.

Het staat niet vast of ze alles wat ze weet met me wil delen.

Die gedachte doet pijn.

Toch wil ik die gedachte niet wegstoppen: het staat niet vast of ze alles wat ze weet met me wil delen.

Ik hoor niet zoveel van Aksel en de kinderen. Een paar sms'jes van Eilif; ze zijn grappig en stralen een bepaalde warmte uit, alsof hij weet dat ik wil dat hij aan me denkt. Eilif schrijft niet hoe het met Monika gaat, ik denk dat hij zijn moeder voor zichzelf wil houden, hij wil me niet betrekken bij dingen die met haar te maken hebben. Dat is vooral om mij, denk ik. Maar hij vertelt over kleine dingetjes die hij heeft meegemaakt en die volgens hem voor mij interessant zijn.

Evenmin betrekt hij Ine in zijn berichten aan mij. Hij maakt iets wat alleen van hem en mij is. Het maakt me warm en blij; hij had het niet hoeven doen, ik ben alleen de vriendin van zijn vader, hij had ervoor kunnen kiezen mij als de vijand te blijven beschouwen, zoals hij in het begin deed.

Ine is te klein om sms'jes te sturen, maar ik weet dat ook zij aan me denkt. Ik voel het. Haar gedachten hebben een iele, loyale kracht.

Ze heeft hier een barbie laten liggen. Ik vond hem op de veranda tussen de overblijfselen van het dorp. Ik hoop dat ze terugkomt om hem zelf te halen.

Ik heb de mannen van de schouwburg gebeld en gevraagd of ze de piano willen ophalen en naar het appartement van Agnes willen brengen. Dat was een van de eerste dingen die ik deed toen ze was vertrokken. De man die de boodschap aannam praatte nog net zo zangerig als altijd. Ik wist niet precies wie ik nu eigenlijk had gesproken, maar dat is niet belangrijk. Ze zouden binnenkort langskomen.

Ik nam de barbie van Ine mee naar de kamer waar ik hem onder een plaid legde. Je ziet alleen het dunne halsje en het hoofdje met dat enorme blonde haar erboven uitsteken. Het poppenhaar zit in de war; Ine heeft wel geprobeerd de knopen eruit te borstelen, maar het is niet gelukt. Ik stel me voor dat ze de borstel geïrriteerd weggooide en haar broer om hulp vroeg. Ine heeft een heftig temperament, daarin lijkt ze een beetje op mij. Maar Eilif laat zich niet om iemands vinger winden, hij bepaalt zelf wanneer hij iemand komt helpen. Geduldig leert hij haar om het zelf te doen. Die gave heeft hij.

Een paar dagen geleden ging de telefoon, maar er was niemand aan de andere kant van de lijn die me wilde spreken. Ik pakte de hoorn op en hoorde op de achtergrond stemmen en vage geluiden, ik begreep dat iemand per ongeluk mijn nummer op zijn mobiel had ingedrukt. Ik bleef als gehypnotiseerd staan luisteren en besefte na een tijdje dat het de mobiel van de kinderen was en dat ze me zonder het te weten hadden gebeld. Waarschijnlijk zat het mobieltje in de zak van Eilifs capuchontrui; ik hoorde zijn voetstappen en de stemmen van Ine en hem vaag op de achtergrond, alsof ze zich onder water bevonden. Het leek alsof ze met elkaar in discussie waren, ik hoorde Ines aandringende stem. Ze geeft nooit op in een discussie en helemaal niet als de ander haar broer is. Ik moest glimlachen.

Ik probeerde contact met hen te krijgen, ik riep hun namen in de hoorn, maar ze hoorden me niet. Ten slotte gaf ik het op en verbrak de verbinding, maar toen ik een tijdje later opnieuw de hoorn oppakte, waren ze er nog steeds. Ik had altijd gedacht dat het contact werd verbroken als een van beiden oplegde.

Ik denk veel aan Monika. Ik vraag me af hoe het voor haar was toen ze in verwachting was van Eilif, nu meer dan tien jaar geleden. Was ze blij? Was ze in de war, net als ik? Wist ze zeker dat Aksel het fijn zou vinden? Dacht ze dat zij met z'n tweeën de rest van hun leven bij elkaar zouden blijven? Dacht ze dat alles was zoals het moest zijn? Dacht ze ook dat ze misschien Iets droeg?

Hoe vond ze het toen ze het kind voor het eerst voelde bewegen? Ik stel me voor dat ze alleen was, misschien ergens in een bos. Bij een meertje. Dat ze tegen een boomstam zat aan geleund, een dennen-boom, dat ze op de warme grond zat en de zon in haar gezicht voelde schijnen, tegen haar hoofdhuid. Dat ze haar hand in haar broek stak en die op het onderste deel van haar buik legde, een beetje vastge-klemd door de strakke stof. Dat ze voor het eerst de beweging voelde die Eilif was. Een heel kleine Eilif, slechts een vissenstaartje dat even een slag in het water maakte om dieper in haar te kunnen doordrin-gen.

Nu is hij een grote jongen die sms'jes stuurt met zijn mobieltje. Hij stuurt ze aan mij.

Ik denk dat Monika gevoeld heeft dat die vissenstaart haar misse-lijkheid deed opwellen om vervolgens weer neer te dalen in die onvindbare plek waar alle misselijkheid vandaan komt, zoiets als de plek in de zee waar eb en vloed vandaan komen. Ze trok haar hand weer uit haar broek en legde die op haar borst, onder haar vest. Ze merkte dat die al gevoelig was.

Monika dacht: nu leeft er iets in mij.

Voorlopig heb ik nog geen beweging gevoeld. Maar mijn borsten zijn gevoelig, net zoals ze bij haar waren. Toch is het een ander kind. Het is geen Eilif en geen Ine, dat mag ik niet vergeten. Ik weet nog niet wie het is, maar daar zal ik wel achter komen.

Ik vraag me af of ik nog steeds mezelf zal zijn wanneer het kind groter wordt. Misschien lijkt het straks wel alsof ik met z'n tweeën ben. Het ene lichaam in het andere; als een Russische pop met verschillende delen, en beide lichamen met een eigen wil.

Voorlopig voelt het alsof ik in m'n eentje ben.

Er liggen allemaal scherpe dingen en restjes materiaal op de vloer; ik struikel of prik me als ik blootsvoets door het huis loop. Ik moet voorzichtig zijn, misschien liggen er wel glassplinters. Ik blijf midden in de kamer staan en kijk naar mijn voeten. Ze zijn behoorlijk vies, ik blijf nooit lang genoeg onder de douche om ze echt schoon te laten worden. Jammer dan, denk ik. Ze hebben beter verdiend, maar ze kennen me tenslotte.

Het is zo leeg in de logeerkamer waar Eilif en Ine sliepen. Ik heb hun bedden afgehaald en het beddengoed als een grote baal in de waskelder gelegd, maar ik ben er nog niet toe gekomen het in de wasmachine te stoppen. Eén keer ging ik naar beneden om mijn gezicht tegen het textiel aan te drukken. Dat was vlak nadat ze waren vertrokken, het was koud in de kelder. Het rook naar appels en waspoeder en steen. Het beddengoed had geen speciale geur, het was vooral een consistentie, regelmatige, dichte vezels en een beetje smaak; kalkachtig. Daarna ben ik er niet meer geweest.

De kinderen toen ze hier waren: ze sliepen heel verschillend. Ik ben een paar keer naar hun kamer geslopen, in hun slaap was het net alsof ze door een aura werden omgeven. Ze merkten niet dat ik bij hen op de kamer was. Ine woelde zo erg dat haar nachtpon als een uitgewrongen vaatdoek om haar heen zat gewikkeld, haar knieën leken te groot voor de rest van haar lijfje. Niet heel erg, een beetje maar. Eilif maakte een stabielere indruk en zijn knieën pasten beter bij de rest van zijn lichaam.

Ik denk dat ik hen in hun slaap wilde leren kennen. Zoals ze eigenlijk waren. Alsof ik dacht dat al het andere dat ze waren, dat de dag onthult, eigenlijk niets met hen te maken had. Alsof de dag een onbeduidende verstoring was.

Nu zijn ze in het dorp, dacht ik. Ze rennen me voorbij terwijl ik hier voor mijn huisje erwten zit te doppen. Ze zijn op weg naar het veld. Achter hen kan ik de zonsondergang zien. Mijn eigen kind volgt op een afstandje. Het lijkt op hen, maar het is veel kleiner, het kan nog maar net lopen, het heeft zulke korte beentjes en helderrode schoentjes. Ine blijft staan om op het kind te wachten, ze pakt het bij de hand. Dan lopen ze verder.

Ik ben na het vertrek van de anderen verschillende keren bij Håvard geweest. Hij kijkt nauwelijks op als ik kom. Hij is druk bezig met zijn tentoonstellingsproject. Ik zie dat hij besloten heeft het af te maken.

Håvard is iemand die gewoon door zou gaan met foto's maken nadat hij blind was geworden. In elk geval een tijdje. Hij zou er waarschijnlijk een eigen genre van maken: 'Foto's van een blinde', 'Het blinde landschap', of zoiets. Een beetje goedkoop misschien, maar goed voorstelbaar. Hij zou beslist bereid zijn om met een witte stok te gaan lopen als het effect daardoor groter zou zijn. Je ziet een onweerstaanbare foto voor je in de krant: de bejaarde kunstenaar met de camera om zijn nek, die met de witte stok voor zich uit tast en op weg is naar zijn eigen tentoonstelling met de klinkende titel 'Beelden van blindheid'. Hij weet wel wat daar zo ongeveer voor nodig is; hij heeft natuurlijk altijd mythes over zichzelf verspreid en nog steeds koketteert hij graag. Dat zal hij tot zijn dood blijven doen. Ik geloof dat ik de enige ben wie het opvalt. Er zijn waarschijnlijk niet zoveel mensen die weten dat hij al heel jong suikerziekte had, dat hij slecht voor zichzelf zorgt en dat de problemen met zijn ogen daar het gevolg van zijn. Hij is niet zo oud als hij lijkt, hij heeft alleen een hard leven achter de rug. Ik neem het hem niet kwalijk. Suikerziekte past niet bij het beeld dat hij van zichzelf heeft. Blindheid wel.

Voor het bellen van de dokter om diens hulp in te roepen moet hij eerst zijn zelfbeeld veranderen. Dat vindt hij misschien erg moeilijk.

Hij vindt het nog steeds niet leuk dat ik weiger hem Strøm te noemen, maar hij moet er maar aan wennen als we buren blijven.

Eilif heeft me de foto's gestuurd die hij en Ine hadden gemaakt toen ze hier waren. Hij vroeg me ze uit te printen en ze aan Håvard te geven, ze waren voor zijn tentoonstelling, hij had de kinderen gevraagd hem te helpen, dat was de vergoeding voor het pianoonderwijs, begreep ik. Ik nam de foto's mee naar Håvard, maar hij zei dat ik ze mocht houden. Misschien kon ik ze zelf wel gebruiken. Ze liggen nu voor me op tafel. Het zijn mooie foto's. Vooral die met de kat.

Niet alleen in de logeerkamer is het stil geworden, maar in het hele huis. Eerst werd ik er onrustig van, maar nu ben ik eraan gewend. Alles valt weer terug in de toestand waarin je kunt werken.

Ik heb onkruid leren wieden. Oma's borders waren bijna helemaal overwoekerd. Wieden is in feite simpel: je haalt de dingen weg die er niet horen te zijn.

Misschien had oma me dat wel willen laten zien toen ik haar op de veranda zag zitten. Dat ik moest beginnen met wieden.

III

Opnieuw Agnes

Het is fijn om terug in mijn appartement te zijn. Toen ik binnenkwam na een paar dagen bij Aksel te hebben gelogeerd om op de kinderen te passen, dacht ik: thuis. Dit is mijn thuis. Dit appartement heeft mij in de muren zitten, het heeft me gemist. Wat heerlijk om lege witte wanden te hebben. En wat heerlijk om weer alleen te zijn.

Ik legde de krukken op de vloer en ging in de rolstoel zitten die Aksel midden in de kamer had neergezet, hij had me een kus op mijn voorhoofd gegeven en was met de kinderen naar Monika's huis vertrokken. Hij wilde daar met hen blijven totdat Monika terugkwam uit het ziekenhuis en daarna waarschijnlijk ook nog wel een tijd. Hij wilde onder andere een oogje op haar operatiewond houden. Ik wierp hem een warme glimlach toe en zei dat ik dat een verstandige beslissing vond.

Het duurde even voor ik weer op gang kwam met mijn project over het lot. Alsof mijn hersenen een tijdje rust nodig hadden na alles wat er in het zomerhuis was gebeurd. Ik had het gevoel dat ik het nu op een andere manier moest benaderen.

Maar één ding staat voor mij vast, nog duidelijker dan eerst: al die rampen willen iets van ons. Ze gooien alles omver en daarna is er steeds weer een nieuw begin. Je wordt gedwongen alles op een nieuwe manier te bekijken; wat verstard is, komt weer in beweging. Alles wordt scherp en duidelijk.

Wat me van de dagen in het zomerhuis het beste is bijgebleven, is die tocht met de kajak.

Nadat Molly me zo'n harde zet had gegeven dat ik omsloeg en Aksel me moest redden, had de doodsangst me in zijn greep gekregen. Zo bang was ik nooit eerder geweest. Alsof ik een ander was geworden; iemand die geen toekomst meer had.

Maar Aksel en de kinderen droegen me het badhuis in en wikkelden handdoeken om me heen en trokken me Aksels kleren aan; ze wreven me warm, streelden me, Ine wreef mijn haar droog, Eilif masseerde mijn voeten. Aksel haalde een plaid en legde die over me heen. Hij praatte met een rustige, warme stem tegen me, hij zei dat hij vond dat ik het meteen weer moest proberen. Anders zou ik nooit meer in een kajak durven.

Eilif en hij schepten het water uit de kajak en brachten alles voor me in gereedheid. Ik zat ondertussen bibberend met Ine in het badhuis te wachten tot de boot weer in het water lag.

Ook deze keer was het een heel gedoe om me in de kajak te krijgen, maar het ging toch gemakkelijker dan de vorige keer. Toen ik er eenmaal in zat, ging het allemaal veel soepeler dan ik me had kunnen voorstellen. Eilif reikte me de peddel aan en gaf de kajak een heel voorzichtig duwtje, zodat ik over de gladde waterspiegel wegdreef. Ine lachte vrolijk toen ik mijn evenwicht had gevonden en gedrieën riepen ze wat ik moest doen. Ik kreeg het ritme bijna meteen te pakken. Ik hoorde hen achter me applaudisseren.

"Prima!" riep Aksel tevreden. "Kalm blijven en je evenwicht bewaren. Zo gaat het goed."

Het was een raar gevoel om zo te zitten, verzonken in het water en zelf te kunnen bepalen waar je heen wilt. Het ging zo snel, ik schoot ervandoor! Ik hoorde vaag dat Eilif me iets nariep. Ik kon ook horen dat hij lachte. Hij maakt zich geen zorgen om mij, dacht ik. Die jongeman heeft het door, hij weet dat ik weet waar ik heen ga.

Ik peddelde naar een paar klippen die uit het water staken. Het water was zo helder. Ik had geen idee dat er onder water zoveel leven was. Er bewoog zoveel. En het water was zo helder.

Een kleine zeehond stak zijn kop vlak voor de boeg van de kajak omhoog. Ik staakte al mijn bewegingen, was als verlamd. We keken elkaar aan. Het was geen grote, vast nog een jong. Ik stak de peddel voorzichtig weer in het water en liet de boot naar voren glijden. De zeehond dook weer onder water en bleef een tijdje weg. Een poosje later dook hij verderop opnieuw op. Ik kon hem bijna zien lachen.

Er belde iemand van de schouwburg om te vertellen dat ze in de loop van de dag oma's piano kwamen brengen. Ze wilden alleen weten of ik thuis was. Ik herkende de stem van de man die belde; het was de man met de grote baard.

Ik zei: "Kom maar langs wanneer het je schikt. Ik ben altijd thuis."

Toen liet hij de bulderende lach horen die ik zo prettig vind en hij zei dat het dan verdorie tijd werd dat ik er eens uit kwam.

Het was aardig van Molly dat ze mij de piano gaf. Dat is dan mijn erfstuk van oma. Molly heeft de rest gekregen. Dat is niet meer dan eerlijk; zij is nu eenmaal haar kleinkind.

Toen ik het gesprek met de man van de schouwburg had beëindigd, bedacht ik opeens iets wat met mijn project te maken had. Tot nu toe ging ik uit van de theorie dat het lot en het lijden bij elkaar horen als Hans en Fritz. Maar misschien ontbreekt er nog een element, dacht ik, de vreugde.

Ik was de vreugde vergeten.

Als je die het minst verwacht is ze er opeens, steekt ze haar kop omhoog, vlak achter Hans en Fritz, het lijden en het lot. En geeft ze een knipoog. Als een jonge zeehond.

De dag nadat ik weer terug was in de stad, ging ik in mijn eentje naar oma's appartement toe. Ik nam een taxi. Het was dezelfde taxichauffeur als de keer dat ik de Afrikaanse man met het kind in de portiek had ontmoet. De taxichauffeur knikte even naar me en groette, het was duidelijk dat hij me herkende. Hij had het adres zeker herkend, of de rolstoel. Of hij had mij herkend.

Ik wist dat de buurman de sleutels had. Ik belde bij hem aan. Hij leek niet verrast te zijn. Misschien herkende hij me ook wel.

"Ik moet iets uit oma's appartement hebben", zei ik. "Iets wat van mij is."

Hij keek me een ogenblik indringend aan, alsof hij begreep waar ik op doelde. Toen maakte hij de deur voor me open en liet me daar alleen achter.

Alles stond er nog als toen oma nog leefde. Er leek zelfs geen stof te liggen. Iemand had de tijd doen stilstaan en dit allemaal voor mij achtergelaten.

De plaats waar de piano had gestaan was een gapend gat. Maar zo hoort het nu eenmaal. De piano gaat nu naar mij. Hij moet worden gestemd. Ik zal de pianostemmer bellen, Molly kan me het telefoonnummer geven. Ik zal ook een taxi voor hem laten komen, zoals zij deed. Ik zal hem alle tijd geven die nodig is.

Ik dacht dat ik wist waar oma de geluidsbanden bewaarde. En ik vond de bandrecorder. Maar er zat maar één spoel op. Ik had gedacht dat er voor elke bezoeker een aparte spoel zou zijn, dat oma een soort archief bijhield van de confidenties van haar bezoekers. Maar er was er maar één.

Dan staan alle gesprekken achter elkaar, dacht ik.

Ik nam de bandrecorder mee naar de woonkamer en zette die voor de diepe, rode leunstoelen op tafel. Het was niet moeilijk hem aan de praat te krijgen. Maar het enige geluid dat de spoel maakte was een laag zoemen, alsof er een grote machine in een aangrenzende kamer stond. Geen stemmen. Geen andere geluiden. Ik bleef als gehypnotiseerd luisteren.

Aksel heeft zorgverlof gekregen om voor Monika te kunnen zorgen, dus klaarblijkelijk zijn de invalster en ik nog een tijdje op elkaar aangewezen.

Ik moest haar een paar dagen na mijn terugkeer uit het zomerhuis bellen. Het was niet zo gemakkelijk om me zonder rolstoel te kunnen redden als ik had gedacht. Ik was een paar keer gevallen en kon dan moeilijk zelf weer overeind komen, ik besefte dat dat krukkenproject van mij misschien toch niet zo verstandig was.

Volgens mij is de invalster veranderd. Ik weet niet wat er zich achter mijn rug heeft afgespeeld, het kan natuurlijk zijn dat Aksel haar apart genomen heeft. Ze knoopt nog steeds die onflatteuze mantel van haar helemaal tot haar kin toe dicht als ze weggaat, maar ze ziet me nu toch op een andere manier; er is een nieuwe blik in haar ogen verschenen. Ze praat niet zoveel meer als vroeger en ze heeft opeens aandacht voor wat er op mijn werktafel ligt. Een paar dagen geleden vroeg ze me rechtstreeks waar ik mijn tijd aan besteed als ik achter mijn computer zit. Ik weet niet wat me bezielde, maar tot mijn verbijstering hoorde ik mezelf uitleg geven over het lotsproject. Ik trad natuurlijk niet in details, maar ik wist de essentie te formuleren van wat ik probeer uit te zoeken: wat wil het lot met ons? Welke taal spreekt het? Hoe moeten we reageren, hoe moeten we aantonen dat we het begrepen hebben?

Tot mijn grote verbazing leek de invalster meteen te begrijpen waar ik het over had. Ze drong zich niet op, maar het was duidelijk dat ze zelf ook enige ervaringen had met het lot. Ze vertelde over haar dochtertje dat vanaf de geboorte ernstig ziek was geweest en dat naar ieders verwachting hooguit een paar jaar oud zou worden. Nu was ze zeven en ze zat in de tweede klas. Ze had veel hulp nodig en ze was erg afhankelijk van haar moeder. Daarom werkte ze ook alleen als invalster; ze moest zelf kunnen bepalen wanneer ze kon werken, het moest aansluiten bij de behoeften van haar dochter.

"Dat wil dus zeggen dat het altijd een goed teken is wanneer je bij mij komt", zei ik. "Als je aan het werk bent, gaat het dus goed met je dochter en zit ze op school."

De invalster glimlachte naar me en knikte een beetje verlegen. Toen wees ze naar de maquette van het zomerhuis die ik naar een hoek van de kamer had verplaatst. Er lag nog steeds een laken over, dat had ik er eerder deze zomer overheen gegooid vlak voordat Molly kwam om me naar het zomerhuis te brengen.

Ik ging ernaartoe, trok het laken weg en legde haar uit dat het model dat ik had gemaakt, deel uitmaakte van mijn project, maar dat het een weinig vruchtbare route bleek te zijn; een doodlopende weg. Ik was van plan het weg te gooien. Misschien kon ze me helpen het beneden in de afvalcontainer te gooien.

Maar dat wilde ze niet. Ze bewonderde de maquette, er waren allerlei details die ze van commentaar voorzag; de hangmat op de veranda, de schijnwerper, de piepkleine computer en de telefoon in de woonkamer. Ze vroeg verbaasd of ik dat echt weg wilde doen.

"Absoluut", zei ik. "Het bleek niet met de werkelijkheid overeen te komen."

Toen lachte de invalster en vroeg of ze het ook mee mocht nemen voor haar dochter. Ze kon het als poppenhuis gebruiken. Toen ze dat zei, voelde ik een warme golf door mijn lichaam trekken. Het voelde als een stroom tranen. De invalster keek me geschrokken aan.

"Natuurlijk", zei ik, terwijl ik mijn keel een paar keer schraapte. "Het is alleen maar fijn als iemand ermee kan spelen. Ik heb er niets meer aan."

Nadat ze was vertrokken, met de maquette onder de arm, bleef ik in de rolstoel over straat uitkijken. Er zaten nog wat tranen in me. Ik haalde de doos met tissues en legde die op mijn schoot.

Opnieuw voelde ik het bezinksel naar de bodem van het in beroering gebrachte water dalen. Ik zag de grote ziekenhuisgebouwen aan het einde van de straat. Het was bewolkt, maar volgens de weerberichten zou het tegen de avond opklaren, zodat het een fraaie zonsondergang zou worden.

Ik bedacht dat het misschien tijd was geworden om de onderzoeksmethoden van mijn project wat uit te breiden. Misschien was het een idee om mensen interviews af te nemen, en me niet alleen maar te baseren op de kennis die ik op het internet en in de media kon vinden. Ik kon beginnen met de invalster, dacht ik. Ik kon haar vragen wat zij vond van het lot. Met die zieke dochter moest ze toch hebben nagedacht over het lot en wat het met ons wil. Misschien kon ze me wel een paar keer meenemen naar het ziekenhuis om daar patiënten te bezoeken en misschien wat met hen te praten. Ik ben daar natuurlijk ook goed bekend.

Misschien is er op een goede dag wel een patiënt die zijn of haar situatie voor me beschrijft en naar wie ik aandachtig kan luisteren. En dan kan ik wellicht, net als oma, zeggen: "Weet je dat nu wel zeker?"

Hoe kun je weten wat het lot wil?

Weet je zeker dat je teleurgesteld bent? Misschien ben je wel opgelucht.

Misschien ben je niet boos, maar bang.

Misschien ben je niet bang, maar boos.

En misschien zal ik op een dag de kamer binnenrijden van een jonge vrouw van negentien die haar voeten niet meer kan voelen en niet weet of ze ooit nog een normaal leven kan leiden. Iemand aan wie de artsen hebben verteld dat ze de controle over haar ledematen zal verliezen, haar geheugen, haar spraak, alles. Iemand bij wie de handen slap op het dekbed liggen, alsof ze haar niet meer vertrouwen.

Misschien kan ik met mijn rolstoel tot vlak bij haar bed rijden, me over haar heen buigen, mijn hand op de hare leggen, haar ernstig aankijken en zeggen: "Meisje toch. Alles is zoals het is."

Aksel verricht ook met Monika vast goed werk. Ik zie voor me hoe hij haar uit bed helpt en naar de trainingsmat brengt, zijn verplegersschoenen uitdoet en naast haar gaat liggen om haar de oefeningen voor te doen die haar buik, rug en het kwetsbare deel waar ze in gesneden en dingen uit gehaald hebben, geleidelijk aan sterker zullen maken. Het deel van haar lichaam waar geen baarmoeder meer zit en waar nooit meer kinderen zullen groeien. Maar dat is niet zo erg. Monika heeft de kinderen die ze hebben moest al gekregen.

"Voorzichtig!" zegt Aksel. "Langzaam en rustig bewegen. En vergeet je ademhaling niet, Zo, ja."

Vanavond heeft Molly première. De kranten staan vol met voorbeschouwingen; zowel wat betreft de regie als de scenografie zijn de verwachtingen hooggespannen. De journalisten die de laatste repetities mochten bijwonen, zinspelen erop dat we iets spectaculairs te zien zullen krijgen.

Ik bedacht dat ik Molly, Aksel en de kinderen na de première wel bij mij thuis kon uitnodigen voor een diner. Ik denk dat ik hun spaghetti met gehaktballetjes voorzet. Misschien wat eenvoudig, maar ik hoef hen niet te imponeren. En ik heb een bijzondere verrassing voor hen verzonnen: als toetje wil ik hun gebakken ijs voorzetten.

Ik heb het er met Eilif over gehad, hij had in een tv-programma een of andere kok horen praten over een dessert waarbij je ijs in de oven bakt. Hij had zich daaraan geërgerd, zijn logische jongensverstand had hem immers verteld dat je onmogelijk ijs in de oven kunt bakken. Op Ines verjaardag hebben we daar laat op de avond nog over gepraat. Hij en ik zaten ieder in een plaid gewikkeld op een rieten stoel naar de vonken van het dovende midzomervuur te kijken. De anderen waren al naar bed gegaan. Molly lag in het tuinhuisje te slapen.

Ik weet niet hoe we over toetjes kwamen te spreken. Na alles wat er die avond was gebeurd, waren er toch wel belangrijker onderwerpen te bedenken. Hoe dan ook, Eilif en ik hadden het over toetjes. Hij zei nijdig dat het onmogelijk was om ijs in de oven te bakken, maar ik wierp hem door de duisternis een glimlach toe en zei dat ik me kon herinneren ergens een recept van in de oven gebakken ijs te hebben gelezen. Ik wist het heel zeker.

"Hoe doe je dat dan?" vroeg hij. Maar ik kon hem niet vertellen hoe het moest. Toen snoof hij afkeurend, zoals zijn vader weleens doet als hij vindt dat ik me tijdens de oefeningen te veel uitsloof. Ik durfde niet nog duidelijker te lachen; ik moest mijn gezicht een ogenblik afwenden. Ik was zo blij dat hij dat bij mij durfde te doen. Ik stak mijn arm van onder de plaid vandaan en klopte hem op zijn rug. Hij stak zijn arm uit en gaf me een duwtje terug, op mijn schouder. Zijn duw was harder dan de mijne.

Ik heb het recept op internet gevonden: Omelet Sibérienne heet het, gebakken ijs uit de oven. Het geheim zit in het eiwit. Je moet de eiwitten met suiker stijf slaan en het ijs met die zoete, luchtige massa bedekken. Het geklopte eiwit werkt isolerend, zodat het ijs tegen de hitte van de oven kan. Als je het eet, is het aan de buitenkant warm en vanbinnen koud. Ze zullen het vast heerlijk vinden.

Ine komt binnen zonder aan te bellen.

Ze schopt haar schoenen uit in de gang en loopt op me af; ze loopt zo licht en elegant, dat komt vast door de balletlessen. Soms lijkt ze de grond niet eens aan te raken.

Ik zit aan mijn werktafel. Ik voel mijn wangen trekken als ik haar op me af zie lopen.

"Papa en Eilif zijn er zo met de auto", zegt ze. "Ze hebben nog geen parkeerplaats gevonden, dus zijn ze naar het benzinestation gegaan om te kijken of ze daar ook bloemen verkopen voor Molly's première. Volgens papa moet je altijd bloemen meenemen naar een première."

"Dag, Ine", zeg ik. "Fijn je te zien."

"Neem jij geen bloemen mee?"

"Natuurlijk", zeg ik. Ik wijs naar het grote, langwerpige pak van de bloemenzaak dat op mijn werktafel ligt.

"Mama is vandaag buiten geweest", zegt Ine, terwijl ze naar de tafel toe loopt en de bloemen in haar armen neemt. "Zij en ik hebben een stukje gefietst. Het ging goed."

"Ja? Wat fijn. Ik wist het wel."

"Echt waar?"

"Mmm."

"Maar toen we terug waren moest ze op de bank gaan liggen. Ze was een beetje duizelig geworden."

"Dat is logisch", zeg ik. "In het begin word je heel snel duizelig. Ze moet niet overdrijven, ze moet nog steeds veel rusten. Maar het zal nu wel snel gaan, nu ze eenmaal thuis is en papa en jullie beiden er zijn om voor haar te zorgen. Mama's moeten een beetje vertroeteld worden, weet je. Vooral als ze ziek zijn geweest."

"Weet ik toch", zegt Ine. "Kon jouw mama goed fietsen toen je klein was?"

Ik kijk haar verbaasd aan.

343

"Mijn mama?" zeg ik. "Waarom vraag je dat?"

"Ik vroeg het me gewoon af."

"Nee, mijn mama kon niet echt goed fietsen", zeg ik. "Voor zover ik het me tenminste kan herinneren."

"Wat kon ze dan wel goed?"

"Ze kon heel goed schrijven."

"Wat schreef ze dan? Verhalen en zo?"

"Ja."

"Is ze dood?"

"Nee, ze is niet dood. Maar ik heb haar al jaren niet meer gezien."

"Waarom niet?"

"Ze is bij ons weggegaan. Ze woont nu in het buitenland."

"Maar dan mist ze je toch heel erg!"

"Ik weet het niet. Ik denk niet meer zo vaak aan haar."

"Denk je niet zo vaak aan haar? Maar je moet juist heel vaak aan je mama denken! Anders wordt ze erg verdrietig!"

Ik word een beetje onrustig.

"Het is niet altijd zo eenvoudig", zeg ik.

"Weet je dan niet meer wat Molly en jij zeiden toen je in het zomerhuis uit de hangmat viel?" zegt Ine nu boos. "Jullie zeiden dat een mama nooit kan verdwijnen."

"Hebben Molly en ik dat gezegd?"

"Ja!"

"Wat hebben we nog meer gezegd?"

"Jullie zeiden dat een mama net een amandel in de pap is. Of zoiets."

Ik moet glimlachen.

"Een amandel in de pap. Ja, nu weet ik het weer."

Ik begrijp dat Ine zich alles herinnert wat er in het zomerhuis is gezegd, ook al heeft ze niet alles begrepen en weet ze niet precies meer wie wat heeft gezegd. Molly en ik glijden voor haar af en toe in elkaar over. Maar toch verbaas ik me erover, ik ben blij dat ze het zegt. Wanneer een meisje als Ine zich zoiets herinnert, verdwijnt het niet. Dan bestaat het, ook al is het niet helemaal begrepen.

"Precies", zeg ik. "Een mama is net een amandel in de pap."

"Ja, want je weet dat hij er is, maar je kunt hem niet altijd zien! En dan opeens, hoepla, zit hij op je lepel."

Ze lacht tevreden.

"Ja, hoepla", zeg ik.

"Papa weet wat hij moet doen om goed voor mama te zorgen", gaat ze verder.

"En of hij dat weet", zeg ik. "Die papa van jou is reuzeflink en geduldig."

"Ik vind dat jij jouw mama moet opbellen", zegt ze. "Stel je voor dat zij ook hulp nodig heeft? Of jou mist? Je hebt toch telefoon!"

Ik weet niet wat ik daarop moet zeggen.

"Neem je je krukken mee naar de schouwburg?" vraagt ze.

"Ik denk dat ik met de rolstoel ga", zeg ik. "Voor de zekerheid. Ik word zo moe van die krukken. Ik denk dat het iets te veel gedoe wordt. Bovendien hebben ze aparte plaatsen voor mensen in een rolstoel. Heel goede plaatsen. De beste."

"Mag ik naast je zitten?"

"Natuurlijk", zeg ik, en ik voel een warme kriebeling in mijn borst.

"Wat is dat?" vraagt Ine, ze legt de bloemen weer neer. Haar oog valt op het rode fluwelen kussen met het hamertje en het zilveren klokje uit oma's appartement. Molly heeft het me gegeven. Ze had het in mijn tas gestopt toen ik uit het zomerhuis vertrok, samen met de kartonnen poppen die ik had gemaakt en die zij had geleend. Ik vond ze pas toen ik thuis was gekomen en mijn spullen uitpakte.

Ze had het kussen, de hamer en het klokje elk in zijdepapier verpakt, ze had ze zeker uit het appartement meegenomen toen we de piano ophaalden. Ik herken de paarse kleur van het papier; oma had een la vol van dat papier in haar secretaire.

"Het is eigenlijk een geheim", zeg ik. "Ik heb het van Molly's oma geërfd."

"Die vroeger in het zomerhuis woonde?"

Ik knik.

"Mag ik eens proberen?"

Ik knik opnieuw.

Op straat horen we een auto toeteren. Dat zijn zeker Aksel en Eilif die willen dat we opschieten.

"Probeer maar", zeg ik. "Daarna gaan we."

Ines gezichtje komt helemaal tot rust. Ze kan zich zo goed concentreren, haar kleine lichaam bereidt zich voor alsof het een zaak van leven en dood is.

Voorzichtig pakt ze het zilveren hamertje vast bij de kop, die op een olifantenkop lijkt. Met twee vingers pakt ze de draad waarmee ze het klokje behoedzaam van het dieprode fluweel optilt.

"Nu?" vraagt ze, en ze kijkt me aan alsof ik een dirigent ben.

Ik knik.

Ine tikt voorzichtig met de hamer tegen het zilveren klokje.

Het is een iel geluid, maar het blijft in de lucht hangen. Het lijkt steeds groter te worden; het schept ruimte.

Op straat lijkt Aksel het geluid gehoord te hebben; hij antwoordt door opnieuw te toeteren.

Ik glimlach en knipoog naar Ine.

Zo zie ik het voor me:

De zaal van de schouwburg loopt vol. Het publiek begeeft zich naar
de plaatsen. Een vrouw in een rolstoel wordt naar de speciale plaatsen
voor rolstoelgebruikers gebracht. Ze wordt gevolgd door een meisje
van een jaar of zeven met halflang haar en een lichte jurk. Het meisje
gaat op de plaats naast de rolstoel zitten en geeft de vrouw het programma, ze heeft het bekeken en verbaasd gezien dat er heel veel
foto's van haar en haar broer in staan, alsof ze bij de voorstelling
horen. Haar broer en zij hebben de foto's een paar weken geleden met
een mobiele telefoon gemaakt. Er staat ook een foto van een poes in;
het meisje glimlacht breed als ze hem herkent.

De vrouw in de rolstoel buigt zich naar haar toe om haar uit te leggen hoe die foto's in het programma terecht kunnen zijn gekomen. De
vrouw bladert verder en ziet dat zowel zijzelf als het meisje en haar
broer worden bedankt. Ze wijst naar de plek waar de namen staan en
het meisje knikt; ze kan een beetje lezen, ze herkent de namen.

Een paar rijen verder naar achteren zit een blonde man van een jaar
of veertig. Hij heeft een geruit overhemd met korte mouwen aan dat
tot aan de hals is dichtgeknoopt, hij ziet eruit alsof hij zich niet vaak
moet opdoffen. Hij is wat gespannen, hij is net achter het toneel
geweest om de scenografe van het stuk twee grote boeketten te over-
handigen. Naast hem zit een jongen met net zulk blond haar, maar de
jongen heeft in zijn haar allemaal stekeltjes aangebracht. Hij is een
jaar of tien, elf misschien.

Achter het raam van de controlekamer achter in de zaal kun je vaag
twee gedaanten onderscheiden die over het controlepaneel gebogen
staan. Het zijn de lichttechnicus en de scenografe, een vrouw met kort
haar, van een jaar of dertig, gekleed in een paarse fluwelen jurk. Ze

zijn diep met elkaar in gesprek gewikkeld.

Dan recht de scenografe een ogenblik haar rug en werpt een blik in de zaal. Op hetzelfde moment, alsof er een teken is gegeven, draait de vrouw in de rolstoel zich om. Het meisje naast haar, de man en de jongen die een paar rijen terug zitten, draaien zich ook om en kijken naar de controlekamer. Hun blikken ontmoeten de blik van de scenografe.

De vrouw in de rolstoel heft haar hand op en wil wuiven.

Dan doven de lichten in de zaal. De voorstelling begint.

Nothing is ever the same as they said it was. It's what I've never seen before that I recognise.

Diane Arbus

Verantwoording

Voor de namen van de personages en citaten uit het *Droomspel* (*Ett drömmespill*) van August Strindberg hebben de vertalers zich gebaseerd op de vertalingen van W.C. Royaards, Amsterdam 1921, Ipenbuur en Van Seldam, en van Sybren Polet, Krommenie 1996, Vereniging voor Amateurtheater, in de bewerking van Benno van Leer.

Voor het door Eilif op de piano gespeelde lied *Hier in Haga's groene dreven* (*Fjäriln vingad syns på Hagan*) van Carl Michael Bellman hebben de vertalers dankbaar gebruikgemaakt van de vertaling van Bertie van der Meij, die is verschenen in het boek *Sterven van liefde en leven van wijn,* uitgeverij Voltaire, 's Hertogenbosch 2003.